MARIETTE PACHA
1821-1881

Collection dirigée par Christiane Desroches Noblecourt

Elisabeth David

MARIETTE PACHA

PACHA

1821-1881

Pygmalion
Gérard Watelet

Paris

Sur simple demande aux
Éditions Pygmalion/Gérard Watelet, 70, avenue de Breteuil, 75007 Paris,
vous recevrez gratuitement notre catalogue
qui vous tiendra au courant de nos dernières publications.

© 1994 Éditions Pygmalion/Gérard Watelet à Paris
ISBN 2-85704-435.6

REMERCIEMENTS

L'utilisation de fonds d'archives inédits a considérablement enrichi ce récit de la vie d'Auguste Mariette, qui doit beaucoup à la générosité de :

Madame Christiane Desroches Noblecourt, Inspecteur général honoraire des Musées de France, pour les lettres de Mariette à son ami, le sculpteur Alphonse Lami.

Mademoiselle Ginette Lacaze, pour sa thèse *Recherches sur l'exploration de la nécropole de Saqqarah (du XVIe au milieu du XIXe siècle)*, thèse de Troisième Cycle, Paris-IV, soutenue le 5 juillet 1979.

Madame Christiane Zivie-Coche, Professeur à l'École Pratique des Hautes Études, V^e section (Sciences Religieuses), dont dépend le Centre Wladimir Golénischeff.
Ce Centre est le dépositaire :
– des archives Pierre Lacau, qui comprennent un dossier Mariette, constitué de divers documents relatifs à la création et au fonctionnement du Service de Conservation des antiquités de l'Égypte et de quelques papiers personnels de Mariette. Il a été classé une première fois par Georges Daressy, qui en a transcrit

une partie. La mise en ordre a été achevée, et le texte dactylographié, par Madame Michelle Thirion.

– de l'album constitué par Arthur Rhoné à l'occasion du voyage du *Qasd el-Kheir* en 1865, et l'ensemble de photographies diverses qui l'accompagne, photographies qui ont servi à constituer l'illustration de l'*Égypte à petites journées*.

Les archives du Centre Wladimir Golénischeff sont actuellement en dépôt au Collège de France, Cabinet d'Égyptologie, sous la responsabilité de Monsieur le Professeur Jean Yoyotte, qui nous a également accueillis dans sa bibliothèque, et autorisés à consulter :

– le travail rédigé en 1993 par Thibault Monier : *Les collections égyptiennes du Musée de l'Homme de Paris, Laboratoire d'Anthropologie, Département d'Afrique Blanche. Historique et constitution des collections.*

– les annexes du mémoire inédit d'Anne Léo (le texte principal n'est pas à la Bibliothèque du Cabinet d'Égyptologie) : *Auguste Mariette Pacha – Étude sur les débuts de l'archéologie égyptienne*, Diplôme d'Études Supérieures d'Histoire, Université de Paris, mai 1946.

– une lettre de Mariette à Théodule Devéria, en date du 7 août 1865.

– l'ensemble des 68 lettres d'Auguste Mariette à son frère Édouard, et à ses sœurs Sophie et Zoé, datées de 1861 à 1880. Certaines de ces lettres ont été reproduites, plus ou moins fidèlement, par Édouard dans son livre *Mariette Pacha. Lettres et souvenirs personnels.*

C'est avec gratitude que nous exprimons ici à tous notre vive reconnaissance.

PRÉSENTATION

> *Le canard égyptien est un animal dange-*
> *reux. Il vous accueille bénignement, mais, si*
> *vous vous laissez prendre à son air innocent*
> *et que vous le pratiquez familièrement, vous*
> *êtes perdu : un coup de bec, il vous inocule*
> *son venin, et vous voilà égyptologue pour la*
> *vie !*
>
> Auguste Mariette

Magnifique et très originale figure de proue, Auguste Mariette s'illustra comme successeur de Jean-François Champollion dont il poursuivit l'œuvre, aux bords du Nil, une vingtaine d'années seulement après la disparition du fondateur de l'égyptologie.

Époque homérique, pour cette nouvelle science, où la démarcation était loin d'exister, sur la Terre des Pharaons, entre archéologues, collectionneurs-antiquaires et pillards des sites antiques. Déjà Champollion, au retour de son expédition savante de 18 mois (1828-1829) depuis Abou-

9

Simbel jusqu'au Caire, avait alerté Méhémet-Ali devant les déprédations subies par les monuments les plus accessibles et la dispersion « sauvage » d'œuvres et de témoins de l'histoire, destinés ainsi à devenir, par-delà le monde, des orphelins, souvent infirmes, sans contexte, au message ainsi considérablement réduit.

L'autorité acquise par Auguste Mariette – dont la culture et le sens du terrain avaient permis la fracassante découverte du Sérapéum de Memphis – l'incita à reprendre les propositions suggérées par Champollion au vice-roi Méhémet-Ali, concernant la création d'un organisme destiné à protéger les antiquités pharaoniques, et à les faire accepter par le khédive Saïd. C'était l'époque où, de son côté, Prosper Mérimée œuvrait avec tant d'efficacité en faveur de notre propre patrimoine artistique.

Dès lors, au milieu de difficultés financières et matérielles de toutes sortes, de problèmes diplomatiques, surmontant les calomnies, la diffamation parfois, connaissant de tragiques épreuves familiales souvent répétées, Auguste Mariette s'instaura le champion capable de risquer, souvent avec humour, son bien-être, sa sécurité, sa vie, pour mettre au jour et préserver au mieux les trésors archéologiques sur tous les sites d'Égypte métropolitaine et de Nubie. Pendant une trentaine d'années rien ne l'arrêtera pour dégager, ou faire dégager, des monuments enfouis ; et conserver, pour le musée nouvellement créé, des chefs-d'œuvre convoités même par les puissants de l'époque.

Son souci s'étend également au comportement des premiers voyageurs-touristes auxquels – nul n'y pensait encore – il n'hésitait pas à recommander le respect essentiel, et souvent bafoué, envers les témoignages du passé.

Viscéralement attaché aux vastes et divers terrains de prospection où l'attendaient de fascinantes découvertes, souvent il ne put calmer sa fougue devant une atteinte à la juste cause, quitte à perdre l'inestimable position qu'il occupait à la tête des Antiquités de l'Égypte. Ainsi, en digne descendant d'un Corsaire du Roi de France, se livrat-il un jour, sur le Nil, à l'abordage en règle d'une embarcation officielle, afin de récupérer un trésor nouvellement dégagé des entrailles de la Nécropole thébaine et, de ce fait, voué à être soustrait au patrimoine national.

Dans le désert de Saqqara à l'époque domaine bien sauvage, la balle d'un bédouin le manqua de peu. Notre égyptologue de choc, étant à cheval, le poursuivit alors, frôla simplement l'oreille du fuyard d'un tir bien ajusté et s'acquit, ainsi, le dévouement d'un fidèle repentant. Plus tard, avec plus de courtoisie, mais avec la même détermination, il adopta une attitude aussi ferme devant l'intention exprimée par l'Impératrice Eugénie, laquelle désirait garder pour elle un déjà célèbre bijou de la reine Iahhotep, présenté à Paris à l'occasion de l'exposition de 1867. Il négligea ainsi la réprobation marquée de Napoléon III, d'où s'ensuivit une période de disgrâce, aussi bien en France qu'en Égypte.

Comment ne pas évoquer la mémoire de Mariette en parcourant l'actuel musée du Caire où toutes ses découvertes forment la véritable épine dorsale des collections réunies par son action ou sous son autorité, jusqu'à sa mort (1881). Parmi les plus fameuses voici... les reliefs d'Hézy-Ré, la peinture des oies de Meïdoum, les statues aux fraîches couleurs de Rahotep et de Nofret, le grand Khéphren de diorite, la statue du « Cheikh el Beled » et le buste de son « épouse » en bois si bien conservé, le scribe de Saqqara, les deux statues de Ranefer, celle de Ti, les sphinx Hyksos et les statues royales de Tanis, le trésor et l'immense sarcophage de la reine Iahhotep, les effigies thoutmosides et ramessides, des stèles, des naos, de précieux chaouabti, et la statue d'albâtre de la divine adoratrice Aménirdis préférée de Mariette... enfin, les stèles du Gebel Barkal !

N'oublions surtout pas ses talentueuses initiatives, lorsqu'à son premier voyage en Égypte cet ancien professeur, puis jeune collaborateur au musée du Louvre, s'illustra par l'extraordinaire aventure qui lui fit découvrir la nécropole des taureaux sacrés, si remarquablement représentée en notre musée national, par une précieuse série de stèles, des sphinx, la statue unique du taureau Apis, ou encore celle du génie Bès. Si les reliques du Grand Prêtre de Ptah, Khaemouaset, douzième fils de Ramsès le Second et décédé avant lui, n'avaient pas été déposées au Sérapéum, nous ne pourrions pas, de nos jours, admirer au Louvre les bijoux exceptionnels ayant appartenu à son auguste père, lui dont la tombe avait été pillée dans l'antiquité. Nous serions, aussi, privés de la plus belle effigie de scribe accroupi, remontant à l'époque des pyramides.

Autour de chacun de ces témoins inestimables, que d'aventures révélées, de véritables épopées, d'événements sortis de l'ombre – ou de l'oubli – par Élisabeth David ! Elle a consulté les archives, la correspondance privée, les écrits contemporains des voyageurs et d'amis souvent bailleurs de fonds, tel le sculpteur Alphonse Lami dont les descendants ont offert au Louvre une magnifique tête de l'époque Saïte, cadeau du vice-roi Ismaïl à leur ancêtre.

Le récit de cette fulgurante épopée vécue, par Auguste Mariette devenu Bey puis Pacha, constitue un vibrant hommage à celui qui, pour protéger une œuvre si désintéressée, sacrifia trop souvent ses recherches et ses publications scientifiques en n'hésitant pas à répondre toujours aux désirs des vice-rois, pour se transformer en très brillant cicérone de têtes couronnées, jusqu'à devenir le scénariste de l'opéra *Aïda* !

Ainsi, fougueux défenseur de l'héritage pharaonique, cet égyptologue haut en couleur, artiste d'une grande sensibilité, pédagogue dans l'âme, fut le premier Responsable des Antiquités auprès du Gouvernement Égyptien.

Usé par son intense activité dans un climat parfois bien éprouvant, mais demeurant toujours sur la brèche, il connut les très pénibles attaques d'un diabète qui finit par le vaincre à l'issue d'un impressionnant délire. Un peu moins d'un siècle plus tard, le dernier Directeur général des Antiquités de l'Égypte avant la Révolution, Étienne Drioton, français également, issu de la même savante « pépinière » du Département des Antiquités égyptiennes du Musée du Louvre, mourait dans les mêmes éprouvantes conditions, exactement atteint du même mal. Tous deux, fervents amis de l'Égypte, s'étaient totalement investis pour servir au mieux l'objet de leur vocation, celui de faire revivre une des plus anciennes et fabuleuses civilisations en préservant avec une très vigoureuse énergie ses lointains et précieux vestiges.

Ch. Desroches Noblecourt

INTRODUCTION

Dans le jardin du musée du Caire, le visiteur égaré s'arrêtera peut-être avec perplexité devant un monument d'un style indécis, qu'on serait bien en peine d'attribuer à une dynastie en particulier : sur une modeste plate-forme, un hémicycle des égyptologues disparus déploie ses arcades. Au centre, un sarcophage de granit, évocation passable de ceux de l'Ancien Empire, sur lequel on peut lire : « Mariette 1821-1881 ». Le tout est dominé par la statue en bronze d'un fier personnage barbu, dont le socle porte l'inscription : « À Mariette Pacha l'Égypte reconnaissante ».

Il ne serait pas juste de dire qu'Auguste Mariette est un inconnu. Les dictionnaires précisent bien qu'il a créé le musée de Boulaq et retrouvé l'emplacement du Sérapéum de Memphis. Quiconque s'intéresse aux histoires d'archéologues des siècles passés sait aussi que l'homme était d'une trempe peu commune, et qu'il a consacré plus de vingt ans de sa vie à organiser la protection des antiquités égyptiennes.

Pourtant, une biographie critique et complète de cette irréductible figure de l'égyptologie reste à faire. Après sa mort en 1881, ses collègues de l'Institut (H. Wallon en 1883) et ses confrères égyptologues (G. Maspero en 1904) lui ont bien évidemment rendu hommage, et publié de longues notices consacrées à sa vie et à son œuvre. Également en 1904, Édouard Mariette, demi-frère d'Auguste, a rédigé un recueil de souvenirs personnels, qui ajoute au portrait officiel une précieuse esquisse de sa personnalité au quotidien. Ces trois ouvrages, qui aujourd'hui ne se trouvent qu'en bibliothèque, sont les principales sources d'informations consultées par quiconque s'intéresse à Mariette – nous ne faisons pas exception à la règle ! Depuis 1904, Auguste Mariette est en quelque sorte figé sur son piédestal, condamné à un silence auquel son existence ne l'avait pas préparé, silence juste rompu, lors de la commémoration du cent cinquantième anniversaire de sa naissance en 1971-1972, puis du centenaire de sa mort en 1981, par la parution à Boulogne-sur-Mer, sa ville natale, d'originales recherches.

Une quantité considérable de documents est théoriquement consultable, à la Bibliothèque Nationale, à l'Institut de France, au musée du Louvre, aux Archives Nationales françaises et égyptiennes, au Cabinet d'Égyptologie du Collège de France, à Boulogne, peut-être encore dans la famille de Mariette. Son exploitation en vue de la publication d'une vraie biographie scientifique, si souhaitable soit-elle, demanderait plusieurs années de travail. Tel n'est évidemment pas le propos de ce livre.

Nous avons simplement souhaité restituer à tous les amoureux d'archéologie égyptienne – en tâchant de ne rien oublier de ses activités en tout genre – la vie et les travaux d'un homme qui se voulut, envers et contre tout, un loyal serviteur de la France et de l'Égypte. Une existence riche en rebondissements, qui transforma un professeur de lettres dans un collège de province en Directeur des Travaux d'antiquités en Égypte, membre de l'Institut de France, Commandeur de la Légion d'honneur, Grand Officier de l'Ordre égyptien de Médjidi-éh, et Pacha.

Cet étonnant citoyen français repose dans le jardin du musée du Caire. S'il repose en paix, c'est une paix chèrement acquise !

AVERTISSEMENT

Dans les nombreuses citations de ce livre, l'orthographe des documents originaux a été respectée. En conséquence, les noms géographiques, les transcriptions européennes de mots arabes, turcs ou persans, voire les noms de personnes, ne sont pas d'une rigoureuse homogénéité.

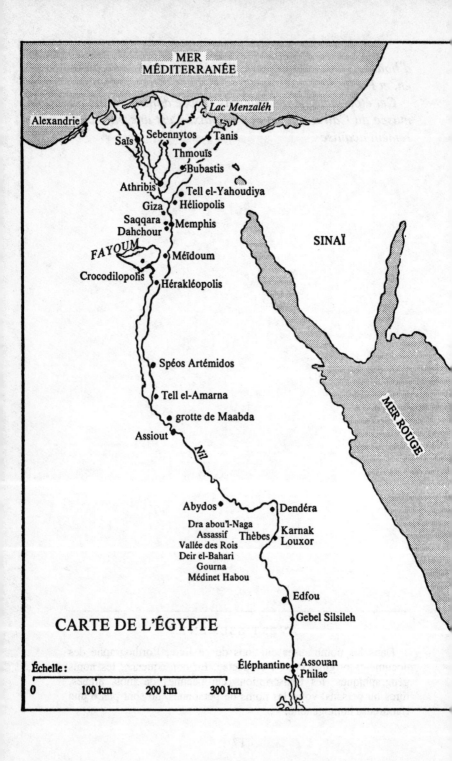

MER
MÉDITERRANÉE

Lac Menzaléh

Alexandrie

Saïs
Sebennytos
Tanis
Thmouïs
Bubastis
Athribis
Tell el-Yahoudiya
Giza
Héliopolis
Saqqara
Dahchour
Memphis

SINAÏ

FAYOUM

Méïdoum

Crocodilopolis
Hérakléopolis

Spéos Artémidos

Tell el-Amarna

grotte de Maabda

Assiout

Nil

MER ROUGE

Abydos
Dendéra

Dra abou'l-Naga
Assassif
Vallée des Rois
Deir el-Bahari
Gourna
Médinet Habou
Thèbes
Karnak
Louxor

Edfou

Gebel Silsileh

CARTE DE L'ÉGYPTE

Éléphantine
Assouan
Philae

Échelle :

| | | | |
0   100 km   200 km   300 km

CHAPITRE I

PETIT-FILS DE CORSAIRE

Acte de naissance d'Auguste Mariette

C'est aux archives municipales de Boulogne-sur-Mer (registre d'État Civil de 1821, n° 77) qu'appartient le tout premier témoignage de l'existence d'Auguste Mariette :

« *L'an dix huit cent vingt un et le douze février onze heures et demie du matin par devant moi alexandre Gontran Lorgnier adjoint faisant pour l'empêchement du maire les fonctions d'officier public de l'État Civil de la ville de Boulogne sur mer Département du pas de Calais est comparû le Sieur françois paulin mariette propriétaire en cette ville agé de vingt sept ans lequel nous a presenté un enfant du sexe masculin né le jour d'hier à deux heures et demie du matin de lui comparant et de D^e Eugenie Sophie méla-*

nie Delobeau son épouse et auquel enfant il déclare donner les prénoms de françois auguste ferdinand.

Les dites déclaration et présentation faites en présence du sieur Silvain Bilot commis en la mairie de cette ville agé de vingt deux ans et du sieur maxime Gustave Bourée Etudiant en droit en çette commune agé aussi de vingt deux ans tous deux amis des pere et mere de l'enfant.

Et ont le pere et les témoins signé le présent acte après lecture faite. »

La famille

Famille bourgeoise, la famille Mariette est originaire du Boulonnais, plus exactement de Bécourt, près de Desvres. Le patronyme est assez répandu, et il faut rendre hommage aux archivistes qui ont affronté la question de la généalogie de l'égyptologue [1]. Il ressort de leurs travaux que le premier ancêtre certainement identifiable est Pierre Mariette (1612-1688), Lieutenant de la seigneurie de Bécourt de 1656 jusqu'à sa mort. Deux générations plus tard, un dénommé Antoine Mariette (1691-1738) exerce à Boulogne les charges de Procureur en la Sénéchaussée du Boulonnais (à partir de 1718) et Notaire royal (1719). Il est l'arrière-grand-père d'Auguste. Après sa mort, sa veuve s'établit chez un de ses fils, Jean-Antoine, Avocat en Parlement et en la Sénéchaussée de Boulogne-sur-Mer, et grand-oncle de l'égyptologue. Un deuxième fils, Guillaume, né en 1731, rejoint sa mère vers 1745, et fait la connaissance du capitaine de cabotage François Thurot, futur corsaire du roi. Il participe, en tant que second, à certaines de ses expéditions contre l'Angleterre et s'illustre même au cours de l'expédition de 1760. Partie en 1759, l'escadre de course commandée par Thurot capture soixante navires de commerce,

---

1. Notamment à M. J. Cassar. Que M. J.-P. Éloy soit remercié pour nous avoir accueillis aux Archives communales de Boulogne-sur-Mer, et communiqué l'arbre généalogique de la famille.

débarque en Irlande et s'empare de la garnison de Carrick-Fergus dans la baie de Belfast, avant de tomber aux mains des Anglais le 20 février 1760. Thurot est tué dans l'affaire, et Guillaume Mariette reste prisonnier jusqu'au 10 mai. De retour en France, le corsaire se fera littérateur, et mourra à Paris en 1806. Cet aventurier de la famille, c'est le grand-père du fondateur du Musée du Caire... Son fils Paulin Mariette, né à Paris en mai 1793, Docteur en Droit, rejoint lui aussi Boulogne, pour affaires de famille. Il s'y établit définitivement et travaille, à partir de 1815, à la mairie de la ville. *« C'était un homme remarquable, d'une modestie presque ridicule »*, écrit Édouard, demi-frère d'Auguste et son cadet d'une vingtaine d'années, à propos de leur père.

La maison natale de Mariette, sise au n° 4, rue de la Balance, a été remplacée par une bâtisse neuve en 1866. Il est vrai qu'il n'y a vécu que quelques jours, la famille ayant emménagé ensuite au 9, rue de Lille. Auguste retrouve plus tard la rue de la Balance, au n° 11, puis au n° 13, où son père mourra en 1850. Il perd sa mère, Mélanie Delobeau, à l'âge de neuf ans, mais son père épouse en 1832, en secondes noces, Isabelle Beck, mère de plusieurs demi-sœurs et frères, dont Édouard, auteur d'un précieux livre de souvenirs personnels de son célèbre aîné.

Premières études

D'abord élève à l'Institution Blériot, dont une des gloires fut l'écrivain, historien et critique littéraire, l'académicien Sainte-Beuve, notre futur membre de l'Institut fréquente après sa fermeture, jusqu'à la Troisième, l'Institution Leclercq. Il suit les cours de Troisième et de Seconde au Collège communal qui ouvre ses portes à l'automne de 1835. Transféré depuis dans de nouveaux locaux, l'établissement s'appelle aujourd'hui « Lycée Mariette ».

Auguste ne paraît pas précisément appartenir à la catégorie des élèves studieux et sages... : *« Ses camarades ont gardé de lui le souvenir d'un enfant blond, presque roux, mince, élancé, vigoureux, très vif, très turbulent, plein d'entrain et de bonne humeur, sujet parfois à des mouvements de brusquerie et de colère dont il revenait vite et se montrait fort repentant. Il était assez peu porté vers l'étude et il ne manifestait d'autre penchant sérieux qu'un goût très marqué pour le dessin : dès qu'il put tenir un crayon, il se mit à couvrir les murs de la maison de bonshommes variés, surtout de soldats...* » Voilà ce qu'en dit Gaston Maspero, glorieux successeur de Mariette à la tête du Service des antiquités de l'Égypte, et l'un de ses plus copieux biographes. Entre autres espiègleries, le jeune Auguste joue à cache-cache dans les greniers de l'Hôtel de Ville de Boulogne où travaille son père, en fait dévaler les escaliers à un malheureux chien justement prénommé Dash, caricature sa famille, croque des animaux familiers ou des physionomies intéressantes. Des années plus tard, il plaisantera avec un ami sur leur première exploration archéologique, à l'âge de seize ans : celle d'un souterrain des remparts, que la tradition locale faisait déboucher à Outreau, à la périphérie sud-ouest de Boulogne, de l'autre côté du fleuve.

Enfant turbulent, Auguste Mariette n'est tout de même pas un cancre, et il figure au palmarès de la classe de Seconde du Collège communal en 1837, dans les disciplines suivantes : Géométrie, prix d'excellence ; Physique et Chimie, prix de composition ; prix de version grecque ; accessits de version latine, de narration, d'histoire et du cours d'anglais.

Auguste dans la vie active

Commence alors une existence instable, assez caractéristique de son destin. Il suspend ses études en 1837, après la Seconde, pour devenir aide-rédacteur à la mairie, d'août 1837 à juin 1839. Son travail consiste à copier, bien attentivement et bien lisiblement, des actes dans les registres communaux. Ce qui doit lui demander quelque effort, au vu de son écriture naturelle : l'égyptologue Philippe de Horrack, chargé en 1866 de revoir les épreuves de son article sur la « table d'Abydos », estime que « *L'écriture de M. Mariette ressemble à du démotique* » (écriture cursive utilisée par l'adminisration égyptienne antique, à partir de la fin du VIIe siècle av. J.-C., et totalement illisible pour un non-initié). Durant l'été de 1839, c'est en quelque sorte l'aventure qui s'offre à lui : on lui propose de remplacer un professeur de français et de dessin dans la ville natale de Shakespeare, Stratford-upon-Avon, Angleterre. Le voilà qui s'expatrie, embarque à Boulogne le 3 octobre 1839, gagne la *Shakespeare House Academy*, école qui prépare les jeunes garçons à l'entrée dans les *Public Schools* de la région. Il y enseigne jusqu'en juillet 1840, mais ne regagne pas la France immédiatement après : il s'essaye à un nouveau métier, tente de mettre à profit ses talents artistiques en dessinant des modèles dans une fabrique de rubans de Coventry, dans le comté de Warwick. La pratique des arts industriels lui rapporte une livre par semaine, mais il n'y reste que quelques mois, puis rentre au bercail.

Reprise des études et début d'une carrière d'enseignant

Que faire maintenant ? Mariette a presque vingt ans, un bagage culturel non négligeable, mais pas de diplômes, une ambition certaine, mais pas de fortune. Il lui faut, avant toute chose, le baccalauréat. Reprenant ses études interrompues trois ans et demi auparavant, il s'y prépare en six mois, et le 4 août 1841, il est bachelier. C'est alors de nouveau l'enseignement, à Boulogne cette fois, qui lui permet de gagner sa vie. Avant même d'obtenir le diplôme, il avait été engagé comme maître d'étude au Collège communal. À la rentrée de 1842, il est chargé de la classe de huitième, et semble satisfaire le Principal Dardenne. Lorsque le Régent de septième demande un congé au début de 1843, le père d'Auguste et secrétaire de mairie, Paulin Mariette, s'adresse au maire Alexandre Adam, au député de Boulogne Delessert, et au Directeur du personnel au Ministère de l'Instruction publique Delebecque : ne pourrait-on pas intervenir en faveur d'Auguste ? Démarche maladroite : lorsque les recommandations de ces messieurs parviennent au Recteur de l'académie de Douai, non seulement le Régent de septième n'a pas encore officiellement sollicité son congé, mais le Principal Dardenne pensait pour son remplacement à un autre maître, plus expérimenté. Mariette est toutefois chargé de la classe de français de l'école primaire supérieure annexée au Collège, et appointé 1 400 francs par an.

Un caractère vif

Si le bon monsieur Dardenne se félicite des progrès accomplis par les élèves de huitième sous la direction de Mariette, il a lieu parfois de déplorer son comportement, et doit écrire au Recteur, le 4 juin 1843 : « *Voilà trois mois que je cherche à remplacer en sa qualité de maître d'étude, M. Mariette... Ce jeune homme a une tête vive et il est vrai qu'il s'est laissé emporter, deux fois, par la colère, au point de donner un soufflet à deux élèves.* » À cette lettre, le Recteur répond qu'il ne connaît aucun remplaçant possible, et que, d'ailleurs, « *le remplacement du maître dont vous avez à vous plaindre ne serait pas sans inconvénients : les élèves le regarderaient comme une concession faite à des exigences que nous ne pouvons reconnaître. Vos sages conseils obtiendront de lui le calme et la modération dont il ne doit point s'écarter* ». Les vacances ne sont pas si lointaines que les esprits ne puissent s'apaiser... À la rentrée suivante, Mariette, remplacé à l'école primaire supérieure, devient Régent de septième, et le reste jusqu'en mai 1849, terme de sa carrière de professeur.

Il est malaisé de détailler cette vie d'enseignant, sur laquelle nous n'avons guère de témoignages. En 1848, la classe d'Auguste Mariette comporte 28 élèves de 9 à

13 ans, six pensionnaires, quatre redoublants. Il enseigne le français et le latin, remplace parfois les professeurs d'anglais et d'écriture ; il est aussi, selon Maspero, Directeur de l'école de dessin à partir de 1846, et fondateur d'un cours de dessin linéaire. Il réalise d'ailleurs les cartes nécessaires aux cours de géographie (certaines servaient encore en 1882) et décore la salle de réfectoire de son établissement, pour une représentation théâtrale en 1842, avec un talent remarqué par *L'Annotateur Boulonnais* : « *On put y admirer la fraîcheur des décors, la grâce des peintures. Plusieurs médaillons représentaient le Beffroi, la Colonne, le Port, l'Église Saint-Nicolas. Cette décoration, d'excellent goût, était l'œuvre de M. Mariette, préfet des études.* » Un autre de ses biographes, Ernest Deseille, estime qu'il a « *des impatiences et des distractions dans ses cours au collège* ».

Occupations annexes : journalisme et égyptologie

Ce qui est certain, c'est que l'enseignement ne suffit pas à remplir sa vie : dès 1841, il collabore au journal d'annonces judiciaires et commerciales, *La Boulonnaise*, disparu peu de temps après. Il écrit alors ponctuellement dans *L'Almanach de Boulogne* et surtout dans *L'Annotateur* déjà cité, publication toute dévouée à la municipalité, dont il est même rédacteur de juillet 1843 à la fin du mois d'août 1846. Histoire locale, histoire de France et d'Angleterre, chroniques de politique intérieure, problèmes régionaux, fiction romanesque, politique internationale, critique artistique... Tous les genres sont abordés par ce journaliste occasionnel. Pour ce qui est de l'Égypte, 1842 est sans doute l'année décisive : un lointain cousin, Nestor L'Hôte, vient de mourir, et Paulin Mariette est chargé de classer ses papiers. Nestor L'Hôte était le dessinateur de l'expédition franco-toscane menée par Champollion et Rosellini dans la vallée du Nil. Et voilà Auguste qui se passionne pour l'Égypte, reprend les classiques grecs et latins, scrute la collection égyptienne du musée local, tâche d'apprendre, seul à Boulogne, le copte, les hiéroglyphes, l'écriture démotique...

Non sans difficultés : la *Description de l'Égypte*, publiée par la Commission des Sciences et des Arts de l'Expédition de Bonaparte, livre de chevet d'Auguste, est antérieure au déchiffrement des hiéroglyphes, et les dessinateurs de certaines planches ont introduit des signes de fantaisie dans les reproductions, qui étaient faites à la hâte dans un pays en guerre, et terminées au calme, loin des monuments. De même, le sarcophage qui monopolise son attention, au musée, a appartenu à Dominique Vivant-Denon, doyen de la susdite Commission, qui a restauré quelques manques à l'aide de hiéroglyphes imaginés, rigoureusement incompréhensibles. Seulement, Mariette ne le sait pas, et trouve que l'égyptien ancien est par moments bien rebutant... Dans les années 1860, il rira de sa mésaventure en compagnie de Gaston Maspero, confronté, lors de ses débuts, au même problème.

« *L'homme quittera son père et sa mère...* »

Sur la voie de l'indépendance, Mariette quitte le domicile familial en 1844 et s'installe dans un appartement situé à l'angle de la rue Simoneau et de la rue des Vieillards (actuelle rue Félix-Adam). Accueillant et généreux de nature, il ne tarde pas à placarder sur sa porte un avis destiné à ses camarades, d'avoir à lui rendre les livres empruntés. Le 27 mai 1845, il sollicite du Recteur de Douai un congé de huit jours pour se marier, congé accordé avec l'observation que l'absence « *pourrait être moins prolongée* » ! Le 5 juin, il épouse Éléonore Millon, fille d'un négociant en vins à Boulogne. Le contrat de mariage, passé devant notaire l'avant-veille, stipule la communauté de biens et une rente annuelle de mille francs, consentie à la mariée par ses parents. Mariette est maintenant un grand jeune homme : « *Taille 1 m 85, cheveux châtains, barbe blonde, yeux bleus, visage ovale...* », tel est le signalement que donne son passeport en 1845.

Mariette cherche sa voie

En plus de ses activités professorales et de sa vie privée, Auguste est membre du Comité local de l'Instruction primaire, secrétaire de la Société des Amis des Arts et secrétaire-rédacteur de la Société d'Agriculture, dont il n'est peut-être pas indifférent de noter qu'elle est la première organisation locale à effectuer des fouilles archéologiques régulières dans la région, vers 1825. Un tel déploiement d'énergie n'attire pas que des louanges. En octobre 1848, le Recteur reçoit une lettre qui prédit la disparition du Collège de Boulogne, très critiqué par le journal d'opposition *La Colonne*, lettre qui insiste sur le caractère scandaleux de l'hyperactivité d'un certain professeur :

« *Il y a un jeune professeur de 7ᵉ, M. Marriette* (sic) *lequel a été dans le temps rédacteur de L'Annotateur. Ce jeune homme a attaqué l'opposition et le rédacteur du journal en question* (La Colonne) *d'une manière plus que virulente, je dirai* (sic) *même écrasante, depuis ce temps, il y a une guerre à mort entre ces messieurs... Ce jeune professeur... est, dit-il, professeur de 7ᵉ, professeur de dessin à l'école primaire et à l'école communale, répétiteur, secrétaire de la société d'Agriculture et journaliste de temps en temps, emplois qui peuvent lui rapporter de 3 à 4 000 F. ... Je pense... qu'il y a nécessité, ou d'éloigner ce jeune professeur, ou d'empêcher qu'il professe le dessin qui est incompatible en apparence avec la littérature...* »

Fort prudemment, le Recteur adresse la lettre au Principal du Collège, en lui demandant des précisions. La réponse arrive rapidement : l'auteur de la lettre de dénonciation, Louis Delaporte, a déjà été condamné par les tribunaux pour calomnie et n'agit que par dépit :

« *de n'avoir pu obtenir au collège la moindre place... M. Mariette... a cessé, sur mes observations, de prendre part à la rédaction d'aucun journal* [1]*... On peut toujours louer en lui les mêmes qualités et regretter les mêmes défauts. Il n'est point ici de professeur doué de plus de facilité et d'aptitude à tout genre d'étude ; il possède une érudition assez remarquable eu égard à son âge et à la position qu'il occupe ; il est, quand il le veut bien, un excellent professeur ; mais la mobilité de son caractère qui lui fait entreprendre tantôt une chose, tantôt une autre, souvent plusieurs choses à la fois, sans rien achever, est toujours le plus grave reproche qu'on ait à lui adresser. M. Mariette est chargé de la 7ᵉ depuis plusieurs années et paraît fatigué d'une position qui n'est en rapport ni avec ses moyens ni avec ses goûts... M. Mariette ferait un excellent professeur d'histoire ; il s'est plus occupé jusqu'ici de cette science et de tout ce qui s'y rattache que de toute autre étude ».*

Mariette trouve sa voie

Il est vrai, et le Principal Hulleu, en poste depuis 1846, ne peut l'ignorer, que Mariette a déjà fait son choix. En mai 1846, il a écrit au Ministre de l'Instruction publique une très longue lettre, de laquelle est extrait ce passage :

« ... *Je me livre depuis longtemps déjà à l'étude de l'antiquité, de l'histoire, de l'archéologie et en particulier de l'antiquité égyptienne... C'est une spécialité à laquelle je me suis voué par goût, et à laquelle je consacre ma vie. Je désire être à même d'y travailler le mieux et le plus longtemps par tous les moyens possibles et arriver ainsi, après de longs efforts, à me faire une position honorable et à doter la science de quelques faits nouveaux. Je sais que ce champ est vaste, trop vaste sans doute pour moi. Je ne le parcourrai pas en dix ans, en vingt ans, en trente ans peut-être... De tous côtés, en Égypte, il y a des monuments imparfaitement décrits, couverts d'inscriptions dont les*

---

1. Plus de deux ans auparavant, en août 1846.

dessins n'existent pas encore ; il y a mille statues, mille colonnes enfouies, jusqu'à la poitrine, jusqu'au chapiteau, dans le sable... Et puis ce n'est pas seulement l'Égypte qui est riche en si utiles monuments : il y a tout le pays au-delà de la première cataracte du Nil. »

Quel bilan lucide, pour un homme de vingt-cinq ans fort occupé par ailleurs, de l'état de développement d'une jeune science qu'il n'a pu aborder encore que par les papiers de son cousin, les monuments égyptiens conservés à Boulogne, les publications de « Champollion, Young, Ackerblad et autres » !

Première demande de mission en Égypte

Mariette sollicite l'octroi d'une mission en Égypte, refusée par manque de crédits, car le ministère vient d'accorder une mission analogue à un autre candidat, qui n'est pas nommé dans la lettre. Revenant à la charge, il envoie une seconde lettre et une pétition du député Delessert, proposant de partir sur ses propres fonds, et demandant seulement le transport gratuit et un subside de 2 000 francs. Mais, en 1846, son heure n'est pas encore venue, il n'est appuyé par aucun égyptologue parisien, et la réponse est impitoyable :

« Monsieur,
En me faisant connaître, par votre lettre du 29 septembre dernier, votre intention d'entreprendre à vos frais une exploration scientifique en Égypte, vous exprimez le désir d'obtenir le passage gratuit sur un paquebot-poste de Marseille à Alexandrie et un secours de 2,000 francs.
Je regrette de vous faire savoir, Monsieur, que les règlements du ministère des finances s'opposent formellement à la concession de passages gratuits sur les paquebots de la Méditerranée. Quant à votre demande de subvention, je ne puis que m'en référer à la lettre que j'ai eu l'honneur de vous écrire, à ce sujet, à la date du 26 juin dernier. »

Le voyage à Paris

Sans se décourager, Mariette se remet au travail. Il fait paraître dans *L'Annotateur* du 18 mars 1847 ce qu'on peut considérer comme son premier article d'égyptologie : *Quelques mots sur la Galerie égyptienne du Musée de Boulogne.* Il veut approfondir ses recherches, mesure les limites de la documentation disponible à Boulogne, souhaite rencontrer des égyptologues à Paris. Aux vacances de Pâques de 1848, c'est chose faite, il se rend au Louvre et à la Bibliothèque Nationale. Au Louvre, il fait la connaissance d'Emmanuel de Rougé, Conservateur du Département des antiquités égyptiennes. Il revient aux grandes vacances, poursuit avec acharnement ses travaux. Mariette aimera dire plus tard : « *Le canard égyptien est un animal dangereux. Il vous accueille bénignement, mais si vous vous laissez prendre à son air innocent et que vous le pratiquez familièrement, vous êtes perdu : un coup de bec, il vous inocule son venin, et vous voilà égyptologue pour la vie.* » Le canard égyptien – un des hiéroglyphes les plus courants – a fait son œuvre ! Le résultat en est alors un article intitulé *Sur le côté gauche de la Salle des ancêtres de Thoutmès III et en particulier sur les deux dernières lignes de ce monument.* De retour à Boulogne, il affronte un choix d'importance : marié et père de famille, peut-il abandonner la sécurité de son salaire d'enseignant pour une situation matérielle et intellectuelle hasardeuse ? Audacieusement, il soumet le résultat de ses travaux égyptologiques – 70 feuillets ! – à Charles Lenormant, Professeur d'archéologie au Collège de France et membre de l'Institut, compagnon de voyage de Champollion en Égypte. Puis il reprend sagement son poste de Professeur au Collège communal de Boulogne, mais expose son dilemme au Principal, M. Hulleu, qui lui conseille au printemps de 1849 : « *... Puisque tous vos goûts vous portent vers les antiquités égyptiennes, profitez de vos relations avec M. Lenormand (sic) et M. le Vicomte de Rougé pour obtenir une place au musée du Louvre, car il est grand temps d'opter, si vous ne*

voulez pas vous tuer à la besogne. *Ou renoncez à vos inves-
tigations savantes, ou renoncez au professorat qui veut
qu'on se livre tout entier à lui.* »

Appui de Charles Lenormant

La réaction de Lenormant, en effet, a été spectaculaire.
Le Conseil municipal de Boulogne reçoit en avril la lettre
suivante :

« *Messieurs,*
*J'espère qu'en considération du motif parfaitement
désintéressé qui m'anime, vous pardonnerez la démarche
que je fais auprès de vous en faveur d'un de vos compatriotes, M. Auguste Mariette.*

*Je n'avais pas l'honneur de le connaître, lorsqu'il m'a
apporté un manuscrit relatif à plusieurs des questions les
plus difficiles que soulève l'archéologie égyptienne. J'ai lu
ce manuscrit avec la défiance qu'on a toujours contre les
essais des personnes qu'on suppose n'avoir pu puiser
l'instruction scientifique à ses véritables sources, et j'ai été
agréablement surpris dans le sens contraire.*

*C'est la première fois, en effet, que j'ai vu un homme,
livré à des études isolées, marcher dans la bonne voie aussi
vite et aussi bien. Ce début est du plus heureux augure pour
l'avenir de M. Mariette, et je suis convaincu de ne pas trop
m'avancer en vous donnant l'assurance qu'il ne lui faut que
la possibilité de suivre ses travaux, à l'aide des ressources
scientifiques d'une grande capitale, pour devenir en peu de
temps un homme tout à fait distingué. Je crois donc,
Messieurs, que vous agiriez noblement, dans l'intérêt de
M. Mariette et dans celui de la ville qui l'a vu naître, en lui
fournissant les moyens de faire à Paris un séjour prolongé
et d'y donner à ses études le développement désirable.* »

La municipalité de Boulogne, habilement, répond à
Lenormant le 30 avril :

« Monsieur,

M. Auguste Mariette m'a remis la lettre que vous aviez bien voulu m'écrire en sa faveur, le 15 du courant.

Si quelque chose pouvait déterminer le Conseil municipal à fournir à ce jeune homme les moyens de continuer, à Paris, ses études archéologiques, ce serait le témoignage favorable que veut bien lui rendre un homme aussi haut placé que vous, Monsieur, et qui est si bon juge des travaux d'érudition. Mais les finances de la ville de Boulogne sont tellement obérées, surtout depuis quelque temps, que, malgré les retranchements les plus douloureux, elle ne peut réussir à remplir ses engagements. Le moment n'est donc pas favorable pour lui proposer de nouveaux sacrifices, et je sais, à l'avance que la proposition que je pourrais lui faire ne serait pas accueillie.

Je préfère donc éviter à M. Mariette le désagrément d'une tentative inutile. Je regrette infiniment d'être ainsi obligé de m'abstenir, car j'aurais été heureux de contribuer à assurer l'avenir d'un jeune homme qui donne d'aussi grandes espérances, et qui pourrait, un jour, faire honneur à sa ville natale.

Mais votre haute et légitime influence ne pourrait-elle pas, Monsieur, lui ouvrir la carrière d'une autre manière. Le gouvernement, dans sa juste sollicitude pour les progrès d'une science qui compte aussi peu d'adeptes que l'archéologie égyptienne, accorde des subventions à quelques savants, dont les recherches doivent rivaliser avec celles des nations voisines. Si M. Mariette obtenait la même faveur, je le connais assez pour être convaincu que ses protecteurs n'auraient pas à le regretter. »

Mariette employé au Louvre

Coup de pouce du destin : le Directeur des Musées nationaux, nommé par le Gouvernement provisoire de 1848, est alors le peintre Jeanron, et il est boulonnais. Le 1er mai, il écrit à Mariette pour lui proposer un poste – temporaire –

d'auxiliaire à la Conservation des antiquités égyptiennes du Louvre. Ainsi encouragé, le 3 mai 1849, Mariette sollicite du Recteur de l'académie de Douai un « *congé sans traitement jusqu'à la fin de la présente année scolaire* », demande qu'il peut appuyer d'une lettre de Lenormant et d'une attestation d'emploi du Directeur des Musées nationaux. Le congé est accordé le 29 mai 1849.

Engagé en qualité d'auxiliaire à la Conservation des antiquités égyptiennes du Louvre, et jusqu'au 1er octobre, Mariette est payé sur la base de 1 400 francs par an, soit 166,66 francs par mois, exactement ce qu'il gagnait en tant que maître d'étude en 1842. Dès le début de juillet, le Recteur cherche à savoir s'il a l'intention de reprendre son poste de professeur de septième à la rentrée. Réponse : il désire conserver sa chaire, « *sans demander le moins du monde à être porté pour l'avancement* ». Le Principal Hulleu, qui transmet le courrier au Recteur, et qui connaît bien son Mariette, commente : « *La vérité est pourtant, Monsieur le Recteur, et je crois qu'il est de mon devoir de vous la faire connaître, que M. Mariette espère obtenir prochainement un poste d'adjoint au conservateur du Musée égyptien, mais qu'il ne veut pas renoncer à sa chaire, avant que ses démarches et les travaux auxquels il se livre en ce moment lui aient valu le succès qu'il en attend* ».

Mariette ne reprendra pas le chemin de l'école : même après le 1er octobre, le Directeur des Musées nationaux Jeanron grignote sur son budget technique de collage et de réparations pour continuer à le rémunérer. Au musée, il rédige le catalogue des nouvelles acquisitions, colle des papyrus sur du bristol et se familiarise avec les collections.

Pierre Capet, chef de bureau de la mairie de Boulogne et ami d'enfance, passé le voir au Louvre, reçoit du gardien qui l'escorte dans les salles cette intéressante appréciation sur Mariette : « *Quel bon garçon ! pas fier du tout et qui a toujours le petit mot pour rire lorsqu'il vous rencontre. Ah ! Si tous ces Messieurs étaient comme lui ! Ils sont généralement si fiers !* » Effectivement, le cadre prestigieux dans lequel il travaille ne lui monte pas à la tête, et c'est assis sur le dos d'un sphinx qu'il accueille Pierre Capet. Questionné sur la raison d'être de ce perchoir incongru, il lui répond : « *J'écris l'histoire de [ce] pistolet-là !* » La précarité de son emploi n'altère apparemment pas sa bonne humeur. Il s'est pourtant installé à Paris avec sa femme et ses filles, maintenant au nombre de trois ! Capet se rappelle l'avoir vu un soir travailler dans leur appartement de la Cité Pigalle, une enfant sur les genoux, les deux autres jouant par terre, tout près de lui : « *Je ne travaille jamais mieux qu'ainsi ; j'aime à sentir mon petit monde près de moi.* »

Maspero a eu entre les mains les notes prises pendant ces séances de travail vespérales : auteurs anciens, chronographes byzantins, études anglaises, allemandes, françaises et italiennes parues depuis la mort de Champollion, et dont Mariette a été privé par la pauvreté des ressources égyptologiques boulonnaises, il veut à tout prix rattraper son retard. Et Maspero de poursuivre : « *Au bout de deux ans de séjour à Paris, Mariette avait réparé à peu près le temps perdu, et il commençait à être presque aussi bien préparé au déchiffrement que les plus instruits de ses contemporains. L'histoire et la chronologie continuaient à le préoccuper avant tout, et c'était en vue de l'histoire qu'il étudiait la grammaire.* »

En 1850, Jeanron doit retourner à son atelier de peintre : il est destitué de son poste de Directeur des Musées. Que va devenir Mariette, qu'il rémunérait sur son budget personnel depuis la fin de l'engagement officiel en octobre 1849 ? L'égyptologue vit alors d'expédients pendant un moment, se voit commander des articles pour *L'Impartial* de Boulogne par Adolphe Gérard qui le tient en très haute estime : « *Ce jeune homme sait tout, s'assimile du moins et devine tout, avec une promptitude saisissante... Tout indique que M. Mariette est de force à honorer un jour le pays qui l'a vu naître et au sein duquel il a reçu les premiers éléments de cette science qu'il féconde aujourd'hui* » (*L'Impartial* du 6 décembre 1849).

Deuxième demande de mission en Égypte

C'est alors que le Secrétaire général au Ministère de l'Instruction publique, Génin, sur recommandation du providentiel Jeanron, lui suggère de solliciter de nouveau une mission en Égypte. L'exploration des couvents coptes de la vallée du Nil, afin d'acquérir et de rapporter en France des manuscrits coptes, syriaques, arabes et éthiopiens, et si possible de faire une récolte aussi enviable que celle de récents voyageurs britanniques, serait un but de mission recevable pour un Ministère français de l'époque. Et Mariette constitue, en quelques jours d'activité fébrile, une bibliographie des manuscrits coptes. C'est Charles Lenormant qui expose son dossier au Ministère, met en valeur l'intérêt d'acheter de tels documents et précise : « *M. Mariette propose aussi d'entreprendre des fouilles sur les points de l'antique Égypte, imparfaitement explorés jusqu'ici, afin d'enrichir nos musées du produit de ses recherches. Nous avons peu de choses à ajouter quant à cet objet subsidiaire de ses recherches.* » L'avenir montrera ce qu'il fallait penser de cet objet subsidiaire de ses recherches...

Les trois savants qui défendent le dossier sont tous amis de Lenormant : Étienne Marc Quatremère (1782-1857), spécialiste de l'histoire babylonienne mais auteur de mémoires sur la littérature et la géographie égyptiennes, membre de l'Académie des Inscriptions et Belles-Lettres depuis 1815 ; Edme François Jomard (1777-1862), ingénieur, géographe, ancien membre de la Commission des Sciences et Arts de l'Expédition de Bonaparte, membre de l'Académie des Inscriptions et Belles-Lettres depuis 1818 ; et Jean Jacques Ampère (1800-1864), historien bénéficiaire d'une mission en Égypte en 1844-1845. Le 22 août 1850, Auguste Mariette reçoit une dépêche lui signifiant son envoi en Égypte en mission scientifique pour une durée de six mois, avec un crédit de 6 000 francs, plus tard porté à 8 000 francs, en vue de négocier pour la France l'acquisition de manuscrits. Son traitement d'employé au Louvre doit être reversé à sa famille pendant son absence, à concurrence de 1 000 francs.

L'heure des adieux

Deux semaines ne sont pas de trop pour préparer son départ et faire ses adieux : il doit embarquer à Marseille le 4 septembre. Il demande à voir son père, qui accourt de Boulogne par train de nuit, avec ses enfants. Un ami est témoin de ces retrouvailles : ils devisent d'abord gaiement, puis Auguste s'éclipse dans la pièce voisine. L'absence se prolonge ; l'ami intrigué part aux nouvelles, et il est tout bouleversé de trouver ce grand jeune homme de vingt-neuf ans sanglotant sans retenue : Auguste est persuadé qu'il ne reverra plus son père, et ne se calme que lorsqu'on a persuadé Paulin de rester deux jours de plus. Hélas ! Mariette a vu juste, et quand son père meurt à Boulogne, au début de décembre 1850, le petit-fils du corsaire fouille, depuis plus d'un mois déjà, l'allée de sphinx qui mène au Sérapéum de Memphis.

CHAPITRE II

L'ÉGYPTE ET SON PATRIMOINE VERS 1850

Des siècles de gouvernement étranger

En ce milieu du XIXᵉ siècle, l'Égypte est une province de l'Empire turc, conquise sur les mamelouks par le sultan ottoman Sélim Iᵉʳ le Cruel, père de Soliman le Magnifique, en mars 1517. Il ne s'agit d'ailleurs pas là d'une première administration étrangère. Le pays a déjà connu deux dominations perses (de 525 à 404 av. J.-C. et de 341 à 333 av. J.-C.), la dynastie macédonienne des Ptolémées établie par Alexandre le Grand (de 311 à 30 av. J.-C.), la gestion romaine (de 30 av. J.-C. à 640 ap. J.-C.) et la conquête arabe en 640 ap. J.-C. Le monde musulman nouveau-né est loin d'être toujours uni, et l'Égypte connaît des moments de réelle indépendance politique. Toutefois, ses maîtres sont alors le plus souvent des étrangers : les Toulounides du IXe siècle sont des Turcs, les Fatimides viennent d'Afrique du Nord au Xe siècle, les Ayyoubides, fondateurs d'un État égypto-syrien à la fin du XIIe siècle, descendent du Kurde Saladin, et les Mamelouks, sultans d'Égypte de 1250 à 1517, sont à l'origine les esclaves-soldats russes et circassiens des Ayyoubides. Ensuite, de 1517 à 1873, l'Égypte est soumise à la domination des Turcs ottomans. Elle est dirigée par un gouverneur turc (*wâli* ou Pacha, que les Européens appellent Vice-Roi) nommé par le Sultan d'Istanbul, et la langue officielle de l'administration de ce pays arabophone est le turc. Les Mamelouks, devenus une sorte d'aristocratie héréditaire, conservent néanmoins d'importants pouvoirs.

L'Expédition de Bonaparte (1798-1801) Ouverture à l'Occident

Telle est la situation que rencontrent les Français de l'Expédition de Bonaparte en 1798, à leur arrivée. Victorieux dans un premier temps, ils repoussent Ottomans et Mamelouks dans le Saïd (la Haute Égypte) et en Syrie, établissent un Conseil général (diwân) uniquement constitué d'Égyptiens, chefs religieux et notables. Les mesures prises pour recenser la population, les biens immeubles et les titres de propriété, pour établir l'assiette de l'impôt foncier déclenchent alors une révolte populaire générale, aggravée du fait d'une occupation militaire mal acceptée et du choc des modes de vie différents.

Les Français fondent également l'Institut national d'Égypte, dont les ambitions sont : « *1/ Le progrès et la propagation des Lumières en Égypte. 2/ La recherche, l'étude et la publication des faits naturels, industriels et historiques de l'Égypte* ». Les expériences scientifiques publiquement menées dans cet Institut étonnent les observateurs égyptiens, peu habitués aux démonstrations de progrès industriel. L'Expédition de Bonaparte met brusquement l'Égypte, jusque-là isolée, en contact avec le développement technologique de la France moderne. Lorsque les Français quittent le pays, au début de 1801, les chefs mamelouks rétablissent péniblement leur autorité dans un désordre général, au milieu duquel apparaît un nouvel homme fort : Muhammad Ali, qui est peut-être plus connu sous la forme turque de son nom, Méhémet Ali.

Muhammad Ali

D'origine albanaise, Muhammad Ali (1769-1849) est officier dans l'armée ottomane, envoyé par Istanbul en Égypte pour lutter contre l'invasion française. Il soutient d'abord les prétentions des Mamelouks à l'indépendance contre le suzerain turc ; puis, à partir de 1804, il défend les intérêts de la Sublime Porte contre ses anciens alliés, qu'il extermine finalement en 1811. Un tel revirement est dû au fait que ses ambitions sont, avant tout, personnelles. Il se concilie les autorités religieuses et locales égyptiennes, dont le seul vœu est de conserver les pouvoirs octroyés par l'administration française, et qui l'élisent *wâli* d'Égypte le 12 mai 1805, adressant une supplique à Istanbul afin que leur choix soit confirmé par le Sultan. C'est le début d'un long règne réformateur (1805-1848), dont le pays sort métamorphosé.

Après avoir aidé militairement l'Empire ottoman en conquérant La Mecque, Médine et Djeddah en Arabie (1812), ce qui procure au Sultan d'Istanbul le privilège envié de protéger les lieux saints de l'Islam, après avoir participé à la répression de la révolte grecque (1823-1828), Muhammad Ali sert ses propres intérêts en annexant le Soudan (1820-1823) où il crée la ville de Khartoum. Il ambitionne également le gouvernement de la Syrie, qu'il demande au Sultan à titre de dédommagement pour la perte de sa flotte en Grèce en 1827. Sur le refus d'Istanbul, il décide de l'obtenir par la force et se retourne contre son suzerain, en 1831. Une intervention européenne en 1838 le prive de l'objet de sa convoitise, mais sa victoire militaire sur la Porte lui vaut le gouvernement héréditaire de l'Égypte et le gouvernement à vie, sans transmission possible, du Soudan. Il reste cependant vassal d'Istanbul.

Son administration intérieure de l'Égypte est conçue comme celle d'un domaine personnel, qu'il entend exploiter au mieux. Une réforme agraire dépouille de leurs propriétés les Mamelouks, les mosquées et les chefs locaux, au profit presque exclusif de l'État. Les terres sont confiées à des fermiers qui pratiquent les cultures ordonnées par le gouvernement, et lui vendent toute la récolte [1]. Cette politique est destinée à favoriser les exportations massives, vers l'Europe et la Grèce, de blé, riz, lin, canne à sucre, chanvre et coton à longues fibres. À partir de 1816, toute l'industrie est progressivement monopolisée, drainant vers les fabriques équipées de matériel moderne, importé d'Occident, les anciens artisans ruinés. L'écoulement de toutes ces productions est contrôlé par un monopole d'État sur le commerce international et une sévère législation douanière. Il s'ensuit un prodigieux essor d'Alexandrie, dont la population passe de 5 000 habitants vers 1800, à 12 500 habitants au début des années 1820, à 164 359 en 1846. En 1841, des pressions internationales font disparaître les monopoles commerciaux et une gestion insuffisante entraîne alors le déclin de l'industrie locale.

Assistance étrangère

Désireux de moderniser son pays, Muhammad Ali s'entoure de conseillers et d'experts de toutes origines. Joseph Hékékyan (1807-1875), par exemple, Arménien dont le père est au service du Pacha, est envoyé à l'âge de dix ans en Angleterre pour des études techniques variées (machines à vapeur, filature du coton, hydraulique,

---

1. Jusqu'en 1836, date à laquelle les fermiers obtiennent de conserver une partie des céréales contre paiement d'une redevance.

construction de canaux....). De retour en Égypte en 1830, il se voit confier en 1833 l'organisation de l'École Polytechnique du Caire, qu'il dirige jusqu'en 1838. Quant aux Européens appelés par Muhammad Ali, certains deviennent de véritables Égyptiens d'adoption. Parmi eux, le saint-simonien Charles Lambert succède à Hékékyan à la tête de l'École Polytechnique du Caire, jusqu'en 1849. A. B. Clot (1799-1867), chirurgien grenoblois, est chargé en 1823 de créer un service public national de santé, et d'organiser l'enseignement de la médecine à des étudiants égyptiens, dont certains iront parfaire leurs études en France. Rentré en Europe au début des années 1830, il est rappelé au Caire et y demeure plus de vingt ans, avant de prendre sa retraite à Marseille en 1860. L'Anglais Henry Abbott (1812-1859), d'abord chirurgien de la flotte de Muhammad Ali, s'installe ensuite au Caire, à son propre compte, et collectionne les antiquités. L'ingénieur et géographe breton L. M. A. Linant de Bellefonds (1799-1883), venu en Orient en compagnie du comte de Forbin [1] pour illustrer diverses publications de dessins et de cartes, passe en Égypte les soixante-cinq dernières années de sa vie, à partir de 1818. Linant participe à de nombreuses expéditions de reconnaissance en Arabie, au Soudan, et en Égypte même, où il recherche pour le compte de Muhammad Ali les mines d'or exploitées dans l'Antiquité ; puis il se spécialise dans les études hydrographiques et les problèmes d'irrigation. Le colonel Sève (1788-1860), marin lyonnais qui, en cherchant du charbon au Gebel Zeit, sur les bords de la mer Rouge, y trouve du pétrole, est chef d'état-major général de l'armée égyptienne. Il est plus connu sous le nom de Soliman Pacha.

---

1. Louis Nicolas Philippe Auguste de Forbin (1777-1841), Directeur général des Musées, vient en Égypte, où il achète des monuments pour le Louvre, en 1818, puis en 1828.

Empreinte culturelle de l'Occident

Cette collaboration technique ne devait pas être sans lendemain : les diverses colonies occidentales du Caire et d'Alexandrie organisent de nombreuses écoles nationales et confessionnelles, fréquentées par de jeunes Égyptiens, de plus en plus nombreux, qui bénéficient donc d'une formation « européenne ». Muhammad Ali envoie également des étudiants parfaire leur éducation en Europe. Les premières missions partent en Italie, les suivantes en France (1826), sur les conseils de Bernardino Drovetti, Consul de France d'origine piémontaise. Rifâᶜ at-Tahtawi (1801-1873), dont l'œuvre philosophique marque l'Égypte du XIXᵉ siècle, fait partie de la première promotion parisienne. Curieux de tout, il publie à son retour une relation de son séjour en France, qui est plus proche d'un exposé des réformes possibles en Égypte que d'un guide touristique. Rifâᶜ est aussi l'un des premiers penseurs égyptiens à manifester une véritable conscience nationale. L'Égypte n'est pas seulement une province turque, et son histoire est unique. Rifâᶜ n'est-il pas précisément à Paris au moment où Champollion vient de déchiffrer la Pierre de Rosette, rendant ainsi la parole aux monuments qui couvrent la Vallée du Nil, et créant l'égyptologie scientifique ?

Champollion éveille une civilisation endormie

Avant le déchiffrement des hiéroglyphes en 1822, en effet, l'historien intéressé par l'Antiquité pharaonique dispose d'une documentation bien réduite. À la fin du IVᵉ siècle ap. J.-C., l'empereur romain d'Orient Théodose Iᵉʳ, chrétien, décrète l'interdiction des cultes païens dans tout l'Empire byzantin, la fermeture des temples et la dispersion des prêtres. Il a signé l'arrêt de mort de l'écriture hiéroglyphique : depuis la dynastie des Ptolémées, la langue officielle de l'administration égyptienne est le grec, et les chrétiens d'Égypte (les Coptes) ont adopté pour écrire leur langue le système alphabétique grec, complété de sept lettres, qui permettent de noter certains sons caractéristiques des langues sémitiques, empruntées au démotique, graphie cursive administrative de l'égyptien. Ce système est un peu plus facile à utiliser que les centaines de signes hiéroglyphiques. Seuls les prêtres païens comprennent encore l'ancienne écriture et l'enseignent. La civilisation pharaonique est désormais condamnée à l'obscurité, due à l'absence de témoignages directs : l'incendie de la Bibliothèque d'Alexandrie, lors de la prise de la ville par César en 47 av. J.-C., a détruit les ouvrages écrits par des Égyptiens, en langue grecque, à propos de leur propre pays, de sa religion, de son histoire, de ses coutumes – par exemple, l'*Histoire de l'Égypte* écrite à la demande de Ptolémée Ier par le prêtre Manéthon, également auteur de trois livres sur la religion égyptienne. Les doubles de ces ouvrages, déposés dans la bibliothèque du temple de Sérapis à Alexandrie, sont détruits dans l'incendie du bâtiment en 389 ap. J.-C.

La tradition classique...

Tous les renseignements connus sur l'Égypte passent donc par le filtre des récits grecs et latins, ou des Pères de l'Église qui, pour leurs commentaires de l'Ancien Testament, disposent encore des manuscrits d'Alexandrie. De nombreux détails sur la vie quotidienne et les pratiques religieuses sont donnés par Hérodote d'Halicarnasse, qui visite l'Égypte vers 450 av. J.-C. Le témoignage de Diodore de Sicile, contemporain de Jules César, est sans doute moins fiable. Strabon tire de son voyage jusqu'à Assouan, vers 30 av. J.-C., la matière d'un livre de sa *Géographie*, aux observations si précises qu'elles vont mettre Mariette sur la voie de la découverte du Serapéum. L'historien grec et prêtre d'Apollon à Delphes Plutarque (Ier-IIe siècle ap. J.-C.), qui a consulté l'œuvre de Manéthon à Alexandrie, expose en détail ce qu'un Hellène peut comprendre du mythe d'Isis et d'Osiris.

... et ses insuffisances

Si les voyageurs grecs et romains ont laissé nombre d'utiles informations, en revanche, que de confusions, d'imprécisions, de lacunes dans leur documentation... Une cinquantaine d'années après le déchiffrement des hiéroglyphes, vers 1875, Mariette lui-même ne pourra retenir sa mauvaise humeur à propos du « Père de l'histoire » :

« Laissez-moi donc tranquille avec votre Hérodote... Ce brave homme a tout brouillé : il a mis Louis XIV avant Charlemagne et narré gravement de sottes anecdotes qui n'ont rien à voir avec l'histoire. J'en veux à ce voyageur qui vient en Égypte au moment où on parle la langue égyptienne, qui voit de ses yeux tous les temples encore debout, qui peut demander au premier venu les noms du roi régnant et de son prédécesseur, qui peut entrer dans le premier temple pour se renseigner sur l'histoire et la religion du pays le plus intéressant du monde et qui, au lieu de cela, nous répète gravement un conte ridicule sur la fille de Chéops [1]. *Ce n'est pas ce qu'on devrait attendre d'Hérodote, et pour ma part je regarde comme un coupable celui qui, pouvant dire tant de choses, ne nous dit que des niaiseries. Étant donné le nombre considérable d'erreurs qu'on trouve dans Hérodote, et qui à chaque instant nous gênent, n'aurait-il pas mieux valu qu'il n'eût jamais existé ? »*

Méconnaissance des monuments

Quant aux monuments égyptiens eux-mêmes, quelques-uns ont été transportés en Occident dès l'Antiquité romaine, notamment des statues, des sphinx et des obélisques destinés à embellir Rome et Byzance. Pendant de longs siècles, aucun étranger ne remonte le cours du Nil pour admirer les

---

1. Elle aurait été contrainte par son père à se prostituer pour financer la construction de la pyramide paternelle, et aurait demandé un peu plus cher afin d'en faire édifier une pour elle-même.

sites pharaoniques. Il est vrai qu'après la conquête musulmane, le pays est peu accessible aux voyageurs européens, qui d'ailleurs ne viennent guère qu'en pèlerinage vers les lieux mentionnés par la Bible : le Sinaï, l'arbre – situé tout près du Caire – sous lequel la Sainte Famille s'est reposée pendant la fuite en Égypte, les Pyramides, considérées comme les greniers utilisés par Joseph, conseillant au pharaon de garder du blé en réserve pour les années de vaches maigres... Aucun de ces buts d'excursion n'est très éloigné de la capitale. Après les Croisades, certains viendront visiter les lieux de la victoire, puis de la défaite et de l'emprisonnement de Saint Louis au cours de la septième croisade, en 1250, à Mansourah, Rosette et Damiette, villes qui sont toutes situées dans le Delta. La Haute Égypte et ses monuments antiques restent, en conséquence, ignorés.

Premières explorations

Les voyageurs « scientifiques » n'apparaissent qu'au milieu du XVIIe siècle. Le Français Thévenot est, semble-t-il, le premier à être poussé par la simple curiosité. Sur la route de l'Inde, il s'arrête en Égypte en 1652, mais ne va pas plus au sud que la région de Saqqara, une vingtaine de kilomètres au sud du Caire. Viennent ensuite les missionnaires établis dans la capitale, mais soucieux de visiter la vallée du Nil, comme le dominicain Vansleb, chargé par Colbert en 1672 d'acquérir des manuscrits et des médailles anciennes. Il explore particulièrement les couvents de Moyenne et de Haute Égypte, mais décrit aussi les ruines antiques qu'il rencontre. De même, le jésuite Sicard, à qui le Régent Philippe d'Orléans a demandé en 1720 de rechercher les anciens monuments de l'Égypte et de les dessiner, fait dessiner la première carte du pays et rédige des études comparatives de la géographie antique et moderne. Mort de la peste en 1726, à l'âge de cinquante ans, il n'a pas le temps de réaliser son grand projet : un ouvrage encyclopédique, véritable Description de l'Égypte avant la lettre.

Début des collections d'antiquités –
Progrès du déchiffrement des hiéroglyphes

C'est à peu près au même moment que la quête des antiquités s'organise. Les objets rapportés du Caire, au début du XVIIᵉ siècle, par les commerçants et diplomates européens, commencent à susciter la curiosité, et par exemple La Fontaine compose une ode à deux sarcophages vus chez le Surintendant de Louis XIV, Nicolas Fouquet. Bientôt Richelieu ordonne aux Consuls français en poste en Orient de récolter des manuscrits et des antiquités pour la bibliothèque du Roi de France (1638). Benoît de Maillet, Consul général de France en Égypte de 1692 à 1708, recueille et expédie dans la mère patrie, notamment au Roi, au comte de Pontchartrain, au comte de Caylus, de quoi enrichir leurs collections. Il amasse également une documentation considérable sur le pays des pharaons, publiée en 1735 sous le nom *Description de l'Égypte, contenant plusieurs remarques curieuses sur la Géographie ancienne et moderne de ce Païs, sur ses Monuments anciens, sur les Mœurs, les Coutumes, la Religion des Habitants, sur le Gouvernement et le Commerce, sur les Animaux, les Arbres, les Plantes, etc.* « Vaste programme », qui ne manque pas de stimuler l'intérêt européen pour un pays exotique de plus en plus en vogue.

À Londres, en 1741, est fondée *The Egyptian Society*. Les orientalistes de toutes nationalités travaillent avec acharnement au déchiffrement de l'écriture égyptienne. Vers 1725, on admet définitivement que la langue copte est de l'égyptien ancien écrit à l'aide de l'alphabet grec légèrement modifié. L'Anglais Warburton envisage en 1738 une nouvelle hypothèse : les hiéroglyphes ne sont peut-être pas tous symboliques, idéographiques, voire ésotériques, comme on le pensait jusqu'alors, mais certains seraient uniquement phonétiques. Peu après le milieu du siècle, l'abbé Barthélemy se demande si les cartouches, ces signes ovales, ne contiennent pas les noms des rois. Progrès décisifs, mais encore insuffisants, et qui font dire au Danois Zoëga, en

1797 : « *Lorsque l'Égypte sera mieux connue par les savants et quand les nombreuses ruines encore visibles seront correctement explorées et publiées, alors seulement il sera peut-être possible d'apprendre à lire les hiéroglyphes.* »

La Description de l'Égypte

Cette mission d'exploration et de publication est d'abord l'œuvre de la Commission des Arts et Sciences adjointe à l'Expédition de Bonaparte (1798-1801). À la suite des armées françaises qui poursuivent les Mamelouks en Haute Égypte, deux commissions sont envoyées dans le Saïd, pour recueillir des renseignements de tous ordres sur le pays, sa faune, sa flore, ses monuments. Dans des conditions de sécurité parfois précaires, les explorateurs découvrent les vestiges pharaoniques, les dessinent, les mesurent. Les travaux de la Commission des Arts et Sciences sont publiés dans la monumentale *Description de l'Égypte* – vingt volumes parus de 1809 à 1822, soit juste avant le déchiffrement, 907 planches représentant plus de 3 000 gravures –, irremplaçable source de documentation pour l'égyptologie naissante.

Victoire !

La publication d'une grande quantité de matériel scientifique inédit n'est pas l'unique contribution de l'Expédition de Bonaparte au développement de l'égyptologie. C'est en effet un membre de l'armée française qui exhume dans le Delta oriental la célèbre Pierre de Rosette. Ce décret de Ptolémée V, daté du 27 mars 197 av. J.-C., est écrit en deux langues et trois écritures : l'égyptien, en hiéroglyphes et en démotique, et le grec. Le texte bilingue tant espéré pour achever le déchiffrement est enfin trouvé, et toute l'Europe savante se met à l'œuvre. Dès 1802, le Suédois Åkerblad (1763-1819) reconnaît tous les noms propres, certains pronoms et les chiffres dans le texte démotique, mais il commet l'erreur de penser que l'écriture est alphabétique. L'Anglais Thomas Young (1773-1829), enfant prodige, médecin et physicien de grande valeur, se passionne à son tour pour le problème, renonce à la théorie alphabétique d'Åkerblad et, travaillant à la fois sur le démotique et les hiéroglyphes, sur la Pierre de Rosette et sur d'autres documents, parvient à identifier un certain nombre de signes et de membres de phrases. L'honneur de comprendre le fonctionnement complexe du système hiéroglyphique, qui combine signes alphabétiques, signes idéographiques et déterminatifs, revient en définitive au Français Jean-François Champollion (1790-1832). Capable, dès 1808, de donner les équivalents coptes d'une quinzaine de signes démotiques, il peut en 1818 livrer une traduction du texte hiéroglyphique de la Pierre de Rosette, en partie déduite du texte grec. Sa *Lettre à M. Dacier* [1], *relative à l'alphabet des hiéroglyphes phonétiques, employés par les Égyptiens pour inscrire sur leurs monuments les titres, les noms et les surnoms des souverains grecs et romains*, écrite en 1822, est considérée comme l'acte de naissance de l'égyptologie scientifique.

Sans attendre le déchiffrement des hiéroglyphes, l'Égypte est devenue très à la mode, dès la fin du XVIIIe siècle. L'Expédition de Bonaparte a même déclenché une vague d'égyptomanie sans précédent, dont le symptôme le plus apparent est le style « Retour d'Égypte » qui envahit l'architecture, le mobilier et les arts décoratifs européens. La chasse aux antiquités entreprise pour le compte de collections publiques ou privées s'en trouve intensifiée sans réel contrôle, au grand dommage de l'intégrité des monuments antiques encore debout. Juridiquement, qu'en est-il ? Muhammad Ali est considéré comme propriétaire du pays, de ses ressources et de ses habitants, dont il dispose à son gré.

---

1. Bon Joseph Dacier (1742-1833) était alors Secrétaire perpétuel de l'Académie des Inscriptions et Belles-Lettres.

Les firmans

Le Vice-Roi est donc seul à pouvoir octroyer un *firman*, mot persan qui signifie « ordre », autorisation d'employer la main-d'œuvre locale – dans le cas qui nous occupe, pour des travaux de fouilles et d'enlèvement de monuments. Les bénéficiaires de ces *firmans* sont des particuliers et la plupart des Consuls des grandes nations occidentales, dont les agents constituent des collections qui seront revendues – plus rarement offertes – aux musées du Louvre, de Turin, de Londres, de Berlin, de Leyde... Certains des Consuls des années 1800-1850, particulièrement intéressés au commerce d'objets d'art, entretiennent sur le terrain des rivalités parfois pittoresques, mais très nocives à la conservation des antiquités égyptiennes. Giovanni Anastasi (1780-1857), négociant arménien établi à Alexandrie, représente la Suède et la Norvège de 1828 à 1857. Ses employés achètent surtout les monuments découverts par les habitants de Saqqara et de Thèbes. Ses trois collections successives ont été vendues principalement à Leyde, Londres et Paris. Bernardino Drovetti (1776-1852), Piémontais naturalisé français, est arrivé en Égypte en qualité de colonel de l'armée de Bonaparte, et il a eu la bonne fortune de sauver la vie de Murat. Consul général de France jusqu'en 1814, puis de 1820 à 1829, il est très écouté de Muhammad Ali et lui suggère maintes réformes. Ses collections ont abouti à Turin, Paris et Berlin. Elles ont été réunies par Rifaud, sculpteur français demeuré quarante ans en Égypte, Rosignani et Lebolo, tous deux Piémontais, trois hommes connus pour la brutalité de leurs méthodes. Ils ne cessent de se heurter à leurs homologues de l'agence consulaire britannique. Henry Salt, Consul général de Grande-Bretagne de 1815 à 1827, emploie des hommes tels que le Grec Athanasi et le « Titan de Padoue », l'Italien Giambattista Belzoni (1778-1823), dont l'efficacité irrite beaucoup les autres explorateurs.

Guerre entre les équipes anglaise et française

La liste des exploits de Belzoni est impressionnante. Il découvre plusieurs tombeaux dans la Vallée des Rois et ses environs, notamment ceux de Aï (successeur de Toutânkhamon), de Ramsès Ier et de Séthi Ier (respectivement grand-père et père de Ramsès II). Il découvre l'ouverture de la pyramide de Khéphren, et transporte au Caire les sarcophages de Séthi Ier et Ramsès III – maintenant conservés en Angleterre et en France. Il parvient à extraire du Ramesséum un colosse de Ramsès II – aujourd'hui au British Museum de Londres, et fait naviguer sans dommages un obélisque de Philae dans les rapides de la Première Cataracte, avant de le convoyer au Caire. En revanche, il ne parvient pas à désensabler l'entrée du temple d'Abou Simbel... Autant d'heureuses opérations vouent Belzoni à l'hostilité du parti adverse, celui des agents de Drovetti. Par exemple, le Padouan se réserve en 1816 de beaux bas-reliefs du temple de Philae et demande qu'on les fasse déposer. Par manque de temps, il les laisse dans l'île, pour venir les récupérer l'année suivante. C'est ainsi qu'on procède à l'époque : chacun fait son choix, tous sont au courant des « chasses gardées » des uns et des autres, et le reste est affaire de délicatesse. Quand Belzoni revient à Philae en 1817, il retrouve « ses » blocs mutilés et gribouillés au charbon de l'inscription suivante : « *Opération manquée* ». Une rapide enquête lui apprend que seuls les « archéologues » du Consulat de France ont pu se rendre responsables de ce méfait. En 1819, victime d'une violente agression des hommes de Drovetti, qui l'insultent et font mine de lui tirer dessus dans le temple de Karnak, Belzoni quitte définitivement l'Égypte. Il meurt au Bénin, sur la route de Tombouctou, quelques années plus tard.

Pilleurs de bonne foi

L'appât du gain n'est pas l'unique raison de l'exil en Europe des monuments égyptiens. Il y a, bien sûr, l'intérêt scientifique des acquéreurs : Champollion lui-même a pu acheter quelques objets et enlever de la tombe de Séthi Ier un panneau sculpté et peint, aujourd'hui au Louvre, pendant que son collègue toscan Rosellini agissait de même au bénéfice du musée de Florence. De plus, certains ont conscience de sauver des chefs-d'œuvre du péril de la disparition : les habitants se procurent de la chaux à bon compte en brûlant le calcaire des temples, des tombeaux, des stèles, des statues. Ils démolissent des édifices antiques pour remployer leurs blocs dans des constructions modernes, et mutilent les reliefs pour les vendre par morceaux aux amateurs. Les paysans recherchent activement le *sebakh*, matériau riche en azote qui s'accumule naturellement au fil des siècles dans les endroits habités. C'est un engrais extrêmement fertile, et qui contient souvent des objets antiques, des papyrus que le fellah vend aux visiteurs. Très officiellement, et au nom de la modernisation du pays, des entrepreneurs récupèrent les momies pour fabriquer du noir animal à usage industriel. La combustion des os d'animaux, mais aussi, pourquoi pas, d'humains, produit un charbon qui, broyé, est utilisé comme clarifiant et décolorant dans les opérations de raffinage du sucre. L'Égypte, qui cultive et traite la canne à sucre, n'hésite pas à recycler les momies animales, voire humaines, qui surabondent sur son territoire. Pire encore : elle exporte des ossements destinés aux raffineries européennes de sucre de betterave, notamment du nord de la France, tout au long du XIXe siècle.

Premières réactions – le mémoire de Champollion

Si le monde scientifique lui-même participe au dispersement du patrimoine pharaonique, il prend conscience que ce qu'il faut bien appeler un pillage ne peut pas durer, et tente d'en convaincre le Vice-Roi : Jean-François Mimaut (1774-1837), Consul général de France à partir de 1829 et collectionneur d'antiquités, proteste auprès de Muhammad Ali, à qui l'on vient de conseiller de démonter une des pyramides de Giza et d'en utiliser les blocs pour construire des barrages sur le Nil...

Champollion, à la demande de Muhammad Ali, rédige à l'issue de sa mission en Égypte (1828-1829) un mémoire relatif aux monuments à protéger. On y lit, par exemple :

« Il est donc du plus haut intérêt, pour l'Égypte elle-même, que le Gouvernement de Son Altesse veille à l'entière conservation des édifices et monuments antiques, l'objet et le but principal des visites qu'entreprennent, comme à l'envi, une foule d'Européens appartenant aux classes les plus distinguées de la société.

Leurs regrets se joignent déjà à ceux de toute l'Europe savante, qui déplore amèrement la destruction entière d'une foule de monuments antiques, démolis totalement depuis peu d'années, sans qu'il en reste la moindre trace...

Dans ce but désirable, Son Altesse pourrait ordonner :

1° *Qu'on n'enlevât, sous aucun prétexte, aucune pierre ou brique, soit ornée de sculptures, soit non sculptée, dans les constructions et monuments antiques existant encore dans les lieux suivants, tant de l'Égypte que de la Nubie* (suit une liste de 20 sites égyptiens, 17 sites nubiens, 5 sites de la Deuxième Cataracte à la frontière du Sennar).

2° Les monuments antiques creusés et taillés dans les montagnes *sont tout aussi importants à conserver que ceux qui sont construits en pierres tirées de ces mêmes montagnes. Il est urgent d'ordonner qu'à l'avenir on ne commette aucun dégât dans ces tombeaux, dont les fellahs détruisent les sculptures et les peintures, soit pour se loger ainsi que leurs bestiaux, soit afin d'enlever quelques petites portions de sculptures pour les vendre aux voyageurs, en défigurant pour cela des chambres entières...* (liste de 10 sites égyptiens et nubiens).

En résumé, l'intérêt bien entendu de la science exige, non que les fouilles soient interrompues, puisque la science acquiert chaque jour, par ces travaux, de nouvelles certitudes et des lumières inespérées, mais qu'on soumette les fouilleurs à un règlement tel que la conservation des tombeaux découverts aujourd'hui, et à l'avenir, soit pleinement assurée et bien garantie contre les atteintes de l'ignorance ou d'une aveugle cupidité. »

Le mémoire de Champollion analyse correctement le problème, mais ne propose pas de solution. Dans les années qui suivent, quelques tentatives de surveillance des fouilles et des trouvailles accidentelles suscitent des échanges de courrier entre le gouvernement central et les *moudirs* (gouverneurs) des provinces. De telles mesures restent pourtant occasionnelles et aucun changement de principe n'intervient, jusqu'à l'ordonnance du 15 août 1835, inspirée par Rifâ⁽ at-Tahtawi.

L'ordonnance de 1835

Cette ordonnance, un peu longue, doit pour notre propos être citée intégralement :

« Bien que les édifices remarquables et les admirables monuments d'art et d'antiquité du Saïd (Haute Égypte) attirent sans cesse de nombreux voyageurs européens dans ces contrées, il faut convenir cependant que du goût et de la recherche passionnée de ces derniers pour tous les objets qu'ils désignent sous le nom d'antiquités, est résultée pour les anciens monuments de l'Égypte une véritable dévastation. Tel a été jusqu'à ce jour, sous ce rapport, l'état des choses, qu'on peut craindre avec juste raison de voir bientôt ces monuments, orgueil des siècles écoulés, disparaître du sol de l'Égypte, avec leurs sculptures et tous les objets précieux qu'ils renferment, pour aller, jusqu'au dernier, enrichir les contrées étrangères.

Et cependant il est bien reconnu que, non seulement les Européens ne permettent en aucune façon l'exportation de semblables objets de leur pays, mais que partout où se trouvent des antiquités, ils s'empressent d'expédier des connaisseurs chargés de les recueillir, qui presque toujours, en font aisément l'acquisition en satisfaisant, pour de misérables sommes, la cupidité des propriétaires ignorants.

Plus tard, ces sculptures, ces pierres ornées, et tous ces objets de même nature, recueillis, conservés en ordre dans des édifices particulièrement décorés et destinés pour cet usage, sont exposés aux yeux du public de toutes les nations, et concourent puissamment à la gloire du pays qui les possède. C'est aussi par une étude approfondie des inscriptions et des figures hiéroglyphiques tracées sur les monuments et les objets d'antiquité, que les savants européens ont dans ces derniers temps considérablement ajouté au domaine de leur savoir. Considérant donc l'importance que les Européens attachent aux monuments anciens, et les avantages qui résultent pour eux de l'étude de l'antiquité, considérant en outre les richesses abondantes que l'Égypte, cette merveille de tous les siècles, renferme sous ce rapport dans son sein, le conseil du gouvernement égyptien a pensé qu'il conviendrait :

1° Qu'à l'avenir l'exportation des objets d'antiquités de toute nature fût sévèrement prohibée ;

2° Que tous ceux de ces mêmes objets que le gouvernement possède déjà, ainsi que tous ceux qu'il pourrait recueillir des fouilles et recherches à venir, fussent déposés au Caire dans un local spécial, où ils seraient conservés et classés convenablement pour être exposés aux regards des habitants, et particulièrement des voyageurs et des étrangers, que leur vue amènerait journellement dans ces contrées ;

3° Que non seulement il fût expressément défendu de détruire à l'avenir les monuments antiques de la Haute-Égypte, mais que le gouvernement prît des dispositions pour assurer partout leur conservation.

Cette sage mesure aurait pour double résultat de conserver pour toujours aux voyageurs l'intégrité des monuments, et de leur assurer dans tous les temps, au sein de l'Égypte même, l'existence permanente d'un riche dépôt d'antiquités véritablement digne de leur attention. Toutes ces sages et utiles dispositions, arrêtées en principe par le conseil, auraient déjà été mises en pratique par le gouvernement de l'Égypte, si leur exécution même n'eût dépendu jusqu'à ce jour de l'achèvement du collège d'interprétation dont l'administration a été confiée au cheikh Refaa.

Cet important établissement se trouvant présentement terminé sous les auspices de notre bienfaiteur, Son Altesse le Vice-Roi, le conseil a définitivement arrêté qu'à compter de ce jour, l'exportation des objets d'antiquité de toute nature étant défendue dans toute l'Égypte, tous ceux de ces précieux objets qui sont déjà en ce moment au pouvoir du gouvernement seront déposés dans une des parties, préparée à cet effet, du collège d'interprétation, et confiés aux soins et à la garde du cheikh Refaa : des ordres sévères ont déjà été donnés aux moudirs des provinces du Saïd, pour que :

1° Tous les objets d'antiquité, qui se trouveraient dans leur département, fussent envoyés exactement au cheikh Refaa ;

2° Pour qu'ils ne permettent plus la moindre dégradation sur les édifices et les monuments de l'antiquité ;

3° Tous les travaux de fouille ou de démolition entrepris dans ce moment doivent être immédiatement suspendus, et les gouverneurs enverront au besoin des hommes armés pour maintenir la suspension des travaux et veiller à la garde des monuments ;

4° On tiendra rigoureusement la main à ce que dorénavant aucun objet d'antiquité ne soit exporté d'Alexandrie, du Caire, de Damiette ou de tout autre port de l'Égypte ;

5° L'effendi, secrétaire général du divan, donnera des ordres à qui de droit, pour que, lorsque des objets d'antiquité se trouveront entre les mains de particuliers, il soit traité de gré à gré avec ces derniers de l'acquisition desdits objets, lesquels seront ensuite adressés au cheikh Refaa ;

6° Bien que les appartements particuliers de feu l'ancien defterdar aient été destinés pour le collège d'interprétation, la partie située au midi de ce local restant disponible, sera employée à la formation d'un musée, construit à la manière de ceux d'Europe, et destiné à recevoir les objets d'antiquité de toute nature. A cet effet, l'inspecteur général des bâtiments, le cheikh Refaa et l'inspecteur général du génie, Hakiakine-Effendi [Hékékyan ?], *se ren-dront sur les lieux, et examineront attentivement le local. Hakiakine-Effendi dessinera ensuite le plan et l'élévation du musée, qui seront soumis à l'approbation du conseil ;*

7° Notification officielle de cette disposition sera don-née par l'entremise de Boghoz-bey [1] *aux représentants des nations européennes, pour qu'ils en fassent part à leurs nationaux respectifs ;*

8° L'établissement de ce musée étant une de ces choses qui mérite la plus grande attention, la surveillance doit en être confiée à un inspecteur spécial qui l'administre dans tous les temps avec soin et vigilance ;

9° Dès que ce dernier apprendra que, sur un point quel-conque de l'Égypte, on est à la recherche d'antiquités, il s'y rendra immédiatement, arrêtera les fouilles déjà entre-prises, et emploiera au besoin les autorités locales pour congédier les travailleurs ;

10° Pendant l'année, l'inspecteur du musée sera tenu en outre de faire plusieurs tournées dans les provinces du midi ;

11° Jousouf Zia-Effendi, réunissant toutes les qualités propres à ces fonctions, a été nommé nazir du musée d'antiquités » (cité d'après A. Khater).

Le texte est d'un caractère absolument nouveau, car il sous-entend une certaine idée de patrimoine national, inter-dit la dégradation et la destruction des monuments ainsi que leur exportation, décrète l'arrêt immédiat des fouilles et démolitions en cours, prévoit enfin la création d'un musée destiné à recueillir les antiquités déjà découvertes. Il suppose des mesures concrètes : surveillance des ports et des sites, ordres donnés aux *moudirs* des provinces, usage éventuel des forces armées, tournées d'inspection du res-ponsable du musée.

---

1. Youssef Boghos bey (1768-1844), d'origine arménienne, interprète, secrétaire particulier et homme de confiance de Muhammad Ali, puis ministre. Tous les *firmans* étaient soumis à l'approbation de ses services.

Limites de l'ordonnance du 15 août 1835

Malheureusement, l'application de ce décret se révèle difficile, pour diverses raisons. La non-rétroactivité de la loi se trouve immédiatement admise, par suite d'un incident diplomatique avec un sujet britannique acquéreur d'antiquités six mois auparavant, et qui entend bien leur faire quitter le pays. Il faudra aussi attendre le début des années 1850 pour que les momies, même équipées de leur sarcophage, soient considérées comme des antiquités. Les détenteurs de *firmans* gardent en pratique le droit de fouiller, sans que cela implique pour eux la propriété des monuments découverts. La surveillance des monuments est seulement confiée à l'administration régionale en plus de ses activités habituelles, sans encadrement ni personnel supplémentaire. En ce qui concerne le musée, force est de reconnaître que le projet n'aboutit pas, les Vice-Rois successifs ayant la fâcheuse habitude de le considérer comme un entrepôt de cadeaux diplomatiques : le dernier bénéficiaire de ces libéralités sera en 1855 l'Archiduc Maximilien d'Autriche, et les ultimes vestiges de ce musée égyptien sont conservés de nos jours au musée de Vienne. La notion de patrimoine national, en effet, est encore bien floue : ce qui appartient au pays appartient, en fait, au Gouvernement, donc au Vice-Roi. De même, les mesures conservatoires des antiquités sont entièrement soumises à la décision du souverain, et les rares fouilles gouvernementales sont financées par ses fonds personnels. Il n'est pas encore question d'un organisme autonome chargé de la conservation des antiquités.

Les antiquités en danger

Dans ces conditions, l'exploitation anarchique des richesses archéologiques du pays ne peut cesser du jour au lendemain. Les fouilles étrangères se poursuivent quasiment sans contrôle. Les fours à chaux engloutissent toujours de précieux documents, et le IXe pylône du temple de Karnak est dynamité en 1843, dans le simple but de récupérer le salpêtre des blocs. Les affaires des trafiquants d'antiquités sont florissantes, ce qui encourage fellahs et bédouins à retourner clandestinement la terre et le sable d'Égypte pour le plus grand profit de tous, du découvreur au collectionneur en passant par tous les échelons d'une administration locale corrompue qu'il convient de soudoyer. Les manuscrits coptes eux-mêmes, conservés dans les couvents de la Vallée, n'échappent pas au commerce de l'art.

Une quantité de personnes, de qualités très diverses, tirent profit de ce trafic. Il se trouve parmi elles de vrais marchands comme Salomon Fernandez (en activité de 1830 à 1860 environ), établi au Caire, qui exploite notamment la région de Memphis, Saqqara et Abousir, ce qui le destinera à se heurter particulièrement à Mariette dès ses premières fouilles. Il faut aussi mentionner les collectionneurs accessoirement vendeurs d'antiquités, d'origine et de formation variées : les Anglais Henry Abbott (1812-1859) – qui exerce la médecine au Caire, au service de Muhammad Ali, puis à titre personnel –, et Anthony Charles Harris (1790-1869), négociant d'Alexandrie ; le Révérend prussien Rudolph Lieder (1797-1865), membre de la Société Missionnaire de l'Église au Caire ; le pharmacien Jannovitch, etc.

L'expédition prussienne de Karl-Richard Lepsius

En 1843, le Gouvernement égyptien oublie de nouveau la fermeté de l'ordonnance de 1835, en autorisant une expédition scientifique prussienne à emporter à Berlin ce qui lui conviendra. Cette mission est conduite par Richard Lepsius (1810-1884), le chef de file de l'égyptologie allemande, qui deviendra Professeur à l'Université de Berlin, Conservateur de la Bibliothèque Royale de Prusse et Directeur du musée de Berlin. Le voyage, qui dure de 1843 à 1845, a pour but de compléter la *Description de l'Égypte*, dont les lacunes apparaissent clairement depuis le déchiffrement des hiéroglyphes, et l'œuvre de Champollion, mort prématurément en 1832, à l'âge de quarante-deux ans, avant d'avoir pu communiquer toutes les conclusions de son voyage en Égypte. Remarquablement préparée et très généreusement financée par le roi de Prusse, l'équipe de Lepsius travaille méthodiquement, recherche systématiquement les édifices signalés par les auteurs classiques dont l'emplacement est encore inconnu, dessine les monuments, copie les inscriptions, partout en Égypte, au Soudan, au Sinaï. Elle fait paraître de 1849 à 1859 douze volumes de très grand format, inestimable corpus de 894 reproductions extrêmement fidèles, intitulé *Denkmäler aus Ægypten und Æthiopien*. Fort de l'autorisation du gouvernement égyptien, Richard Lepsius recueille également quinze mille antiquités, estampages et moulages au plâtre, destinés au musée de Berlin... Quinze mille monuments : aux yeux de bien des antiquaires et égyptologues de l'époque, l'expédition prussienne est tout simplement scandaleuse.

« Une part à la France »

Ainsi s'explique la réaction, en apparence injustifiable, de l'architecte et ingénieur français Émile Prisse d'Avennes (1807-1879). Incorporé au groupe des conseillers techniques de Muhammad Ali jusqu'en 1836, il demeure en Égypte après cette date, et copie autant qu'il le peut des monuments souvent voués à la disparition. Il signale par exemple les blocs décorés par Akhenaton dans le style amarnien remployés dans le IXe pylône de Karnak. Apprenant que l'expédition de Richard Lepsius approche de Thèbes avec l'intention – et l'autorisation – d'emporter la « Chambre des Ancêtres » du temple de Karnak, Prisse informe le Ministre français de l'Instruction publique que : *« Dans cette Égypte déjà si appauvrie par les dévastateurs musulmans et des spéculateurs européens, une société savante est descendue comme une invasion de barbares pour emporter le peu qui reste des admirables monuments égyptiens. Indigné de toutes ces dévastations auxquelles je ne puis m'opposer, je me suis décidé à solliciter une mission pour faire dans cette débâcle une part à la France. »* Il se précipite à Karnak, scie et démonte nuitamment la chapelle, décorée d'une précieuse liste de pharaons antérieurs à Thoutmosis III (XVIIIe dynastie, vers 1480-1425 av. J.-C.), et parvient l'année suivante à expédier en France les caisses qui la contiennent, sous l'étiquette *« Objets d'histoire naturelle destinés au musée de Paris »*. Il fait offrande de son larcin à l'État français : la « Chambre des Ancêtres » de Thoutmosis III, d'abord conservée à la Bibliothèque Nationale de Paris, est aujourd'hui au musée du Louvre.

Où en est l'archéologie égyptienne à l'arrivée de Mariette ?

Le tableau des mésaventures du patrimoine égyptien que nous venons d'esquisser n'est évidemment pas complet. Il y aurait matière, à ce sujet, à plusieurs volumes de récits tout à fait scandaleux à nos yeux contemporains. Le résultat de telles pratiques est une connaissance très partielle des ressources archéologiques du pays.

Les régions systématiquement « écumées » par les explorateurs sont les plus riches et les plus accessibles : les Pyramides de Giza, les nécropoles du plateau désertique entre Abousir et Saqqara et les différents sites thébains, avec Karnak et Louxor sur la rive droite, les temples funéraires royaux du Ramesséum, de Médinet Habou, de Deir el-Bahari, les nécropoles royales des Vallées des Rois et des Reines, les nécropoles privées réparties tout le long de la montagne thébaine, sur la rive gauche du Nil.

De nos jours, un chantier archéologique est une entreprise minutieuse, qui enregistre les observations scientifiques au fur et à mesure des travaux et ne se contente pas de recueillir des œuvres d'art, ce qui est loin d'être le cas vers 1850. À cette époque, les commanditaires européens des fouilles, titulaires des *firmans*, sont le plus souvent retenus au Caire, à Alexandrie, dans le chef-lieu d'une province égyptienne, voire en Europe, par leurs occupations officielles. Les travaux eux-mêmes sont donc confiés à des employés égyptiens ou occidentaux, parfois totalement incultes et sans autres compétences que leur combativité et leur ingéniosité. Certains sont plus précautionneux, plus intéressés que d'autres, et deviennent, l'expérience aidant, de bons archéologues. Quelquefois, ils livrent au public leurs constatations, et c'est ainsi que les frères Champollion sont régulièrement tenus au courant des progrès de l'équipe du Consul britannique Henry Salt. Les déplorables rivalités entre clans ne favorisent évidemment pas la clarté des opérations, et dans la plupart des cas il ne reste rien de précis de ces fouilles du début du XIXe siècle, pas un plan, pas une observation stratigraphique.

Face à ces hommes de terrain, l'égyptologie est représentée par des savants, en grande majorité des hommes de musée et de bibliothèque. Ils attendent avec impatience, dans leur lointaine patrie, l'arrivée des monuments nouveaux, des inscriptions inédites fournies par les pionniers de l'archéologie. Rarement, les savants partent en mission en Égypte et peuvent travailler comme ils le souhaitent (expéditions franco-toscane de 1828-1829, prussienne de 1843-1845). Le plus souvent, ils ont la frustration de ne pouvoir appliquer leurs connaissances livresques en Égypte même.

Vers 1850, on connaît une vingtaine de tombes royales, mais des dizaines d'entre elles restent inconnues (notamment celles de la plupart des rois Thoutmosis et Aménophis, de la XVIIIe dynastie, et bien sûr celle de Toutânkhamon). Le temple de Karnak est ravagé par les chercheurs de trésors, mais il reste à déblayer en grande partie. Ceux de Louxor, de Médinet Habou, de Deir el-Bahari, d'Abydos ne sont pas mieux lotis. Le temple d'Edfou est rempli de décombres presque jusqu'au plafond, tout comme celui de Dendéra.

Certains édifices admirés par les voyageurs grecs et romains ne sont pas encore identifiés. Parmi eux, le « Labyrinthe », temple funéraire d'Amenemhat III (XIIᵉ dynastie, vers 2000-1780 av. J.-C.), dans la région du Fayoum, est sans doute le champ de ruines exploré par la mission prussienne au sud de la pyramide de Haouara. Faut-il croire que le Sérapéum de Memphis, un autre monument étonnant décrit par les classiques, a, lui aussi, été détruit ?

Les observateurs grecs et romains parlent d'un culte très ancien à Memphis, celui d'un taureau nommé Apis. Cet animal de chair et d'os, reconnaissable à divers signes particuliers, est une manifestation de la divinité. Il vit choyé toute son existence, et bénéficie à sa mort des honneurs de la momification et d'un enterrement solennel dans les souterrains du temple de Sérapis. La disparition d'un Apis donne lieu à des manifestations publiques que les visiteurs ne peuvent manquer de remarquer : une procession conduit le défunt taureau au lieu de sa momification ; ses fidèles prennent le deuil, se lamentent et jeûnent pendant soixante-dix jours ; une seconde procession mène la momie sur le plateau de Saqqara, jusqu'à sa dernière demeure.

L'égyptologue d'aujourd'hui sait que le culte d'Apis remonte au moins à la Iʳᵉ dynastie, époque où ce taureau est symbole de fécondité et de procréation. Plus tard, la religion égyptienne l'associe au dieu principal de Memphis, Ptah, dont il devient « l'âme vivante ». Encore plus tard, il emprunte au dieu Ré le disque solaire qu'il porte entre ses cornes ; enfin, il revêt un aspect funéraire et devient Osiris-Apis. Lorsque les Grecs introduisent en Égypte un nouveau dieu nommé Sérapis, qui combine certains aspects de Zeus, Asclépios, Dionysos, et Osiris, l'antique culte d'Apis à Memphis connaît un regain de faveur, qui nous vaut quelques détails sur le Sérapéum – le temple de Sérapis – de cette ville et les si étranges funérailles du taureau Apis.

Si le monument existe toujours au XIXᵉ siècle, où se trouve-t-il ? Certains savants estiment qu'il se situe dans la région d'Abousir, au nord de Saqqara. En 1801, l'Institut égyptien fondé par Bonaparte inscrit la recherche du

Sérapéum au nombre de ses priorités, sans succès. Il est vrai que cet Institut effectue seulement des reconnaissances dans le désert de Saqqara, sans fouiller. Vers 1840, le colonel anglais Howard Vyse pense le voir dans les remblais au nord de la pyramide à degrés du même site. Depuis le début des années 1830, les antiquaires exhument, précisément dans ce secteur, des sphinx en calcaire, dont certains portent des graffiti en grec, au nom de Sérapis. Peut-être le Sérapéum existe-t-il encore ?

CHAPITRE III

DÉCOUVERTE DU SÉRAPÉUM : 1850-1853

Mariette arrive en Égypte

C'est le 2 octobre 1850 que s'achève, à Alexandrie, la traversée de la Méditerranée. Mariette se rend immédiatement au Consulat de France, où il présente ses lettres de créance. Il commence également à prospecter les couvents coptes et comprend qu'il n'obtiendra rien sans l'accord du Patriarche, qui est au Caire. Au cours de ses promenades et visites, il remarque dans les jardins du comte Ménandre Zizinia, citoyen grec qui fait office de Consul de Belgique, une douzaine de sphinx en calcaire, tous de même modèle, qu'on lui dit provenir de Saqqara.

Parvenu au Caire, il va voir le Patriarche, qui n'est guère pressé de lui répondre. Il recherche alors l'appui du Consul général de France, Le Moyne, et de deux citoyens français installés depuis bien longtemps en Égypte, l'ingénieur Linant de Bellefonds [1], futur ministre égyptien des Travaux publics, et Clot Bey, ancien médecin de Muhammad Ali et créateur des services de santé du pays. Leurs recommandations ne sont d'aucun secours. Et pour cause ! La si admirable collection de manuscrits rapportée par les Anglais a été acquise dans des conditions qui ont scandalisé les autorités chrétiennes d'Égypte : Curzon en 1833-1834, et Tattam en 1839, auraient tout simplement enivré les moines des couvents du Ouâdi Natroun, pour leur extorquer à très vil prix leurs plus beaux textes ! Après cet épisode, le Patriarche a ordonné le rassemblement au Caire de tous les manuscrits non nécessaires au culte, et « *une légende, que Mariette aimait à conter, prétendait qu'on avait muré la porte* » (Maspero). Souhaitant éviter un refus direct, le Patriarche fait donc patienter l'acquéreur français d'entrevue en entrevue, lui promet une lettre pour l'archimandrite de Saint-Macaire, le plus méridional des couvents du Ouâdi Natroun. Mais c'est une lettre difficile à écrire, il doit en peser et méditer longuement tous les mots... Pourquoi Mariette n'irait-il pas plutôt faire un voyage en province, en attendant qu'elle soit rédigée ?

Mariette fait du tourisme

Pour meubler son attente, Mariette visite Le Caire, rend visite aux antiquaires, à Fernandez notamment, et aux résidents européens. Tant chez les marchands que chez certains particuliers (Clot Bey, Linant Bey, Varin Bey, Coulomb, le directeur de l'Hôtel d'Orient), il retrouve des sphinx appartenant de toute évidence à la série qu'il a vue à Alexandrie, chez le comte Zizinia. Renseignements pris, ils proviennent, eux aussi, de Saqqara. Le 17 octobre, il tente une der-

---

1. Du même auteur, chez le même éditeur, *Pétra Retrouvée, Voyage de l'Arabie Pétrée, 1828*. (N.d.E.)

nière fois de convaincre le Patriarche, sans résultat. Assez découragé, il monte alors à la Citadelle qui surplombe Le Caire, où de nos jours encore aucun visiteur ne manque d'aller admirer le panorama, et médite jusqu'au soir. La suite, il nous la raconte lui-même :

« Le calme était extraordinaire. Devant moi s'étendait la ville. Un brouillard épais et lourd semblait être tombé sur elle, noyant toutes les maisons jusque par dessus les toits. De cette mer profonde émergeaient trois cents minarets comme les mâts de quelque flotte submergée. Bien loin dans le sud, on apercevait les bois de dattiers qui plongent leurs racines dans les murs écroulés de Memphis. À l'ouest, noyées dans la poussière d'or et de feu du couchant, se dressaient les Pyramides. Le spectacle était grandiose, il me saisissait, il m'absorbait avec une violence presque douloureuse. On m'excusera ces détails peut-être trop personnels ; si j'y insiste, c'est que le moment fut décisif. J'avais sous les yeux Ghyzé, Abousyr, Sakkarah, Dahchour, Myt-Rahynéh. Ce rêve de toute ma vie prenait un corps. Il y avait là, presque à la portée de ma main, tout un monde de tombeaux, de stèles, d'inscriptions, de statues. Que dire de plus ? Le lendemain, j'avais loué deux ou trois mules pour les bagages, un ou deux ânes pour moi-même ; j'avais acheté une tente, quelques caisses de provisions, tous les impedimenta d'un voyage au désert, et, le 20 octobre 1850 dans la journée, j'étais campé au pied de la Grande Pyramide... »

Mariette passe à l'action

Mariette fait enfin connaissance avec l'Égypte ancienne, objet des travaux solitaires de ses jeunes années boulonnaises, raison de son départ pour Paris, et il est à l'évidence victime d'un coup de foudre. Au cours de la semaine qu'il passe dans la région des pyramides, il assiste aux fouilles pratiquées par des bédouins, descend, au bout d'une corde, dans un puits funéraire, observe l'ouverture d'une sépulture... Quelques jours plus tard, il reprend la route, s'enfonce dans le désert, parvient à Saqqara, qui l'intrigue depuis son arrivée à Alexandrie : il doit y avoir là-bas une allée de sphinx exploitée depuis plusieurs dizaines d'années par les fouilleurs clandestins. Saqqara est un immense champ de ruines, un désert de monticules de sable et de cailloutis, où les seuls vestiges antiques faciles à identifier sont des pyramides qui ont traversé le temps avec des succès variés. Mariette erre dans cette désolation, un mètre à la main, cherchant à en comprendre la topographie. Un jour, au cours d'une de ses reconnaissances, il remarque une tête en calcaire qui ressemble étonnamment à celles de tous les sphinx vus à Alexandrie et au Caire. Elle émerge du sable... Et, tout à coup, Mariette comprend. Se rappelant les soirées studieuses de Boulogne et de Paris, il vient de faire le rapprochement entre ce sphinx ensablé et un passage de Strabon : « *On trouve* (à Memphis)... *un temple de Sérapis dans un endroit tellement sablonneux que les vents y amoncellent des amas de sable sous lesquels nous vîmes des sphinx enterrés, les uns à moitié, les autres jusqu'à la tête, d'où l'on peut conjecturer que la route vers ce temple ne serait pas sans danger si l'on était surpris par un coup de vent.* » Il est convaincu qu'il a sous les yeux les restes d'un monument célèbre, le Sérapéum de Memphis, vainement recherché par l'Institut d'Égypte, et par tant d'autres depuis lors. Dans sa publication des fouilles, parue bien des années plus tard, Mariette résume ainsi ce qui lui traverse alors l'esprit :

« *Ne semble-t-il pas que Strabon ait écrit cette phrase pour nous aider à retrouver, plus de dix-huit siècles après lui, le temple fameux consacré à Sérapis ? Le doute, en effet, n'était pas possible. Ce sphinx ensablé, compagnon de quinze autres que j'avais rencontrés à Alexandrie et au Caire, formait de toute évidence avec eux une partie de l'avenue qui conduisait au Sérapéum de Memphis... Il ne me semblait pas possible de laisser à d'autres le mérite et le profit de fouiller ce temple dont un hasard heureux venait de me faire découvrir les restes et dont l'emplace-*

ment allait désormais être connu. Sans aucun doute, bien des débris précieux, bien des statues, bien des textes ignorés se cachaient sous ces sables que je foule. Tous mes scrupules tombèrent devant ces considérations. J'oubliai en ce moment ma mission, j'oubliai le patriarche, les couvents, les manuscrits coptes et syriaques, Linant Bey lui-même, et c'est ainsi que le 1ᵉʳ novembre 1850, par un des plus beaux levers de soleil que j'aie jamais vus en Égypte, une trentaine d'ouvriers se trouvaient réunis sous mes ordres, près de ce sphinx, qui allait opérer dans les conditions de mon séjour en Égypte un si complet bouleversement. »

Mariette est alors parfaitement conscient de prendre un parti redoutable : il réalise qu'il a été envoyé par la France pour inventorier, et rapporter si possible, des manuscrits. Il envisage imperturbablement de se livrer à un détournement de fonds au détriment du gouvernement français : « *Sans en rien dire et presque en me cachant, je réunis quelques ouvriers et le déblaiement commença. Les débuts furent pénibles.* » Le déroulement des fouilles montre que le premier sphinx identifié se situe vers le milieu du dromos (allée de sphinx), long de plusieurs centaines de mètres. Mais cela, Mariette ne le sait pas encore. Où chercher le Sérapéum, le sanctuaire auquel mène le dromos ? À l'ouest, il remarque une butte de décombres, dont l'exploration en premier lieu ne livre pas le temple espéré. Mariette se résout donc à suivre l'allée, sphinx après sphinx, à partir de la première découverte.

Techniques de fouilles du temps passé

Procédant par sondages, sans prendre le temps de dégager largement et complètement, il évalue par tâtonnements la distance qui sépare deux statues, environ six mètres, et l'orientation de l'ensemble. Le procédé fait aujourd'hui froncer les sourcils aux archéologues, mais qu'aurait pu faire d'autre un fouilleur absolument débutant, avec si peu d'ouvriers ? De plus, s'il ne veut pas d'ennuis avec les autorités qui l'ont envoyé en Égypte, n'a-t-il pas intérêt à prouver rapidement qu'il vient effectivement de faire une découverte sensationnelle ? Parfois, il doit élargir considérablement le chantier pour retrouver le fil de son allée. Le sol antique en effet n'est pas horizontal ; le sable s'est accumulé dans les dépressions et l'épaisseur à déblayer atteint parfois une dizaine de mètres : « *En certains endroits, le sable y est, pour ainsi dire, fluide et oppose au déblaiement l'obstacle de l'eau qui cherche incessamment à reprendre son niveau.* » Il lui arrive alors de faire des découvertes inattendues, comme celle du tombeau du scribe Sekhemka, de l'Ancien Empire, avec son ensemble de statues. Au nombre de celles-ci, paraît-il, la célèbre statue de scribe du Louvre. Émile Prisse d'Avennes, qui ne se distingue pas par sa bienveillance à l'égard de Mariette, prétend bien qu'en réalité, la statue fut « *achetée 120 francs à un juif du Caire, qui l'a déterrée à Abousir* » ; mais il s'est aussi trouvé une âme charitable [1] pour raconter à Mariette que l'Avesnois n'avait pas acquis le fameux papyrus Prisse à Thèbes, mais aux pyramides...

Les monuments transportables sont d'abord entreposés dans un local appartenant, précisément, à Fernandez, dans le village de Saqqara, « *mais il y a loin du Sérapéum au village et l'endroit était peu sûr* », dit Maspero. La nature du sol est quelquefois plus favorable à l'avancement des travaux :

« *La dureté excessive du sable amoncelé pendant des siècles a seule permis d'ouvrir des tranchées dont les parois étaient presque verticales. Les opérations ne se sont pourtant pas toujours accomplies sans difficulté, et quelquefois le sable se détachant par masses et se précipitant au fond des trous a occasionné des accidents. On aura une idée des irrésistibles lenteurs que l'inexpérience des ouvriers, l'absence d'outils, et la nature du sable opposaient à nos travaux, quand on saura que, dans cette partie*

---

1. Henry Abbott, par ailleurs ami de Prisse d'Avennes, et très opposé aux fouilles de Mariette au Sérapéum.

de la tranchée ouverte à travers l'allée des sphinx, nous n'avancions pas d'un mètre par semaine. »

Au vingt-et-unième sphinx, une déviation assez légère de l'allée oblige Mariette à chercher un moment la statue suivante. Après le cent trente-quatrième, nouvelle alerte : le numéro 135 manque à l'appel. Deux mois se sont écoulés depuis le début des fouilles, on est au début de 1851. Mariette prend alors le parti de dégager plus largement, en cercle sur un rayon de vingt mètres et une profondeur de douze : le cent trente-cinquième apparaît, le dromos se poursuit après un coude de 85° vers le sud, jusqu'au sphinx 141. L'archéologue s'est aguerri, sa connaissance du terrain et ses méthodes d'observation s'affinent. Le 1er mars, il note :

« La pluie qui vient de tomber donne lieu à une observation intéressante, dont nous tirons parti pour les fouilles. Le sable, en effet, s'est mouillé ; mais, en séchant, il a vite repris, sur les parties où il est peu épais, sa couleur jaune naturelle. Au contraire, dans les parties profondes, plus rebelles à l'évaporation, il reste encore aujourd'hui la teinte sombre que le sable prend quand il est pénétré par l'eau. Or cette partie foncée du sable mouillé dessine sur le flanc de la colline des carrés réguliers qui, par leur forme, semblent les figures que tracent les fenêtres ou les portes sur la façade d'un édifice. La conclusion est facile à tirer. Les figures géométriques qui se montrent sur le flanc de la colline marquent la place où se trouve l'entrée des souterrains encore inconnus. Serions-nous en présence de souterrains où repose la momie d'Apis ? »

Les fouilles continuent : le dromos est-il terminé ? Y a-t-il autre chose plus loin, à l'est, à l'ouest, au sud, ou tout est-il détruit depuis des siècles ?

L'hémicycle des philosophes, et autres statues grecques

Mariette ne s'attend certainement pas à la découverte suivante, un hémicycle de onze statues de facture grecque, représentant des poètes et philosophes, dont Pindare, Platon, Protagoras, et Homère qui préside l'assemblée. Un peu désemparé, il insiste et dégage un petit temple de la XXXe dynastie (378-341 av. J.-C.), avec au centre de la cour une statue du dieu nain et difforme Bès, qui fait sensation :

« C'est l'heure du repos de midi, et le soleil tombe d'aplomb sur la statue dont il fait jaillir puissamment les reliefs. Il est venu des femmes d'Abousyr et de Saqqarah se joindre à nos ouvriers. Une sorte de procession se forme. Évidemment, on prend Bäsou (Bès) pour le diable. Le défilé commence, chacun agit alors selon son tempérament. Les femmes se posent devant la statue et l'injurient avec des gestes de forcenées en général, les hommes crachent dessus. J'ai parmi mes ouvriers deux ou trois nègres. Ils regardent en face l'impassible divinité et se sauvent en riant aux éclats... »

À la mi-mars, le fouilleur fait passer en France un rapport de ses activités et trouvailles, et continue les travaux, dégageant une voie dallée longue de 80 mètres, et bordée de plates-formes supportant d'étranges statues (de jeunes Dionysos chevauchant une panthère et des paons faisant la roue, un faucon à tête humaine, une sphinge, une sirène, un cerbère à tête de lion et à la queue terminée par une tête de serpent...). Cette allée mène à l'ouest aux arasements d'un pylône, dont part une barrière de pierre à claire-voie. Les restes du Sérapéum sont atteints.

Conditions de vie de Mariette à Saqqara

Pendant tous ces mois, Mariette n'a interrompu les fouilles que très peu de temps. D'abord quelques jours, pour collecter des fonds auprès de ses amis cairotes, car il a épuisé son allocation de mission. Puis, fin avril 1851, pendant trois semaines, terrassé par une crise d'ophtalmie qu'il doit faire soigner au Caire. Il est admirable qu'il ne soit pas tombé malade plus tôt : depuis six mois, il n'a jamais eu d'abri plus accueillant, contre le terrible soleil de la journée et les nuits souvent glaciales de l'hiver désertique, que des tentes parfois endommagées ou arrachées par le vent. Quant à l'approvisionnement en eau, il doit se faire à plusieurs kilomètres du chantier, dans la vallée. Le passage des villageois chargés du ravitaillement permet parfois d'observer de cocasses traditions populaires, comme celle qui occasionne un crime de lèse-statue du taureau Apis :

« Aujourd'hui, vers midi, pendant le déjeuner des ouvriers, je suis sorti de ma tente à l'improviste. Une quinzaine de femmes de tout âge, venues des villages voisins, étaient rangées autour de la statue d'Apis. J'en vis une monter sur le dos du taureau et s'y tenir quelques instants comme à cheval ; après quoi, elle descendit pour faire place à une autre : toute l'assemblée y passa successivement. J'interrogeai Mohammed et j'appris que cet exercice, renouvelé de temps à autre, est regardé comme un moyen de faire cesser la stérilité des femmes. J'appris en outre, ce que j'ignorais encore, que depuis le commencement des fouilles, des femmes venaient souvent dans le même but s'asseoir, causer, manger et même dormir à l'ombre des sphinx de l'allée... »

Les victuailles sont fournies par les habitants des villages voisins. Quand elles sont fournies...

Opposition aux fouilles de Mariette

Tout le monde en effet ne voit pas les fouilles de Mariette d'un très bon œil, et on ne le laisse pas toujours travailler en paix. Si isolé qu'il soit dans son désert de Saqqara, il ne peut espérer que ses succès passent inaperçus. Ses ouvriers viennent des villages voisins, tout comme ceux d'un certain nombre de fouilleurs sans *firman* qui travaillent dans la région : le Consul général d'Autriche M. de Huber, l'antiquaire Fernandez, le pasteur-antiquaire Lieder, le pharmacien Jannovitch, l'égyptologue turinois Lanzone, le drogman du Consulat de France et antiquaire Masarra... Bien sûr, le soir au village, les hommes échangent les nouvelles des différents chantiers. Tant que Mariette ne dégage que les sphinx du dromos et quelques tombeaux de l'Ancien Empire alentour, il n'est qu'un explorateur parmi bien d'autres, un concurrent qui destine ses découvertes au musée du Louvre. Mais quand il approche du Sérapéum lui-même, le doute n'est plus permis : il a fait une trouvaille considérable et très enviable. On conteste ses droits d'inventeur :

« Au mois de janvier 1851, M. de Schlieffen que je ne connaissais pas est venu s'installer sous les tentes près de moi. Je finissais alors l'allée de sphinx et j'étais arrivé à un hémicycle de onze statues grecques. M. de Schlieffen me demanda s'il pouvait en prendre deux pour son château. Je lui répondis par la vérité : je lui dis qu'au moment où il me parlait, tout le monde revendiquait la possession de ces sphinx, que M. Fernandez prétendait avoir fouillé l'allée avant moi et en être ainsi le propriétaire, que le vieux père Messara (sic) prétendait l'avoir connue avant M. Fernandez, enfin que le neveu de M. Marucchi au Caire faisait valoir les droits de son oncle, lesquels remontaient à 1832 ; – que tous ces gens étaient sur mes bras et qu'ils voulaient bien me laisser fouiller, mais sans rien emporter – qu'ainsi je n'avais aucun droit d'accorder ou de refuser à M. de Schlieffen le sphinx qu'il me demandait. »

Le découvreur du Sérapéum commence à rencontrer des difficultés : on convainc ses ouvriers de ne pas se rendre au travail, les villageois de ne plus lui fournir eau et nourriture. La réaction de Mariette est spectaculaire. Il affronte directement l'administration locale, en la personne du *cheikh el-Beled* (chef du village) de Saqqara, puis du *moudir* de la province de Giza, dans des aventures célèbres qu'il aime raconter à ses amis, à grand renfort d'anecdotes pittoresques et quelque peu abracadabrantes. À en croire Maspero :

« Ses récits, menés avec une verve incroyable, finirent par composer une sorte d'épopée héroï-comique qu'il déroulait plus ou moins longue selon le caractère de ses interlocuteurs et l'effet qu'il produisait sur eux. Il avouait ensuite volontiers que l'imagination y entrait pour quelque chose, et que la réalité avait été moins romanesque... En

1877, à Pont de Brique, un soir où nous avions réussi à le mettre en verve, il nous raconta avec force détails bouffons quelques-unes des scènes si bien esquissées dans l'article de Desjardins... Le lendemain, il revint de lui-même sur le sujet pour corriger certaines exagérations auxquelles il s'était laissé aller dans le feu de la conversation, puis, me prenant à part, il me pria, si jamais j'avais à parler du même sujet, de ne pas insister sur ces anecdotes plus qu'il ne convenait : « Elles ont toutes un fonds de vérité, mais je ne vous réponds pas du détail ; chaque fois que je les raconte, je me souviens que j'ai débuté par écrire des romans historiques pour des journaux de Boulogne. »

Au lecteur maintenant averti, ne refusons pas le plaisir d'un passage de cet article d'Ernest Desjardins, membre de l'Institut, cher et fidèle ami de Mariette :

« Le village le plus rapproché du chantier des fouilles était celui de Saqqarah. Or c'est au moment même où le pylône du Sérapéum venait d'être reconnu que le cheikh de ce village refusa de laisser venir les travailleurs gagés au désert. Un coup de vent ayant déchiré et abattu les tentes de M. Mariette, il ne put même obtenir de la rigueur inexplicable de ce cheikh les hommes et les matériaux nécessaires pour réparer son unique abri. Il lui fallut passer à la belle étoile les nuits toujours fraîches et fécondes en ophtalmies sur la lisière de la colline libyque et de la vallée. L'eau, tirée du Bahr-el-Yousouf, à une lieue du chantier, ne vint plus, et défense fut faite de porter des vivres à « l'homme du désert ». C'était la guerre. Il fallait tout abandonner ou lutter. Tant qu'il n'eut affaire qu'au cheikh, la lutte, bien qu'inégale, fut possible. M. Mariette n'est pas seulement doué d'une grande vigueur d'esprit, il est pourvu d'une force physique peu commune. Il descendit aux villages d'Abousir et de Myt-Rahineh avec son brave auxiliaire Bonnefoi, mort depuis, et qui repose à Thèbes, entre Karnak et Luqsor ; ils saisirent et rassemblèrent une trentaine de jeunes gens robustes, les chassèrent devant eux à la barbe des cheikhs étonnés, les payèrent bien et les firent travailler à la tombe d'Apis. Les chefs de village firent publier à son de trompe la défense de fournir à l'Européen l'eau, le riz et les poules maigres qui composaient sa nourriture ; il fallut alors recommencer une guerre plus sérieuse. Ce furent chaque jour de nouveaux enlèvemens de travailleurs entraînés au désert par les deux Français. Une fois ils pénétrèrent à cheval dans la cour, dans la maison et même dans le harem (!!!) du cheikh de Saqqarah, qui fit mine de se défendre ; ils résolurent alors de donner à ses propres administrés le spectacle d'une rigueur devenue nécessaire : ils saisirent son turban, qu'ils dévidèrent en prenant leur course au galop, le cheikh attaché à l'autre bout et suivant. On se croirait en Sicile, au temps des exploits de Roger et des chevaliers normands. Toutefois, malgré quelques heureux coups de main, M. Mariette comprit qu'il avait affaire à un ennemi caché, à une puissance occulte plus forte que lui, et que de tels expédiens ne pourraient longtemps protéger ses travaux... »

L'*ennemi caché*, ce sont ses rivaux malheureux : fouilleurs clandestins, marchands d'antiquités, voire diplomates et collectionneurs européens furieux de voir une telle manne promise au musée du Louvre, car les rivalités nationales si virulentes à l'époque trouvent leur écho dans le domaine de la science.

Les fouilles sont interrompues

Lorsque, à la recherche de l'entrée du monument, Mariette dépose les dalles du dernier dromos, mettant au jour des centaines de bronzes et d'amulettes – « *en une seule journée, nous en recueillîmes cinq cent trente-quatre* » –, ses adversaires contre-attaquent. Le bruit court, au Caire, qu'il a déterré des trésors en or, et le Gouvernement égyptien, exhumant l'ordonnance de 1835, fait fermer le chantier et séquestrer les antiquités découvertes, le 4 juin 1851. L'ordre est apporté à Saqqara par quatre fonctionnaires égyptiens, mais Mariette est absent ; les quatre hommes s'installent donc pour l'attendre, et présument de son hospitalité en buvant son café et fumant ses cigares. La chose met en rage l'amphitryon malgré lui qui, de retour, les chasse brutalement et porte plainte contre leur sans-gêne, s'enquérant par la même occasion de la raison pour laquelle il est le seul responsable de fouilles à être tracassé de la sorte : bien d'autres personnes travaillent sans *firman* un peu partout en Égypte, sans avoir droit à des mesures policières. On lui fait rapidement parvenir des excuses, mais non l'autorisation de reprendre le dégagement du Sérapéum... Sur les conseils de M. Le Moyne, Consul général de France, Mariette se soumet ostensiblement, renvoie ses ouvriers et attend le résultat des tractations diplomatiques de son représentant national. Elles aboutissent, à la fin du mois, à l'octroi du *firman* objet du litige, lequel *firman*, bien entendu, ne dit rien de la destination des objets découverts. Depuis le début des fouilles, Mariette a fait comme tous ses « collègues » : il a considéré que ses trouvailles, faites dans le cadre d'une mission financée par la France, revenaient à la France. Il en a régulièrement entretenu Emmanuel de Rougé, Conservateur au Louvre, dans ses lettres, et il a commencé à lui expédier les objets découverts.

La France s'émeut

Pendant qu'il affronte les difficultés dans le désert, les premiers envois sont arrivés en France, et le bruit de sa découverte commence à faire sensation à Paris : « ... *je pus annoncer mes succès au gouvernement français en l'informant tout à la fois de l'entier épuisement des fonds destinés aux manuscrits et de la nécessité d'en envoyer d'autres.* » L'Académie des Inscriptions et Belles-Lettres, informée par Charles Lenormant, s'émeut et charge son bureau de réclamer des subsides aux ministères concernés. 1 500 francs sont accordés en urgence au début de l'été, et le rapport du 7 août à la Commission du budget de la Chambre des députés revient à la charge en ces termes éminemment patriotiques : « *Malgré la circonspection et la prudence qui* ont présidé aux opérations de l'explorateur français, l'éveil est donné aux étrangers. On leur interdirait difficilement l'approche du temple. Suspendre ou cesser les recherches conduites avec tant de succès, ce serait livrer aux musées rivaux ce qu'il dépend de nous de déposer dans la collection nationale. » Enfin, à la demande de l'Institut, le Parlement vote le 26 août un crédit supplémentaire de 30 000 francs, « applicables aux travaux de déblaiement d'un temple dédié à Sérapis, découvert parmi les ruines de Memphis, et au transport en France des objets d'art qui en proviendront » (c'est nous qui soulignons).

L'Égypte s'émeut

Cette phrase malencontreuse occasionne de nouveaux ennuis à Mariette. En effet, Le Moyne – anxieux de régulariser la situation et soucieux d'apaisement avant tout – a dans ses tractations reconnu au Vice-Roi ses droits sur les monuments déjà découverts et ceux qui restent à découvrir, et si les fouilles ont repris depuis le 30 juin, les antiquités sont toujours sous séquestre. Lorsque les termes du vote du Parlement français sont connus en Égypte, ordre est donné, le 12 septembre 1851, d'interrompre une nouvelle fois les travaux, et Le Moyne reçoit la lettre suivante :

« Monsieur l'Agent et consul général,

Dans la lettre que vous m'avez fait l'honneur de m'adresser, le 9 juin de cette année, pour me demander de solliciter du Vice-Roi, en faveur de M. Mariette, employé au Musée du Louvre, l'autorisation de faire des fouilles dans les environs de Sakkarah, vous avez eu l'attention d'insérer que M. Mariette ne prétendait nullement contester au Vice-Roi ses droits de propriété sur tous les monuments qui sont sur le sol égyptien, et qu'il s'engageait, du reste, d'avance à ne rien enlever de ce qu'il avait déjà découvert ou pouvait encore découvrir.

Cette déclaration de votre part, monsieur l'agent et consul général, était la reconnaissance implicite du principe admis dans tous les pays en ce qui concerne l'existence ou la découverte des monuments antiques, et j'y ai vu la preuve que vous étiez parfaitement instruit, d'ailleurs, des dispositions administratives, qui, depuis plus de quinze ans, régissent la matière en Égypte.

Sur mon rapport, Son Altesse n'a donc pas hésité à autoriser des recherches qui devaient profiter à la science, sans porter atteinte aux droits du gouvernement. M. Mariette a continué ses travaux avec l'approbation de l'administration et dans les conditions déterminées par l'engagement que vous aviez pris en son nom. Qu'est-il arrivé cependant ? C'est que des objets d'antiquités découverts par M. Mariette ont été détournés et transportés chez des particuliers au Caire. Il est notoire aujourd'hui, et le savant archéologue le déclare lui-même, que des statuettes et des morceaux plus importants lui ont été dérobés et publiquement mis en vente. En présence de ces faits qui témoignent assez que M. Mariette n'a pas à sa disposition des moyens de surveillance assez actifs, le Vice-Roi, désirant prévenir des détournements et des mutilations aussi préjudiciables aux intérêts de la science qu'à la stricte application des règlements établis, vient, sur les représentations du gouverneur de Gyzeh, d'ordonner :

1° : Que tous les objets d'antiquités portatifs, découverts par M. Mariette, seraient remis par ce dernier aux agents de l'administration et déposés dans une des salles du ministère de l'instruction publique ;

2° : Que cinq officiers stationneraient sur les lieux explorés par M. Mariette, pour y surveiller les travaux, empêcher les dégradations, et constater le résultat des fouilles.

Je vous prie, monsieur l'agent et consul général, de vouloir bien faire connaître officiellement à M. Mariette ces dispositions, qui, bien loin d'entraver ses opérations, ne seront à ses yeux qu'une preuve du prix que Son Altesse attache à leur succès, et une nouvelle garantie de la conservation des monuments antiques dont la découverte lui sera due. »

Les fouilles sont de nouveau interrompues

Quelques jours plus tard, trois des cinq officiers annoncés se présentent à Saqqara, munis d'une liste de 513 objets à remettre aux autorités, liste dressée par la *moudiria* de Giza sur interrogatoire systématique des *raïs* (chefs égyptiens des ouvriers du chantier). Excédé par le traitement particulier qu'on persiste à lui infliger, Mariette se résout à emballer, devant témoins, quelques-uns des 513 monuments, aussitôt convoyés au Caire par l'un des officiers. Faut-il croire l'anecdote selon laquelle l'archéologue aurait ensuite cambriolé de nuit le dépôt abritant les antiquités déjà saisies, pour les expédier en France ? Ce qui est certain, c'est qu'il met dorénavant à contribution des visiteurs assez complaisants pour quitter le chantier chargés d'objets destinés au Consulat, lequel les fait passer au Louvre... Mariette imagine un autre moyen de gagner du temps : s'il reçoit un ordre gouvernemental dont le contenu ne répond pas à ses vœux, il lui suffit de dire qu'il ne comprend pas le turc ; le porteur du message non plus ? Qu'à cela ne tienne, on envoie chercher l'écrivain public de Saqqara. Mais celui-ci est parti sans laisser d'adresse, payé par le Français pour se recueillir quelque temps au désert... Deuxième acte : l'écrivain est de retour, mais il déclare ne pas comprendre le turc. Il n'y aura pas de troisième acte, le document étant renvoyé du Caire, accompagné d'une traduction en italien.

Quant à l'embarrassante surveillance des fouilles, elle est contournée à plaisir et de diverses manières : on peut choyer et régaler les surveillants, tout en dispersant et multipliant les travaux, ce qui complique leur tâche et les dégoûte de la marche à pied au soleil. On peut les faire descendre à l'aide d'une corde dans un puits sans fond qu'ils veulent vérifier, remonter la corde et les y laisser méditer sans nourriture.

Archéologie nocturne

Surtout, on peut fouiller la nuit, lorsque les surveillants sont rentrés chez eux au village. Alors, on récupère les trouvailles de la journée camouflées dans le sable, et dont on ne souhaite pas les tenir informés, on les transporte dans un atelier d'emballage clandestin des objets destinés au Louvre. Le site de Saqqara dispose de commodités particulièrement adaptées à cet usage, les vastes et insondables puits creusés à l'époque perse pour servir de tombeaux. Toujours nuitamment, on fait avancer le travail dans les zones vraiment prometteuses. C'est ainsi que l'entrée des grands souterrains du Sérapéum, du tombeau des taureaux Apis, est atteinte dans la nuit du 12 novembre 1851. L'équipe de confiance – nocturne ! – de Mariette est des plus restreintes : Bonnefoy, dévoué assistant qui mourra prématurément au service de l'égyptologie, le *raïs* Hamzaoui qui se rend dès lors indispensable, et six ouvriers insoupçonnables, dont un charpentier (maltais ?) nommé Francesco.

Pendant ce temps, Le Moyne négocie sans relâche, essayant d'obtenir pour son protégé, et pour le Louvre, des conditions moins strictes. Le 19 novembre, il parvient à un accord : 1° le Vice-Roi laisse les 513 antiquités déjà trouvées au Gouvernement français ; 2° il interdit jusqu'à nouvel ordre toutes les fouilles en Égypte ; 3° une autorisation de travailler au Sérapéum suivra, pourvu que la France ne prétende pas à la propriété et à l'exportation des découvertes.

Le commentaire du découvreur – rappelons qu'il est parvenu secrètement à l'entrée des souterrains depuis une semaine – est plein d'amertume : « *Comme les* [monuments les] *moins importants sont précisément ceux qui ont été trouvés d'abord et que tout l'intérêt des fouilles se concentre sur ceux qui ont été recueillis en dernier lieu, il s'ensuit que ce sont ceux auxquels je tiens le moins qu'on nous offre, et ceux qui sont pour moi le vrai fruit de nos travaux que l'on confisque.* »

Pour le public français, toujours prompt à politiser l'archéologie, ces monuments retenus par l'Égypte, « *C'était la part de l'Angleterre* » (Ernest Desjardins)... En réalité, il y aura plus tard un partage des découvertes, d'ailleurs très généreux pour le musée du Louvre. Les fouilles étant de nouveau complètement interdites, le travail de nuit continue, jusqu'à l'octroi d'un nouveau *firman* le 12 février 1852. La monumentale entrée, par laquelle le visiteur accède aujourd'hui aux galeries, doit donc rester insoupçonnée. L'équipe entre tous les soirs par une ouverture dans le remblai de sable, au ras du plafond, équipée d'un toboggan de planches. Dans la journée, on ferme le haut de cette glissière et on la dissimule sous du sable rapporté.

Les « grands souterrains » du Sérapéum

À l'intérieur des souterrains, les fouilleurs découvrent d'abord quantité de stèles *ex-voto* déposées par les fidèles antiques, tombées à terre, ou encore encastrées dans les murs. Vers le sud, les premières galeries explorées, les « grands souterrains », sont creusées de main d'homme sur plus de 200 mètres de longueur, et des niches s'ouvrent des deux côtés. Elles contiennent d'énormes sarcophages, tombeaux de vingt-quatre taureaux Apis qui se sont succédé de la XXVIᵉ dynastie (663-525 av. J.-C.) à l'époque ptolémaïque (330-30 av. J.-C.). Les stèles se révèlent particulièrement précieuses pour l'histoire égyptienne, car elles précisent la durée de vie des taureaux, ainsi que les années de règne des pharaons qui correspondent à leur intronisation et à leur mort. Ces différentes dates mises en parallèle éclaircissent bien des points litigieux de chronologie. Le jour, Mariette a de quoi s'occuper : il continue ses emballages, rédige le journal des fouilles de la nuit, écrit à Emmanuel de Rougé, qu'il tient au courant de ses progrès et de ses problèmes. Il se trouve en effet confronté à l'une des plus importantes découvertes de l'archéologie égyptienne, et ne dispose dans son désert d'aucun livre de référence !

Il prospecte aussi d'autres secteurs de la nécropole et

découvre un nouveau passe-temps, la chasse aux fouilleurs clandestins : « *Je veux bien que mes fouilles soient interrompues, mais à condition que la mesure soit générale, et que de simples particuliers ne fassent pas ce qu'il est défendu à un gouvernement ami de faire. Fort de mon droit, je cours sus au groupe ; quelques instants après, tous les délinquants étaient enfuis. Puis je monte à cheval et cours à Saqqarah. J'entre chez le cheikh, un peu malgré lui. Je lui déclare que je me constitue gardien du désert, et personne, lui compris, n'y mettra les pieds sans ma permission...* » Dès ce moment, Mariette peut mesurer les ravages de la pratique anarchique de l'archéologie. Il n'est pas une lettre à Emmanuel de Rougé où il ne signale qu'il a surpris des villageois en train de scier un relief ou de démonter une chapelle. En l'espace de quelques années, méditant sur ce qu'il a vu lors des fouilles de Saqqara, il réalisera que de telles pratiques ne sont plus tolérables, et deviendra le plus vigoureux défenseur des antiquités égyptiennes.

Des nouvelles de France

Au début de 1852, Mariette apprend qu'il est nommé attaché à la Conservation égyptienne du Louvre, avec un traitement de 2 200 francs par an. Il voit aussi arriver sa famille : son épouse Éléonore Mariette, qui après plus d'un an de séparation ne se sent décidément pas l'âme d'une Pénélope, a décidé de quitté Boulogne, et sans le prévenir a pris le bateau avec bagages et enfants. Lorsque Auguste apprend leur départ, elles sont déjà à Alexandrie... Heureusement, il ne vit plus sous la tente. En mai 1851, pendant son ophtalmie, il a fait bâtir une maison de briques crues, pour son logement et la protection des objets mis au jour. On agrandit la maison, et tout le monde s'installe.

La Villa Mariette

Ironiquement baptisée « Villa Mariette », son toit porte fièrement le drapeau français, mais sa principale caractéristique est l'inconfort, qui n'échappe pas à Édouard Mariette :

« Des pièces intérieures du logis, rien à dire : c'était la simplicité même. La terrasse, au contraire, avait un charme inexprimable. Ouverte en plein sur le nord, le coup d'œil y est d'une réelle beauté...

... Sakkarah, nom prédestiné ! La maison du désert méritait bien l'appellation. Il serait difficile de voir autant de rats assemblés qu'un soir où, pénétrant tout-à-coup dans le dépôt des antiquités, nous mîmes en rumeur plus de deux cents rats énormes, littéralement affamés et cherchant à regagner leur retraite. Et il n'y avait point que des rongeurs de tout calibre et de tout poil. Il y avait aussi des cérastes, des scorpions, des tarentules, des araignées géantes, des scolopendres, en un mot toute la gamme des répulsiens. »

Appréciation confirmée par les délicieux souvenirs d'Heinrich Brugsch, égyptologue prussien venu visiter Saqqara en 1853, et qui s'y installe pour huit mois :

« Des serpents se traînaient sur le sol, des tarentules ou des scorpions grouillaient dans les fentes du mur, de grosses toiles d'araignées pendaient au plafond en guise de drapeaux. Sitôt la nuit tombée, des chauves-souris attirées par la lumière s'introduisaient dans ma cellule par les vantaux de la porte et achevaient de troubler mon repos de leur vol spectral. Avant de m'endormir je bordais les extrémités de ma moustiquaire sous le matelas, puis je me recommandais à la grâce de Dieu et de tous les Saints, tandis que les chacals, les hyènes et les loups hurlaient autour de la maison... »

Chaque « chambre » a pour tout mobilier une petite table, un escabeau, un lit, le tout fabriqué en mauvaises planches. Tel est le foyer de la famille Mariette enfin réunie, pendant presque deux ans.

Occupée à chaque séjour un peu prolongé aux fouilles de Saqqara, la « Villa Mariette », convertie en lieu de repos pour touristes, a survécu jusqu'en 1958, date à laquelle, jugée vétuste, elle a été rasée. On peut admirer de nos jours, un peu plus bas dans le désert, les ruines en béton de la « cafétéria-musée », à l'allure de blockhaus stalinien, qui devait la remplacer. Elle n'a jamais été ouverte, pour cause de fondations défectueuses.

Reprise officielle des fouilles.
Les « petits souterrains » et les caveaux isolés

Le 12 février 1852 arrive le nouveau *firman*, et les travaux peuvent reprendre au grand jour. À l'ouverture des galeries souterraines, « *Un effet très inattendu se produit. Par l'entrée du nord sort tumultueusement, comme de la bouche d'un volcan, une grande colonne de vapeur bleuâtre qui monte droit vers le ciel. La tombe met environ quatre heures à se débarrasser ainsi du mauvais air qui y était depuis si longtemps emprisonné* ». On n'ose penser à ce que Mariette et ses acolytes ont respiré toutes les nuits depuis trois mois... Du 15 février au 15 mars, on découvre et on explore des galeries plus anciennes, situées au nord des « grands souterrains », et qui renferment des sépultures d'Apis depuis le milieu du règne de Ramsès II (XIXe dynastie), jusqu'à la XXIIe dynastie. Elles sont connues sous le nom de « petits souterrains ». Un éboulement du plafond obstrue la galerie, qui contraint Mariette à en interrompre le dégagement, repris un an plus tard, en avril 1853.

Les six mois suivants (avril-septembre 1852) sont marqués par la découverte d'autres tombes de taureaux, mais cette fois à la surface du désert, en caveaux isolés. Elles remontent à la XVIIIe dynastie et à la première moitié de la XIXe. L'une d'entre elles, intacte, touche particulièrement Mariette : « *Les doigts de l'Égyptien qui avait fermé la dernière pierre du mur bâti en travers de la porte étaient encore marqués sur le ciment. Des pieds nus avaient laissé leur empreinte sur la couche de sable déposée dans un coin de la chambre mortuaire.* » Un détail aussi sensationnel, connu à Paris au plus tard en 1853, ne pouvait manquer d'enflammer les esprits romantiques, et Théophile Gautier le développe en réflexions philosophiques dans le prologue du *Roman de la momie*, paru en feuilleton dans *Le Moniteur universel* du 11 mars au 6 mai 1857 :

« *Sur la fine poudre grise qui sablait le sol se dessinait très nettement, avec l'empreinte de l'orteil, des quatre doigts et du calcanéum, la forme d'un pied humain ; le pied du dernier prêtre ou du dernier ami qui s'était retiré, quinze cents ans avant Jésus-Christ, après avoir rendu au mort les honneurs suprêmes. La poussière aussi éternelle en Égypte que le granit, avait moulé ce pas et le gardait depuis plus de trente siècles, comme les boues diluviennes durcies conservent la trace des pieds des animaux qui la pétrirent. – Voyez, dit Evandale à Rumphius, cette empreinte humaine dont la pointe se dirige vers la sortie de l'hypogée. Dans quelle syringe de la chaîne libyque repose pétrifié de bitume le corps qui l'a produite ? Qui sait ? répondit le savant : en tout cas, cette trace légère, qu'un souffle eût balayée, a duré plus longtemps que des civilisations, que des empires, que les religions mêmes et que des monuments que l'on croyait éternels : la poussière d'Alexandre lute peut-être la bonde d'un tonneau de bière, selon la réflexion d'Hamlet, et le pas de cet égyptien inconnu subsiste au seuil d'un tombeau !*

Poussés par la curiosité qui ne leur permettait pas de longues réflexions, le lord et le docteur pénétrèrent dans la salle, prenant garde toutefois d'effacer la miraculeuse empreinte. »

Alléchés par de si belles découvertes, les fouilleurs clandestins se remettent à l'œuvre ; le chantier doit quelquefois repousser les armes à la main les tentatives d'intimidation de bandes de bédouins à cheval, dues notamment au *cheikh* de Saqqara.

Premier partage de fouilles

Le 25 mars 1852, la commission mixte franco-égyptienne arrive à Saqqara pour procéder au partage de fouilles :

les fameux 513 monuments autorisés à quitter l'Égypte sont emballés depuis longtemps. Depuis le 12 février 1852, l'ère des violents affrontements avec l'administration égyptienne est révolue. Aussi a-t-on pu persuader sans difficulté les fonctionnaires désormais plus compréhensifs qu'un « objet » égyptien peut présenter la particularité de se composer de plusieurs objets empilés... Le permis de sortir est accordé pour 41 caisses, qui renferment environ 2 500 antiquités. Leur exposition publique à Paris cause une impression telle que Mariette est nommé au grade de Chevalier de la Légion d'Honneur, mi-août, et que le Ministère d'État vote, le 2 septembre, une nouvelle subvention de 50 000 francs pour la poursuite des travaux du Sérapéum.

Il était temps : les crédits sont à nouveau épuisés, et les fouilles de l'été sont financées par des expédients. Notamment, avec l'autorisation du Consul général de France Le Moyne, Mariette vend d'épaisses plaques d'or qui coffraient la base d'un sarcophage, pour un poids d'environ deux kilogrammes. La chaleur est pénible, et l'inondation isole le chantier pendant un moment :

« Le temps s'écoule lentement, il fait une chaleur étouffante, mais le désert ne perd rien de ses charmes. C'est assurément quelque chose d'avoir ses coudées franches, à perte de vue. On y respire le même souffle de liberté qui attache le matelot à la mer. Ce sol que je foule n'a pas de limites, bien que j'en suis le maître, et je lui suis attaché par tous les services qu'il m'a déjà rendus et par les soucis mêmes qu'il m'a causés. C'est ainsi que j'explique l'espèce de fascination qu'il exerce sur moi, quand le soir je contemple le soleil qui se couche dans la poussière empourprée de l'horizon...

... L'inondation a gagné la grande plaine d'Abousyr, et comme les digues ne sont pas toujours praticables, nos communications avec Le Caire sont à peu près rompues. Nous vivons isolés du monde extérieur comme si nous habitions une île déserte... »

Mariette toujours circonspect

Craignant toujours de voir la France privée de monuments qu'il estime lui revenir de droit, Mariette continue de cacher ses plus remarquables trouvailles au fur et à mesure de leur découverte. En dehors des vols toujours possibles, et en l'absence d'un musée égyptien des antiquités, sa pire crainte est que les intrigues d'autres nations européennes n'aboutissent à la dispersion du produit de ses fouilles, au profit d'autres musées que le Louvre. Son inquiétude est partagée par les autorités françaises. À son supérieur au Louvre Emmanuel de Rougé, qui lui demande un jour de décembre 1852 comment il se fait que le grand égyptologue allemand R. Lepsius ait obtenu copie d'une stèle du Sérapéum, il écrit par retour du courrier :

« La stèle en question... a été pendant trois mois entiers cachée sous le sable dans une des chambres de la tombe d'Apis. Il est possible que M. de Schlieffen ait découvert cette stèle dans une des cent visites qu'il a faites au grand souterrain, ou bien (ce que je pense) qu'il ait gagné un de mes ouvriers. »

Mariette considère de toute évidence qu'il n'a pas le choix *(« vous voyez bien que je suis obligé de faire disparaître les monuments à mesure qu'ils sont trouvés... »),* mais déplore de ne pas pouvoir examiner tranquillement tout ce matériel *(« ... vous en savez sans doute plus que moi qui, dans mon empressement à cacher ces objets, ai pu à peine les voir »).*

Les contraintes particulières de ces toutes premières fouilles de sa carrière égyptologique marquent définitivement son « métier », et Maspero écrira plus tard :

« Il gagna à cette obligation une grande sûreté de coup d'œil archéologique et une habileté indiscutable à discerner en un instant le point important des documents et le sens général des textes qu'ils portent, mais il y oublia presque tout ce qu'il avait acquis de doctrine philologique. »

Suite du partage de fouilles

À la fin de l'été, le Consul général Le Moyne est remplacé par Sabatier, qui a pour consigne d'assister Mariette dans ses travaux. Une deuxième commission de partage est réunie en novembre 1852, moins tracassière encore que la première : pour les stèles, classées par leur inventeur en quatre séries de qualité et d'intérêt décroissants, elle attribue sans discussion les plus belles à la France, acceptant pour l'Égypte certains documents discutables.

Après un ultime partage, Mariette demande à Paris, au milieu de juillet 1853, d'organiser le transport des 230 caisses attribuées au Louvre, en priant qu'on se dépêche, car les 87 caisses alors entreposées à Alexandrie souffrent de l'humidité, de la chaleur et du manque de soin. Le Gouvernement français décide finalement d'envoyer à Alexandrie les deux frégates *Le Labrador et L'Albatros*, auxquelles le Vice-Roi Abbas Pacha pousse la sollicitude jusqu'à prêter des membres d'équipage !

Inconvénients des visiteurs

Avec l'hiver 1852-1853 reviennent les visiteurs européens, qui compliquent les opérations :

« Je porte à deux mille le nombre des Européens dont j'ai reçu la visite cet hiver et rien ne peut vous donner l'idée de l'ennui et des désagréments que ces visites m'ont causés. C'est la huitième plaie d'Égypte. Les uns arrivent au bon moment où je n'ai besoin de personne parce que je fais partir des caisses en contrebande et que, rentrés au Caire, aucun ne manque de conter ce qu'il a vu. Les autres, – et c'est la presque totalité – débarquent chez moi comme dans un hôtel, me parlant comme si c'était un droit de leur part de voir mes collections, restent deux ou trois jours, sans que je les invite, à dévorer mes pauvres provisions et trouvent encore le moyen, si je m'absente une minute pour vaquer à mes affaires indispensables, de déclarer que je ne

suis pas aimable. C'est souvent à n'y pas tenir. J'ai reçu quelquefois jusqu'à six sociétés différentes dans un jour. C'était des Anglais, des Américains, des Français, des Prussiens, des Russes et des Italiens. À tous, il fallait faire bonne mine, à tous, il fallait montrer les souterrains avec les explications de rigueur, à tous enfin, il fallait offrir à manger, car il n'est pas un seul de ces voyageurs qui ne (sic) se soit mis à penser que je ne trouve pas mes provisions dans le désert, que je les fais venir à grands frais du Caire, et que par conséquent c'est à eux à m'offrir leurs provisions et non pas à moi à leur laisser dévorer en un quart d'heure mes vivres d'un mois. Ça a été bien là, je vous assure, un tourment pour moi, et dans les absences que mes amabilités à l'endroit de ces Messieurs me forçaient de faire, je suis sûr que mes ouvriers, laissés quelquefois sans surveillance pendant une demi-journée entière, ont dû trouver bien des petits objets qu'ils m'ont volés. C'est là le bénéfice de ma courtoisie... »

Heinrich Brugsch à Saqqara

Au mois de février 1853 se présente un visiteur différent des autres : Heinrich Brugsch (1827-1894), confrère allemand, vient pour quelques jours, en curieux. Égyptologue précoce, il a étudié à Berlin, puis à Paris, et c'est le gouvernement prussien qui l'envoie en Égypte. Il est, avant tout, philologue et démotisant, et découvre vite que les stèles du Sérapéum sont un apport précieux à la grammaire démotique qu'il est en train de rédiger. Il va rester huit mois, vivant à la « Villa Mariette », épaulant le fouilleur français de ses compétences linguistiques. Pendant qu'il déchiffre, Mariette dirige les opérations de dégagement de l'extrémité est de l'allée de sphinx, rédige un inventaire de ses trouvailles pour faciliter le dernier partage de fouilles, et reprend le dégagement de la partie éboulée des « petits souterrains ».

La tombe de Khaemouaset ?

Là où les travaux s'étaient interrompus en mars 1852, Mariette se résout à dégager un énorme bloc à la poudre : « *L'opération fut longue, car il fallut faire plus de cent pétards...* » Dans ce contexte archéologique pour le moins discutable, apparaît alors un sarcophage de bois, endommagé dans sa partie supérieure : « *Un masque d'or couvrait le visage. Une colonnette de feldspath vert, une boucle de jaspe rouge étaient suspendues à une chaîne d'or passée au cou. Une autre chaîne d'or soutenait deux autres amulettes en jaspe, le tout au nom du prince Khâ-em-ouas, fils de Ramsès II. Un admirable bijou, épervier d'or à mosaïques cloisonnées, les ailes étendues, était posé sur la poitrine. Dix-huit statuettes de faïence à tête humaine et avec la légende* Osiris-Apis, dieu grand, Seigneur de l'éternité, *étaient répandues à l'entour...* »

Mariette déduit de cette découverte que le prince, grand prêtre de Ptah à Memphis, fils de Ramsès II, mort avant son père sans avoir régné, fut enterré dans les galeries du Sérapéum, aux côtés des taureaux Apis dont il avait la charge. De nos jours, certains égyptologues pensent que le prince Khaemouaset ne reposait pas dans les petits souterrains, mais dans un caveau isolé, situé au-dessus, et qui se serait effondré, soit au moment de l'éboulement du plafond, soit lors du dégagement du bloc en 1853.

La publication des résultats des travaux

Au milieu de 1853, le dégagement du Sérapéum touche à sa fin. Il est temps pour Mariette de publier sa découverte, mais il est très hésitant sur ce point et écrit à Emmanuel de Rougé le 14 juillet 1853 :

« *J'ai fini mon article pour l'Athenaeum et je vous l'aurais joint à cette lettre si depuis quinze jours mon temps n'était pas pris tout entier à des travaux manuels...*

... Mais en le remettant entre vos mains, je vous laisserai

90

juge de l'opportunité de le publier ou de le garder en portefeuille. Je crois en effet qu'il faudra y regarder à deux fois avant de le lâcher. Voulez-vous me permettre de vous dire franchement ma façon de penser ?...

... Vous ne sauriez croire quelle persistance tous ces gens mettent à savoir ce qui se fait ici. Monsieur Tischendorff demande à Brugsch un Mémoire sur le Sérapéum pour je ne sais quelle société de Leipzig ; Monsieur Lepsius demande à Brugsch la collection de tous mes cartouches et de toutes mes dates pour sa chronologie : un Monsieur de Gumbach demande à Brugsch la copie de tous les textes que j'ai trouvés avec un plan du temple (?) et l'indication des conclusions qui ressortent jusqu'à présent de mes travaux. Bref, c'est un déluge...

... Vous voyez donc l'acharnement que ces Messieurs y mettent et je n'ai pas besoin de vous dire qu'ils attendent mes propres publications avec la plus grande impatience. Or soyez sûr qu'au premier moment où j'ouvrirai la bouche, ce sera comme si je donnais un coup de pied dans une fourmilière. Ils vont se précipiter sur ma lettre, éplucher chaque ligne et faire mille commentaires sur les renseignements que j'avais donnés. Pour moi je crois qu'il vaudrait mieux attendre encore un peu : si après tout les publications que je ferai doivent rester et être consultées, peu importe, dans deux, trois ou dix ans que je les aie données au public au mois de juillet ou au mois de décembre 1853. L'essentiel c'est – permettez-moi de vous le dire – que l'ouvrage que je ferai soit digne de la découverte que j'ai faite. J'y mettrai du temps, des soins et je ferai en sorte de ne pas me compromettre. Mais puis-je arriver là dans une simple lettre écrite dans le désert, sans livres et n'ayant pour toute ressource que ma mémoire. Vous en jugerez. Vous avez l'article, et, comme vous le voudrez, vous le ferez imprimer ou vous le garderez en portefeuille. »

L'article en question paraîtra en définitive dans le *Bulletin de l'Athenaeum* de 1855. Quant à ce qu'on pourrait appeler le rapport de fouilles, après plusieurs commencements et essais, il faudra attendre la publication posthume réalisée par Gaston Maspero en 1883. Une copie du journal des fouilles du Sérapéum, tenu au jour le jour par Mariette, aujourd'hui égarée, fut déposée au musée du Louvre.

État d'esprit de Mariette à la fin des fouilles

Au début de 1853, Mariette est prié par le Directeur des Musées de rejoindre son poste. Il est partagé entre le soulagement d'en avoir terminé et une envie très médiocre de quitter l'Égypte. Il ne s'en cache pas dans sa lettre du 26 mai 1853 à Emmanuel de Rougé :

« La lettre par laquelle M. de Nieuwerkerke m'apprend que je dois être de retour à Paris vers la fin de l'année m'a fait beaucoup plaisir. Après tout, il y aura trois ans que j'aurai quitté ma famille et vous concevez que je soupire un peu après l'instant de les revoir. D'un autre côté, j'ai, à l'endroit de mon bœuf Apis des idées d'étude qui me trottent par la tête, et je ne puis guère les satisfaire ici sous ce ciel de plomb fondu et manquant d'ailleurs des livres les plus indispensables. Cependant je vous avoue que faisant part à M. le Directeur de ma satisfaction je fais un peu contre mauvaise fortune bon cœur. D'abord, fidèle à mes principes de stricte loyauté, je ne veux pas distraire un centime du Sérapéum avant que la besogne soit finie, et comme elle ne le sera pas complètement, ou bien je n'arriverai que tout juste, il s'en suit que je retournerai en France sans avoir vu la Haute Égypte, ce qui est un peu dur. Ensuite je vous avouerai que j'avais fait sur Biban el-Molouk et d'autres vallées de tombeaux royaux à Thèbes certains rêves auxquels il m'est pénible de renoncer. Je voulais aussi enlever le tombeau d'Aï. Après tout, ce n'était qu'un hiver à passer là-bas, car vous pensez bien que le Sérapéum est une exception et que loin d'avoir à Thèbes, comme je l'ai ici, à chercher sous cent pieds de sable, on n'a là-bas qu'à remuer quelques pierres (le tout

est de trouver les bonnes) pour découvrir l'entrée d'un tombeau. La besogne n'est ainsi ni longue, ni coûteuse. Maintenant, il arrive qu'il me faut renoncer. Je le veux bien. J'y renonce, mais je ne peux pas m'empêcher de vous dire que c'est à contrecœur...

... Je n'ai pas encore annoncé mon départ ici. Mais je connais bien des gens qu'il va enchanter, Brugsch entre autres. Nous sommes au mieux ensemble, mais quoi qu'il fasse je vois tout son dépit de n'avoir pas fait lui-même la découverte du Sérapéum, ou de ne pas l'avoir vu faire tout au moins par son compatriote Lepsius dont il est cependant l'ennemi souvent très peu bienveillant. Brugsch a obtenu un firman pour toute l'Égypte et il compte en user cet hiver. À ce moment, nous trouverons donc à l'ouvrage : les Anglais à Myt Rahyneh, au Fayoum et à Thèbes (le tout aux frais d'Abbas Pacha qui paie tout !) – les Autrichiens à Saïs sous la conduite d'un certain comte Odescalchi ; c'est le cabinet de Vienne qui fait les frais – les Prussiens je ne sais où, car Brugsch ne m'a pas fait connaître ses intentions – Encore quelques mois et la partie s'engagera. Malheureusement – et quoique je sois bien sûr de la gagner – je serai obligé de la quitter au meilleur moment. »

De toute évidence, Auguste Mariette s'est pris au jeu. Sa lettre, qui en appelle avec insistance au sentiment de l'honneur national des archéologues français, est bien faite pour suggérer que sa place est sur les chantiers de fouilles. Cet homme de terrain combatif et solidement enraciné à la terre d'Égypte, dont l'histoire garde le souvenir, est-il bien le même que le jeune homme gai, et même un peu farceur, qui étudiait la philologie et la chronologie en solitaire, dans son appartement, en bibliothèque et au Louvre ?

Une image d'Épinal

Définitivement marqué par les dures conditions des fouilles du Sérapéum, Auguste Mariette commence à ressembler aux photographies de sa période de gloire et à la description que fait de lui H. Brugsch :

« *Il était de haute taille et de forte carrure ; son visage encadré d'une barbe blonde était bronzé autant que celui d'un fellah égyptien ; ses traits portaient comme une empreinte de mélancolie, qui pouvait brusquement céder la place à l'expression de la bonne humeur... Il était riche d'esprit naturel, et le calembour lui venait d'instinct à la bouche... Il éprouvait tout l'orgueil d'un homme qui sent que les yeux du monde entier sont attachés sur lui par suite d'une grande découverte, mais qui a conscience de ne pouvoir dominer en pleine connaissance de cause l'immense quantité des matériaux et qui est contraint d'en abandonner la mise en œuvre à d'autres.* »

CHAPITRE IV

ENTRE L'ÉGYPTE ET LA FRANCE : 1854-1861

La mission du duc de Luynes

Si le Ministère d'État fait la sourde oreille aux insinuations de Mariette et ne le supplie pas de rester en Égypte, le duc de Luynes [1] lui confie 6 000 francs pour vérifier un passage de Pline, qui laisse entendre que le sphinx de Giza pourrait être construit, et non monolithe, et renfermer le tombeau d'un roi Armaïs. L'archéologue s'installe donc aux Pyramides, trouve bien sûr qu'il n'en est rien, mais découvre le temple de la Vallée [2] de Khéphren,

1. Honoré-Théodoric-Paul-Joseph d'Albert de Luynes (1802-1867), érudit et archéologue français, spécialiste de numismatique.
2. Temple de la Vallée : chaque pyramide est assortie d'un « temple haut », accolé à son flanc est, et relié par une chaussée inclinée à un

qu'il appelle « temple du sphinx », faute de le comprendre, et entreprend de le vider des huit mètres de déblais qui l'encombrent. Il ne parvient pas au sol antique avant l'épuisement des 6 000 francs, demande des fonds supplémentaires au Ministère d'État, par l'intermédiaire de l'Académie des Inscriptions et Belles-Lettres, qui doit s'y prendre à deux fois. Le Ministère en effet est devenu méfiant et avoue « *avoir quelque prévention contre les missions scientifiques en général, parce qu'elles engagent le Gouvernement bien au-delà des dépenses prévues, et qu'il est difficile d'obtenir des comptes en règle des voyageurs* ». À ces objections, Mariette répond avec un brin d'impertinence : « *On n'a encore rien trouvé dans ce temple ; mais, dans un temple, qui s'est ensablé peu à peu par les plafonds, il n'y a pas de raison pour que les objets qu'il contenait flottent et se trouvent pour ainsi dire entre deux eaux. Tout le travail qu'on a fait jusqu'à présent est pour recueillir les monuments qui gisent sur le sol antique : ayons donc le courage d'aller jusqu'au bout, et puisque nous voulons une récolte, ayons la patience d'attendre qu'elle ait poussé.* »

L'Académie des Inscriptions et Belles-Lettres doit même en appeler à la fibre patriotique : « *Combien n'aurait-on pas de regrets, si cette mine précieuse, acquise à la France par droit de premier inventeur, devenait la propriété d'autres nations qui ne manqueraient pas de s'en emparer et de l'exploiter à leur profit ?...* » Sûr moyen d'obtenir la subvention. Malheureusement, lorsque les 10 000 francs accordés parviennent au Caire au début d'avril, Mariette les a déjà empruntés au Consul Sabatier et dépensés depuis longtemps... Une autre demande est refusée en juillet, au moment où Abbas Pacha, Vice-Roi d'Égypte depuis 1848, est assassiné, et la famille Mariette embarque à Alexandrie le 24 septembre 1854, à destination de Marseille.

« temple de la Vallée », où s'effectuaient les cérémonies d'embaumement et de purification du corps du roi défunt.

Résultats des fouilles du Sérapéum

À Paris, Auguste Mariette va tout d'abord rendre compte de sa mission à l'Académie des Inscriptions et Belles-Lettres : « *Je n'ai pas trouvé de manuscrits coptes et syriaques, je n'ai fait l'inventaire d'aucune bibliothèque, mais, pierre à pierre, je rapporte un temple.* » Il commence la publication de ses découvertes par des *Renseignements sur les soixante-quatre Apis trouvés dans les souterrains du Sérapéum*, dans lesquels on trouve l'opinion curieuse que la pyramide à degrés de Saqqara serait le tombeau des Apis de l'Ancien Empire. Il poursuit avec un *Mémoire sur une représentation gravée en tête de quelques proscynèmes du Sérapéum*, qui manque lui valoir l'anathème : la mère d'Apis concevrait son rejeton par l'opération de la parole divine, du verbe créateur, le *logos*. Le contenu exact de la notion de *logos* a fait l'objet de terribles batailles lors d'un certain nombre de conciles des débuts de l'Église chrétienne, qui est plutôt sourcilleuse sur la question, et réagit violemment à l'idée d'un rapprochement entre la conception du Christ et celle d'un taureau païen. Le *Choix de monuments et de dessins découverts pendant le déblaiement du Sérapéum de Memphis. Le Sérapéum*, première livraison de planches illustrant les fouilles, est moins contestable.

Précarité de la position de Mariette

Au Louvre, Mariette est nommé Conservateur-adjoint du Département égyptien le 15 février 1855, avec 4 000 francs annuels d'appointements. Cette substantielle augmentation est la bienvenue pour la famille, qui joint difficilement les deux bouts. Le nouveau Conservateur classe, numérote, organise l'exposition des monuments qu'il a expédiés du Sérapéum. Il en fait un catalogue sur fiches, ce qui lui permet de les regarder enfin plus tranquillement qu'en Égypte. On lui accorde le 21 février une mission pour aller visiter les collections égyptiennes d'Europe : il se rend d'abord à Berlin, où il est reçu et chaperonné par Heinrich Brugsch. Frédéric-Guillaume II demande à le voir et lui octroie l'ordre de l'Aigle Rouge de troisième classe. Les honneurs pleuvent : élu membre de la Société des Antiquaires le 16 janvier 1856, correspondant de l'Académie des Beaux-Arts de Rio de Janeiro le 25 juin, il part pour Turin le 2 février 1857, et n'en reviendra que décoré de l'ordre de Saints Maurice et Lazare, le 14 mai, et correspondant de l'Académie des Sciences de Turin, le 4 juin.

Conservateur-adjoint au Louvre, reconnu et honoré par le monde scientifique international, Mariette vit à Paris (au 72, rue de Seine, en 1855), dans une sécurité dont il n'avait jusqu'alors jamais bénéficié. Sécurité, certes, mais pas opulence. N'a-t-il pas dû, l'année précédente, emprunter à ses amis, après une tentative malheureuse auprès de son beau-père, « *un excellent homme que j'aime beaucoup* », mais qui « *tient les cordons de la bourse et ce respectable personnage les tient si bien serrés qu'il n'y a pas moyen pour moi d'y fourrer même le bout du doigt* » ? La famille s'agrandit, trop vite pour un traitement de Conservateur-adjoint. À l'un de ses proches qui le met en garde, Mariette répond : « *Que veux-tu, je n'ai qu'à regarder Éléonore dans le blanc des yeux, et... me voilà père !* »

Nostalgie de l'Égypte

Surtout, comme il le confiera plus tard à Maspero :
« *Si j'étais demeuré à Boulogne ou à Paris, je serais peut-être devenu un philologue comme vous, et j'aurais borné mon ambition à commenter bellement les inscriptions que d'autres auraient découvertes. J'aurais eu à lutter beaucoup contre ma nature avant d'en arriver là, mais je me suis senti toujours assez de volonté pour vous affirmer que j'aurais su plier ma nature et en tirer bon parti : je n'aurais jamais égalé Rougé, mais je n'aurais pas fait mauvaise figure à sa suite. Mes campagnes du*

Sérapéum rendirent impossible pour moi la carrière phi-
lologique : elles éveillèrent tous les instincts de lutteur qui
sommeillaient en moi, et une fois qu'ils furent entrés en
action, ils m'entraînèrent jusqu'au bout. Voyez-vous, c'a
été l'histoire de l'apprenti sorcier qui avait évoqué le
diable : lorsqu'il voulut le renvoyer, il n'eut plus la force de
le faire, et c'est le diable qui l'emporta. De retour en
France, quand je voyais de Rougé s'acharner sur un texte,
le creuser, l'analyser, le tourner et le retourner dans tous
les sens jusqu'à ce qu'il l'eût forcé à suer ce qu'il
contenait, j'essayais de me persuader que c'était là le but
de la science et de m'intéresser à toute cette cuisine, moi
aussi : je n'ai pas pu. Bien souvent, je me suis assis à ma
table avec le ferme dessein de ne la quitter que je n'eusse
deviné ce que signifiaient certains mots employés dans la
description des funérailles des Apis vers l'époque saïte. Au
bout de cinq minutes, je n'étais plus au Louvre ; j'étais au
Sérapéum, à l'endroit où j'avais ramassé la stèle, je sentais
courir sur moi l'air étouffé et chaud des galeries, j'enten-
dais la voix de Bonnefoy et Hamzaoui qui venaient m'an-
noncer une trouvaille nouvelle. Alors j'envoyais tout au
diable, traduction, philologie, Rougé, le Louvre même ; je
me mettais à ruminer quelque projet d'exploration à
Thèbes et dans les nécropoles d'Abydos, ou à rédiger un
mémoire sur l'intérêt qu'il y aurait pour la science à
instituer un service de protection des monuments, service
dont naturellement j'étais le chef. J'en serais mort ou
devenu fou, si je n'avais pas eu l'occasion de revenir
promptement en Égypte. »

Rencontre de Ferdinand de Lesseps – Le voyage du prince Napoléon

Mais à quel titre retourner en Égypte ? Abbas Pacha, qui vient d'être assassiné, était un souverain prudent et hostile à la modernité à outrance. Il avait fermé des écoles, réduit l'effectif de l'armée, dispensé les habitants de la conscription, restreint les dépenses de prestige, renvoyé un certain nombre de conseillers techniques étrangers, stabilisant par là l'économie. Sa décision de construire un chemin de fer entre Le Caire et Alexandrie, en 1851, avait donné un coup d'arrêt aux espérances françaises relatives au percement de l'isthme de Suez et soulagé les Anglais, très anxieux de leur maîtrise de la route des Indes. L'oncle et successeur d'Abbas, Saïd Pacha, « *noble fils de Méhémet Ali, à la barbe et aux cheveux blond ardent* » (Édouard Mariette), a d'autres ambitions. En particulier, il a fait ses études militaires en France, à Saint-Cyr, où il s'est lié avec un certain Ferdinand de Lesseps (1805-1894). Sur ses conseils, il reprend le projet du Canal et en accorde la concession au vicomte, le 5 janvier 1856.

En juillet 1857, Mariette rencontre Lesseps à Paris et lui confie ses craintes à propos de la destruction des antiquités : « *J'ai vécu quatre ans parmi les fellahs, et en quatre ans, j'ai vu, ce qui est à peine croyable, sept cents tombeaux disparaître de la plaine d'Abouzyr et de Saqqarah* », et lui expose un projet de sauvegarde.

Séduit, Lesseps propose d'en entretenir le Vice-Roi et imagine une ruse diplomatique : le prince Napoléon, petit-cousin de l'Empereur Napoléon III, et donc petit-neveu de Napoléon Ier, manifeste le désir de visiter l'Égypte. Qui, plus que Mariette, par sa connaissance pratique du pays, serait à même de préparer son voyage sur le terrain et de l'accompagner ? Après une convocation chez le Prince aux Tuileries, le mercredi 7 octobre 1857 à une heure et demie, Mariette se voit accorder le 9 octobre par le Ministère une mission de huit mois, pour faire des fouilles en Égypte à la demande du prince Napoléon, et dans le cadre de la préparation de son voyage.

Protection des antiquités de l'Égypte

Il profitera de son séjour officiel pour expliquer au Vice-Roi son projet de sauvegarde des monuments, qui ne doit pour l'instant être connu que des rares personnes qui en comprennent véritablement la portée, comme Jules Barthélemy-Saint-Hilaire [1], qui écrit à Mariette le 10 novembre 1857 :

« ... *Je crois comme vous que le voyage du prince Napoléon sera l'occasion vraiment favorable pour organiser la conservation des monuments historiques sur les bases que vous désirez. L'exemple de la dévastation actuelle que vous me citez est vraiment déplorable, et le gouvernement égyptien devrait bien, dans son propre intérêt, empêcher ces actes de vandalisme. Ceux qui en profitent auront peine à comprendre ce que vous voulez, mais Son Altesse le Vice-Roi dont l'intelligence est si vive devrait se hâter de mettre vos projets à exécution.* »

Lesseps tient beaucoup au secret, lui aussi :

« *Je vous engage, en arrivant en Égypte, à faire votre première visite à M. Sabatier (le consul), auquel j'écris directement, en le laissant libre de faire lui-même la proposition au Vice-Roi vous concernant au sujet de l'inspection générale des monuments (sans parler toutefois du musée du Caire, dont vous ne devez souffler mot), et dans le cas où il ne lui conviendrait pas de faire la proposition lui-même, je lui envoie une note pour le Vice-Roi, signée par moi, qui serait remise de ma part par Kœnig-Bey [2] ou Nubar-Pacha.*

Dans tous les cas, aux yeux du public, en France et en Égypte, ne vous faites connaître que comme venant précéder le prince Napoléon, qui vous a attaché à lui pendant son excursion en Égypte, et commandé par le Vice-Roi pour préparer à l'avance le voyage archéologique du Prince » (lettre du 13 octobre).

---

1. Jules Barthélemy-Saint-Hilaire (1805-1895), philosophe et homme politique, ministre des Affaires étrangères en 1881 ; traducteur d'Aristote, il est membre de l'Institut, Académie des Sciences Morales et Politiques, en 1839.
2. Secrétaire des Commandements de Saïd Pacha.

Travaux préparatoires
au voyage du prince Napoléon

Saïd Pacha, désireux de rendre le séjour du cousin impérial agréable, accorde sans difficulté une autorisation de fouilles, et propose même une aide matérielle. Il confie des fonds à Mariette, met à sa disposition un des bateaux à vapeur de la cour, le *Samannoud*, et l'ordre de mission suivant : « *Vous veillerez au salut des monuments ; vous direz aux moudirs de toutes les provinces que je leur défends de toucher à une pierre antique ; vous enverrez en prison tout fellah qui mettra le pied dans un temple.* »

Mariette, extrêmement satisfait de la réaction de Saïd Pacha, écrit le 16 novembre à Lesseps :

« ... *Je pense qu'avec les instruments qu'on m'a mis entre les mains, je réussirai à satisfaire le Vice-Roi et à procurer au prince Napoléon quelques bons monuments à rapporter.*

J'ai, du reste, pris la question au sérieux, et j'ai tout lieu d'espérer que le voyage du prince Napoléon en Égypte sera marqué par quelques découvertes scientifiques d'un intérêt réel. Si, à son retour en France, le Prince veut faire une exposition publique des objets qu'il aura rapportés de son voyage, il le pourra. Si même il veut, avec les travaux que je commence, faire une publication qui serve les études égyptiennes, il le pourra encore. »

Immédiatement, des chantiers sont ouverts à Giza et Saqqara, zone que Mariette connaît bien et qui ne peut le décevoir : à Saqqara, il trouve la superbe stèle d'Isi (VIe dynastie, aujourd'hui au Louvre), l'entrée du *Mastabat Faraoun* (curieuse tombe royale en forme d'énorme sarcophage, attribuée par Mariette au dernier roi de la Ve dynastie, Ounas, aujourd'hui reconnue pour être la tombe de Chepseskaf, dernier roi de la IVe), à Giza le sarcophage de Khoufouânkh. Sa moisson en Haute Égypte le satisfait plus diversement : s'il attendait mieux d'Abydos, Thèbes lui fournit des statues des XIIe et XVIIIe dynasties. Seule ombre au tableau : le prince Napoléon tarde à venir.

Réaction des adversaires de Mariette

Au Caire, on s'émeut des droits octroyés au Français de « *veiller au salut des monuments* ». Le bruit commence à courir que la sauvegarde des antiquités n'est qu'un prétexte invoqué par la France pour s'immiscer dans les affaires du pays. En effet, dans la lutte d'influence menée par les puissances européennes auprès du Vice-Roi, Paris, qui n'était guère en cour sous le règne d'Abbas Pacha, fait maintenant figure de redoutable concurrent de l'Angleterre avec le creusement du Canal de Suez. On prétend que Mariette est « *un brouillon qui allait démolir l'Égypte* » ; on l'accuse de dilapider, voire de détourner les fonds qui lui ont été confiés. Dans ce domaine, il est vrai que Mariette prête le flanc à la critique. Il n'est pas très doué pour la paperasse et la tenue méthodique d'un budget, à en croire Heinrich Brugsch : « *Il dressait ses plans avec une grande habileté et une connaissance profonde de la vie sur tout, sauf sur un point, le plus important dans notre monde pervers, sur les questions d'intérêt qui le touchaient personnellement. Il ne s'entendait pas à ménager ses fonds avec économie, et l'argent lui était complètement indifférent pour la bonne raison que, dès son entrée dans l'existence, il avait eu à lutter contre la pauvreté et contre ses conséquences. Il pouvait être généreux comme un roi, sauf à ne plus savoir, le moment d'après, comment faire face à la moindre dépense.* »

Le Vice-Roi prend alors le parti, pour couper court aux insinuations, de réclamer des comptes très détaillés, ce qui ulcère Mariette : « *En présence de pareilles prétentions, les bras me sont tombés. Mon premier mouvement fut de partir, quitte à rendre compte au prince Napoléon des causes de mon retour. Mais, après y avoir bien réfléchi, j'ai pensé que ceux qui avaient monté la tête au Vice-Roi contre moi ne voulaient peut-être que mon départ ; que l'influence française en recevrait peut-être un nouveau coup de l'insuccès de ma mission, et que, par dessus le marché, j'aiderais certains ennemis à faire avoir au Vice-*

Roi une mauvaise affaire... » Il obtempère donc, et tâche de satisfaire aux exigences de l'administration, laissant le Consul général de France Sabatier apaiser les esprits en coulisse.

Report du voyage du prince Napoléon

Fin janvier 1858, une nouvelle difficulté se présente : le voyage princier est reporté *sine die*, et quelques mauvais esprits parisiens prétendent même que « *Le prince Napoléon a bien l'intention d'aller en Égypte la première fois que l'obélisque de Louqsor y retournera* » (Adrien de Longpérier [1]). Le 8 février, Mariette reçoit de M. de Nieu-werkerke, Ministre d'État chargé des Musées nationaux, la mise en demeure suivante : « *Son Altesse Impériale le prince Napoléon ayant renoncé à son voyage, je vous engage à revenir au plus tôt reprendre vos travaux au Louvre.* »

S'il veut rester en Égypte, Mariette doit trouver rapidement une incontestable raison de le faire. Il contacte tout son entourage influent (Ferdinand de Lesseps, Emmanuel de Rougé, Jules Barthélemy-Saint-Hilaire, Ferri-Pisani l'aide de camp du prince Napoléon...), qui suggère à « Plonplon » – c'est ainsi que l'éternel esprit gaulois a surnommé le prince Napoléon – d'acheter à l'Égypte une collection d'objets, sorte de compensation diplomatique au report de son excursion. La réponse ne tarde pas, de la main de Ferri-Pisani, le 9 mars 1858 :

« *Je crois, entre nous, que le Prince serait très heureux d'avoir quelques souvenirs de cette mission sur laquelle nous avions fondé de si brillantes espérances. J'ignore tout à fait dans quelles conditions. Je dois seulement vous*

---

1. Henri Adrien Prévost de Longpérier (1816-1882), archéologue et numismate, Directeur du musée du Louvre en 1847, est ami de Mariette depuis que celui-ci a travaillé au Louvre. Membre de l'Académie des Inscriptions et Belles-Lettres en 1854.

prévenir qu'il ne peut s'agir d'une collection scientifique, ni même d'un commencement de collection – *[des stèles, des papyrus !]*. – *Pour vous faire comprendre ma pensée, je vous dirai que le Prince, grand collectionneur de curiosités et d'objets d'art, serait bien aise de joindre à tous les objets de cette nature qu'il a déjà rassemblés, quelques bijoux, des statuettes, des spécimens de l'art égyptien, portant l'indication de votre mission de 1857 et 1858... Ne pourriez-vous m'envoyer une liste d'un petit nombre d'objets spécifiés qu'il vous serait possible de rapporter à Son Altesse Impériale, avec l'indication du mode d'acquisition de ces objets ?* »

La diplomatie étant ce qu'elle est, Saïd Pacha refuse tout paiement et prie le fouilleur-diplomate de choisir lui-même ce qui sera offert au Prince. Satisfait au plus haut point de cet arrangement, celui-ci prie Mariette de transmettre ses remerciements au Vice-Roi, et ajoute : « *Le Prince désire que le Vice-Roi connaisse par cette démarche toute l'amitié que Son Altesse Impériale a pour vous... Le prince Napoléon ne craindrait pas de faire connaître au Vice-Roi que, si son Altesse Royale avait à demander à la France le concours d'un savant pour l'établissement d'un musée égyptien, le gouvernement français ne désignerait certes pas un autre homme que vous* » (lettre du 25 mars). Ainsi promu messager et conseiller artistique du prince Napoléon, Mariette peut s'attarder au Caire. Il convient maintenant de hâter l'organisation de la conservation des monuments égyptiens, idée que le Vice-Roi accueille favorablement.

Création d'un Service de Conservation des antiquités

Dès le mois d'avril 1858, Mariette élabore des projets détaillés, qu'il adresse au Secrétaire des Commandements de Saïd Pacha, Kœnig Bey. Ce sont des listes préliminaires de fouilles à effectuer, qui prévoient le nombre d'ouvriers nécessaires, site par site, les ordres à donner aux *moudirs* des provinces, et même, dans le premier brouillon, la constitution d'une commission internationale de contrôle de l'organisation, ce qui aurait pu être drôle. Le projet du 25 mai [1] prévoit : « *Je viens dire à Votre Excellence comment il serait bon, selon moi, que l'organisation générale de ces fouilles fût faite.* » Et il expose ses *desiderata* en matière de personnel et de matériel. Plus de trente fouilles seraient ouvertes, de Sân el-Haggar (Tanis, dans le Delta oriental) jusqu'à Éléphantine (Assouan, immédiatement en aval de la Première Cataracte du Nil), nécessitant une stricte surveillance des travaux et des ouvriers, donc un Inspecteur des fouilles (européen), « *qui ne stationnerait ni au Caire, ni à Alexandrie, mais sillonnerait sans relâche la vallée* », surveillant toutes les phases des travaux jusqu'au transport des monuments. Mariette propose, pour ce poste, Bonnefoy « *qui, depuis quatre ans m'a aidé dans mes fouilles, connaît le travail, sait payer au besoin de sa personne, et ne recula jamais devant des fatigues du genre de celles auxquelles ces fonctions vont l'exposer* ». Il évoque ensuite les *raïs* : « *Ils doivent être probes, entendus, habitués aux antiquités. Un réïs qui n'aurait pas ces qualités peut détruire tout le bon vouloir de ses chefs et faire avorter les fouilles les plus certaines.* » Il compte les choisir parmi les fellahs, les faire payer à la journée par la *moudiria* de leur lieu d'emploi. Il insiste pour les sélectionner lui-même et demande qu'ils soient payés 8 piastres par jour, « *et ce n'est pas trop pour obtenir la fidélité d'un homme qui peut à sa volonté faire tant de bien et occasionner tant de mal* ». Selon les besoins, les *raïs* seraient au maximum vingt. Le personnel devrait être complété d'un ou deux écrivains arabes, un magasinier, un *cawas* [2], tous détachés du Ministère de l'Intérieur. En ce qui concerne le matériel, attendu que « *l'œil du maître est indispensable* », Mariette demande,

---

1. Brouillon dans les archives Lacau, papiers Mariette, n° 32.
2. Le *cawas* est à la fois un surveillant et une sorte d'huissier.

pour être en mesure de se déplacer rapidement, un bateau à vapeur. Il ne se plaint pas du numéro 3 de la flotte vice-royale, le *Samannoud*, qu'il avait alors, mais sollicite l'autorisation d'y faire mettre des cloisons parce qu'il n'est aucunement aménagé. Une *dahabiya* (bateau à voile de grande taille) serait nécessaire à l'Inspecteur des fouilles, il faudrait des barques pour le transport des objets, et bien sûr des outils, cordes, bêtes de somme... Après réflexion, Mariette renonce à demander des entrepôts à Qena (siège de la *moudiria* dont dépendent les sites archéologiques thébains) et à Boulaq (faubourg du Caire où se concentre une bonne part du trafic fluvial), en attendant que le musée soit installé, mais envisage de convertir à cet usage une partie du temple de Louxor et un ancien magasin du Sérapéum.

Un Service de Conservation des antiquités, créé dans ces conditions, ne saurait peser lourd sur l'économie du pays. Les seuls postes nouveaux, en effet, seraient les salaires du Directeur, de l'Inspecteur des fouilles et d'une vingtaine de *raïs*. Les ouvriers ne coûteraient rien, on verra plus loin pourquoi. Il n'y avait rien dans le matériel demandé qui fût susceptible de ruiner l'État. Le programme officiel des fouilles reprend, province par province, la liste suggérée par Mariette, avec le nombre d'ouvriers et les dates souhaitables de début des travaux.

Mamour des travaux d'antiquités

Le 1er juin 1858, le grand dessein de Mariette aboutit enfin : bien qu'il soit toujours Conservateur-adjoint au Département égyptien du Louvre, en mission temporaire en Égypte, il devient fonctionnaire turc, nommé par Saïd Pacha « Directeur *(Mamour)* des travaux d'antiquités en Égypte ». En tant que membre de l'administration de la Porte, il portera désormais le tarbouche, sorte de bonnet de feutre rouge décoré d'un gland de soie bleu foncé. Mariette a pour mission de déblayer et consolider les ruines des temples, de rassembler tous les monuments antiques aisément transportables, en vue de la création d'un nouveau musée. Il n'est rattaché à aucun ministère et n'a aucun budget, mais doit demander, au fur et à mesure de ses besoins, des crédits de fonctionnement qui lui seront alloués ou non. Il peut choisir ses collaborateurs administratifs. Il conserve l'usage du *Samannoud*, dont il disposait pour la préparation du voyage du prince Napoléon, mais l'Inspecteur des fouilles n'obtient d'abord que le libre passage sur les vapeurs nationaux, au lieu de la *dahabiya* demandée. Les *raïs* se voient attribuer un salaire de 4 à 5 piastres par jour, et non 8 comme Mariette l'avait suggéré. Saïd Pacha décrète par l'ordonnance n° 32 du 4 juillet 1858 : « *Nous avons ordonné d'allouer... à M. Mariette, mamour des travaux d'antiquité, une somme annuelle de 18 000 francs, à partir du 1er juin, et à son subordonné, M. Bonnefoy, une somme mensuelle de 2 000 piastres, à partir de la même date...* » Autrement dit, le nouveau mamour dépend directement de Saïd Pacha, et le sort du Service de Conservation des antiquités est fonction de la bonne volonté du Vice-Roi.

À peine nommé, Mariette bénéficie d'un congé de deux mois pour aller chercher sa famille en France. Il prend le temps de faire commencer les fouilles à Giza-Saqqara, Abydos, Thèbes, Edfou, Tell el-Yahoudiya dans le Delta oriental, et informe par lettre les *moudirs* des provinces qu'en son absence, la responsabilité du Service est confiée à Bonnefoy.

Au début de 1859, les résidents étrangers d'Alexandrie décident de recréer l'Institut égyptien, fondé en août 1798 par les membres scientifiques de l'Expédition de Bonaparte. Mariette, qui en aurait eu l'idée selon Maspero, en est nommé Président, et il y communique dorénavant les résultats de certains de ses travaux.

Première inspection en Haute Égypte

À son retour de France, le *mamour* entreprend une première inspection en Haute Égypte, jusqu'à Minia, confiant la Basse Égypte et la vallée jusqu'à Béni Souef à Bonnefoy. Dès cette époque, 100 hommes travaillent aux pyramides de Giza, 330 sont répartis de Saqqara à Abousir, 70 fouillent à Mit-Rahineh (Memphis). Son collaborateur Bonnefoy est prié de lui adresser, au moins tous les quinze jours, un rapport destiné aux archives de l'administration. Les *raïs* doivent être inscrits au chef-lieu de la province ; leurs journées de travail doivent être comptabilisées, et l'état doit en être adressé « *à la fin de chaque mois arabe* » au *moudir* de la province, qui effectuera le paiement. En cas de faute, les *raïs*, nommés par Mariette, ne peuvent être révoqués que par lui, et la sanction courante est la retenue de salaire, qui ne peut excéder 30 jours [1]. Au cours des inspections, Mariette et Bonnefoy contrôlent les chantiers gouvernementaux bien sûr, mais prennent aussi connaissance des travaux des autres chercheurs. Les fouilles privées, en effet, existent toujours, dans la limite des lois antérieures et à condition d'être autorisées par un *firman*, qui n'est jamais accordé pour un des sites réservés au Service de Conservation des antiquités. L'Égypte n'en est pas encore à exiger de ces fouilleurs privés des compétences particulières, et accorde parfois un *firman* à quelqu'un « *étant donné qu'il est de ceux qui résident depuis longtemps en Égypte et qu'on cherche à satisfaire...* » (décembre 1859). Les consignes du *mamour* à son subordonné, dans un cas semblable, sont de « *protéger ces travaux dans une juste limite* », de veiller à ce que rien ne soit volé, et à ce que les *raïs* ne comptent pas des journées de paye indues [2].

C'est peut-être au cours de cette première inspection en Haute Égypte que la statue de la divine adoratrice Aménirdis est découverte à Karnak : sculptée dans une calcite improprement appelée « albâtre », elle est aussitôt surnommée « la reine d'albâtre ».

---

1. Archives Lacau, papiers Mariette, n⁰ˢ 37 et 39.
2. Archives Lacau, papiers Mariette, n⁰ 38.

Les collaborateurs de Mariette

Mariette s'adjoint de nouveaux collaborateurs : Théodule Devéria (fils du graveur Achille, neveu du peintre Eugène et frère de Gabriel), attaché au Département égyptien du Louvre depuis 1855, arrive à la fin de décembre 1858, à la demande du *mamour*. Il n'a obtenu du gouvernement français qu'une mission gratuite destinée à *« faire conjointement avec M. Auguste Mariette de nouvelles recherches sur les antiquités »*. Charles Edmond Gabet, un Lyonnais qui deviendra Inspecteur pour la surveillance des antiquités dans tout le pays. Le Corse Floris, assistant de Bonnefoy, précieux homme à tout faire : *« Ses talents variés le désignaient pour remplir à lui seul les vingt fonctions contradictoires qu'exige la constitution d'un musée »* (Maspero, qui le dit également *sculpteur, peintre, charpentier, menuisier, tourneur, vitrier, horloger, tailleur, cordonnier*). Mariette l'appelait *Vieux Camarade*, et il répondait par *Cher Ami*. Bientôt, Luigi Vassalli (1812-1887), qui connaît le Directeur du Service depuis 1853, complète le cercle restreint des pionniers européens de la défense du patrimoine archéologique égyptien. Ce Milanais, peintre et rescapé de la peine de mort en Italie pour complot politique, a partagé son exil entre la Suisse, la France, l'Angleterre avant de gagner la Turquie, puis l'Égypte où il terminera sa carrière en 1884.

Il faut également mentionner les hommes de confiance recrutés sur place : le *chaouiche* (« policier », gardien) circassien Mohammed Kourchid, et six *raïs* des fouilles, dont Hamzaoui et son fils Roubi, « anciens combattants » du Sérapéum.

Premiers travaux de 1859

À l'aide de cette équipe qui nous semble aujourd'hui minuscule, Mariette parvient tant bien que mal à couvrir le pays entier. À Saqqara il s'occupe, avec Devéria, surtout des mastabas, qui livrent quantité de stèles, tables d'offrandes, sarcophages et statues. Multipliant les ordres écrits là où il ne peut être présent en personne, il fait entreprendre le déblaiement d'Abydos à la mi-janvier, demandant au *moudir* de Girga de lui fournir 100 hommes au lieu des 40 présents jusqu'alors, car « *La recherche et la conservation des antiquités n'est pas une vaine œuvre de curiosité* » [1]. Les consignes au surveillant des fouilles sont les suivantes : « *Votre premier devoir est de veiller sévèrement à ce qu'aucun monument antique ne soit ou détérioré, ou démoli. Dans quelques localités, on a l'habitude d'aller chercher des matériaux pour bâtir dans les temples anciens. Il faut absolument détruire cette coutume.* » [2] Puis il lui ordonne d'assigner 20 hommes aux travaux ordinaires de recherche des antiquités, 80 au déblaiement du temple, en commençant par le côté nord, et en veillant à rejeter le sable, de préférence à l'est du bâtiment, suffisamment loin pour ne pas avoir à déblayer de nouveau plus tard. Le *moudir* doit conserver précieusement les instructions reçues, les transmettre fidèlement à un successeur éventuel et garder à l'esprit que les fouilles dont il a la charge sont effectuées pour le compte du Vice-Roi, à qui Mariette fait régulièrement un rapport.

Mariette a trois mille ans

Au cours d'une nouvelle inspection à Abydos, quelque temps plus tard, le *mamour* fait grosse impression sur ses ouvriers :

« *Mariette ayant désigné avec sa perspicacité habituelle un point du chantier où il pensait trouver une enceinte, quelques coups de pioche firent apparaître bientôt une belle muraille ornée de bas-reliefs ; un vieillard le regardant alors, stupéfait, s'écria : "Je n'ai jamais quitté ce*

---

1. Archives Lacau, papiers Mariette, n° 40.
2. Archives Lacau, papiers Mariette, n° 50.

village, jamais je n'avais entendu dire qu'il y eût là un mur. Quel âge as-tu donc pour te rappeler sa place ? – J'ai trois mille ans, répondit imperturbablement Mariette. – Alors, répliqua le vieil homme, pour avoir un si grand âge et paraître si jeune, il faut que tu sois un grand saint ; laisse-moi te regarder." Et pendant trois jours, il est venu contempler le grand saint de trois mille ans, qui, parfois, avec une prodigalité sans égale, distribuait des coups de canne aux ouvriers qui ne travaillaient pas à sa guise... » (récit de Devéria).

Dégagement du temple d'Edfou, fouilles à Thèbes

Continuant sa navigation, le Directeur des travaux d'antiquités ne néglige aucun site. À Edfou, le déblaiement du temple d'Horus est rondement mené. Dans la région thébaine, sur la rive gauche, c'est une révolution. Mariette s'y trouve fin janvier 1859, et fait mettre soixante-quinze hommes à la recherche de sarcophages *richi*, cercueils décorés de motifs de plumes, qu'on utilise surtout à Thèbes au début du Nouvel Empire, et qu'il a rencontrés pour la première fois dans le commerce, au Caire, en 1853. Vingt-cinq ouvriers doivent déblayer, dans le temple funéraire de la reine Hatchepsout à Deir el-Bahari, une salle volontairement ensablée peu de temps auparavant pour en protéger les très intéressants reliefs [1] (les habitants du pays de Pount : sage précaution ! Les reliefs en question ont bien failli être exilés en Irlande...). Les consignes de sécurité sont les suivantes : *« S'il vient des voyageurs européens voir ce travail, vous ne les empêcherez pas de voir. Vous les traiterez avec politesse, mais vous les empêcherez de copier les inscriptions. Ils pourront voir, mais non copier les inscriptions, et vous aurez pour eux tous les égards possibles. »* [2] De nos

---

1. Archives Lacau, papiers Mariette, nᵒˢ 44 et 45.
2. Archives Lacau, papiers Mariette, nᵒ 45.

jours encore, il est strictement interdit de photographier un chantier en cours de fouilles. Enfin, Mariette s'occupe du compte des journées des *raïs*, les informe qu'il leur retranche 24 jours pour faible rentabilité, voire négligence, leur fait miroiter une augmentation possible s'ils travaillent mieux à l'avenir [1], et reprend le *Samannoud* à destination du Caire.

La momie de la reine Aahhotep

À peine a-t-il le dos tourné qu'une découverte sensationnelle a lieu dans la nécropole de Thèbes. Le 5 février 1859, les ouvriers qui cherchaient des sarcophages *richi* trouvent à Dra abou'l-Naga, dans le remblai d'un trou profond, *« une momie beaucoup plus belle que d'ordinaire ; l'extérieur de la caisse est entièrement doré, et les yeux, de pierre dure, sont entourés de paupières d'or massif... la momie d'une reine nommée Aah-Hotep »*, accompagnée d'une quantité de bijoux magnifiques, dont l'un des ouvriers envoie la liste à Mariette. Immédiatement, le *mamour* écrit au *raïs* de ne rien déranger avant son arrivée, et se met en route.

Les bijoux d'Aahhotep

Le trésor découvert avec la momie de la reine est vraiment extraordinaire. Tous les bijoux sont aux noms de ses fils Kamès et Aahmès, les deux rois qui achevèrent, après leur père Taâ II, la reconquête de l'Égypte sur l'envahisseur hyksôs à la fin de la XVIIe et au début de la XVIIIe dynastie : des bracelets en or et pierres semi-précieuses, une étonnante barque miniature montée sur un chariot, un poignard et une hache d'apparat, et un collier de récompense militaire décoré de trois pendentifs en or, en forme de mouches... Ces derniers objets, très inhabituels

---

1. Archives Lacau, papiers Mariette, n°s 46 et 47.

dans la tombe d'une souveraine, sont un hommage des fils à l'épouse et mère des libérateurs du pays.

Ignorant superbement la récente création du Service de Conservation des antiquités, le *moudir* de Qena, Fadil Pacha, fait tout enlever en détruisant la momie, enferme les bijoux dans un coffre scellé qu'il expédie directement au Vice-Roi, pensant que ce coup d'éclat lui vaudra la faveur de son souverain. À des Européens témoins de la profanation, et qui lui font remarquer que la chose pourrait déplaire au *mamour* des travaux d'antiquités, Fadil Pacha aurait répondu « *qu'il avait reçu des ordres de Son Altesse le Vice-Roi qui lui donnait pouvoir d'agir ainsi. Il aurait reçu une lettre de vous et il disait à ces Messieurs qu'il n'en faisait nul cas* » (lettre de Bonnefoy [1], quelques mois plus tard, le 4 avril 1859). Dans le même temps, Maunier, prêteur sur gages et antiquaire à Louxor de 1840 à 1863 environ, apprend ce qui vient de se passer, et en avise immédiatement Mariette. Au fait des agissements de Fadil Pacha et de l'inventaire des bijoux que celui-ci adresse de son côté à Saïd Pacha, l'égyptologue réagit rapidement. « *Les deux listes comparées se trouvaient assez d'accord, mais elles nous parurent singulièrement exagérées pour le nombre et le poids des objets d'or dont elles font mention* », dit Devéria qui assiste à la suite des événements : « *M. Mariette eut l'heureuse idée de se faire donner un ordre ministériel qui lui conférait le droit d'arrêter tous les bateaux portant des antiquités et de les prendre à bord de son vapeur. Aussitôt l'ordre délivré, c'est-à-dire hier matin* [21 mars 1859], *nous partîmes pour nous mettre en croisière aussi haut sur le Nil que le manque d'eau nous permettrait d'aller. A peine étions-nous arrivés à un point où nous ne pouvions plus avancer, que nous avons aperçu la fumée du bateau qui portait les restes de la momie pharaonique. Une demi-heure après, les deux vapeurs s'abordaient. Après force pourparlers accompagnés de gestes un peu vifs, M. Mariette propose à l'un de le jeter à l'eau, à*

---

1. Archives Lacau, papiers Mariette, n° 53.

l'autre de lui brûler la cervelle, à un troisième de l'envoyer aux galères et à un quatrième de le faire pendre, etc. On se décida enfin à mettre à notre bord, contre reçu, la boîte contenant les dites antiquités... »

Certes, Fadil Pacha a eu tort. Cependant, s'il a soustrait les antiquités aux toutes nouvelles autorités compétentes, ce n'est pas pour les voler, mais pour les adresser directement à son seigneur et maître Saïd Pacha. Le souverain ne va-t-il pas interpréter l'intervention de Mariette, vraiment très peu discrète, comme une contestation de sa souveraineté ? Souhaitant dissiper tout malentendu, celui-ci se précipite au palais, et tourne la chose de si pittoresque façon que Saïd Pacha finit par en rire et laisse les bijoux rejoindre les caisses du futur musée. Il retient juste une magnifique chaîne à sextuples mailles, qu'il désire offrir à sa mieux-aimée, et un scarabée de toute beauté pour lui-même. Les deux joyaux rejoindront le musée plus tard.

Difficile mission du Service de Conservation des antiquités

Le caractère burlesque de l'histoire ne doit pas faire oublier l'essentiel : la tâche du Service de Conservation des antiquités est décidément délicate. Bonnefoy en est très inquiet et, écrivant au début d'avril à son supérieur à propos de Fadil Pacha, il conclut : *« Si j'avais sû* (sic) *... je me serais bien gardé de vous demander dans l'intérêt du service de Son Altesse le poste que vous m'avez confié. »* Il demande à disposer à l'avenir de copies officielles des ordres du Vice-Roi afin d'éviter de tels incidents, en prévenant aimablement Mariette que *« jusqu'à votre réponse à cette lettre je passerai par tout ce que voudra Fadil Pacha »* [1].

De mauvais rapports avec le *moudir* d'une province

---

1. Lettre déjà citée, Archives Lacau, papiers Mariette, nº 53.

peuvent en effet paralyser le fonctionnement du Service. C'est la *moudiria* qui entrepose les antiquités découvertes sur son territoire, en attendant leur transport au Caire, et l'Inspecteur du Service doit parfois s'enquérir des arrivages. C'est encore la *moudiria* qui paie les *raïs*, et l'Inspecteur doit sans cesse vérifier la bonne marche de ces opérations. Pire encore : il n'est pas prévu, dans le programme gouvernemental, de salaire pour les simples ouvriers des chantiers du Service. Ils ressortissent au système de sinistre réputation de la corvée, déjà appliqué pour le creusement du Canal de Suez. Ce n'est évidemment pas le cas sur les chantiers privés, où les possesseurs du *firman* doivent les rétribuer. La confusion ne tarde pas à régner, notamment sur les sites déjà exploités par le passé, où les fouilles gouvernementales côtoient les fouilles privées – confusion d'autant plus aisée que la dernière fois qu'on a vu Mariette en Haute Égypte, il préparait le voyage du prince Napoléon pour le compte de l'État français, et donc payait ses ouvriers. Dès la mi-février 1859, le *mamour* est contraint d'envoyer des lettres de mise au point aux *moudiria* de Qena (sites de Thèbes) et Girga (site d'Abydos [1]). Il est bien évident qu'il faut dès lors lutter contre l'absentéisme et veiller à ce que les journées d'ouvrage durent un peu plus de trois heures... À Thèbes par exemple, Mariette proteste au mois d'avril : il n'obtient pas le dixième des hommes souhaités, et ce sont pour la plupart de très jeunes enfants. Ce déplorable effectif serait dû à une surveillance défaillante et à la mauvaise volonté du fonctionnaire recruteur. Il est vrai qu'à Thèbes, vingt fouilles se font concurrence, et la concurrence des privés, parfois armés d'un *firman* de complaisance (par exemple, au nom d'un Européen mort depuis plusieurs années), est absolument déloyale [2].

---

1. Archives Lacau, papiers Mariette, n⁰ˢ 48 et 49.
2. Archives Lacau, papiers Mariette, n⁰ 56.

Retour à Saqqara

De brefs répits laissent parfois au découvreur du Sérapéum l'occasion de revenir sur les lieux de ses premiers exploits, à l'époque heureuse où lui aussi était un fouilleur privé. C'est dans une de ces occasions qu'il gratifie Devéria d'une visite des tombeaux souterrains des Apis, soigneusement mise en scène :

« M. Mariette nous conduisit au Sérapéum, qu'il avait fait préparer pour notre visite. En entrant, il nous retint quelques instants dans un endroit obscur, puis il nous introduisit tout à coup dans la galerie principale qui était éclairée par des centaines d'enfants assis à l'égyptienne, immobiles comme des statues et tenant chacun une bougie allumée. On ne peut se figurer l'impression produite par l'aspect de cet immense souterrain dont l'éclairage ainsi disposé semble avoir quelque chose de fantastique. Ce qui ajoute encore à l'effet général, c'est que dans toute la largeur de cette galerie, qui paraît avoir au moins un demi-quart de lieue, s'ouvrent des chambres latérales dans lesquelles sont, parfois à demi brisés, parfois tout entiers, les immenses sarcophages des Apis. Chacune de ces salles était éclairée comme le reste, et des enfants avec leurs bougies avaient été postés jusqu'au sommet de ces tombes gigantesques.

Après avoir parcouru une partie de cette galerie principale, on en rencontre une autre qui la croise à angle droit. Là, de quelque côté que l'on se tourne, l'effet est véritablement magique, car l'œil se perd dans la profondeur des voûtes illuminées sans pouvoir en trouver l'extrémité.

Nous avons ensuite visité en détail un des tombeaux des taureaux sacrés : c'est un sarcophage d'environ 3 mètres de haut, 2 mètres de large et 4 de long, admirablement taillé dans un seul bloc de granit orné d'hiéroglyphes à l'extérieur, et poli partout comme une glace. Nous y sommes entrés huit, et nous aurions pu facilement nous y asseoir autour d'une table. »

M. de Saulcy fera plus tard partie de ces hôtes chanceux qui auront droit aux honneurs de la table : *« Arrivés devant celui de ces sarcophages monstres qui a servi à l'Apis mort sous Cléopâtre, nous trouvons une échelle appliquée contre sa partie antérieure, et Mariette m'invite à y monter. Je ne me le fais pas dire deux fois, et quand je suis au sommet, je vois dans l'intérieur une table recouverte d'un riche plateau d'argent, supportant des verres d'argent ciselé, appartenant au service du Vice-Roi, et quelques bouteilles de champagne. Des candélabres sont établis aux coins postérieurs du sarcophage qu'ils éclairent parfaitement, et dix pliants ouverts autour de la table n'attendent plus que les convives de cet étrange banquet funèbre. »*

Création du musée égyptien – Boulaq

Les monuments découverts lors des fouilles du Service doivent être regroupés pour constituer un musée égyptien au Caire. Ce deuxième objet de la mission de Mariette bénéficie de ses soins les plus attentifs. En avril 1859, la collection s'enrichit des antiquités réunies par M. de Huber, Consul général d'Autriche, qui propose de les vendre au gouvernement égyptien. Il s'ensuit un échange de correspondance avec Kœnig Bey, Secrétaire des Commandements de Saïd Pacha. Le *mamour* y donne son avis sur les 1 200 numéros de la collection Huber. Il dément l'avoir jamais estimée, et donne le prix que Huber lui-même en attendrait, à ce qu'il croit se rappeler. Il suggère d'essayer de la faire enrichir, par achat préalable du Consul, d'une statue « *aujourd'hui en procès au Caire, et que je regarde comme un morceau aussi rare que précieux qu'il serait regrettable de voir partir en Europe* ». Le 21 avril, il accuse réception de ce qui était conservé au Caire et attend ce qui doit venir d'Alexandrie.

L'installation du bâtiment du musée nécessite du temps et sera plusieurs fois modifiée. Il ne sera finalement ouvert au public, après solennelle inauguration, qu'en 1863. Si Gaston Maspero dresse un état des lieux assez sinistre

– « *Le site était assez misérable : une grève assez raide, sans cesse entamée par le courant du Nil ; au sud une maison basse et humide où le directeur s'installa avec sa famille ; au nord une vieille mosquée, dont les salles avaient servi d'entrepôt aux bagages des voyageurs et aux marchandises ; à l'est enfin, et en bordure de la grande rue de Boulak, des hangars longs et bas, où l'on aménagea des bureaux pour les employés et des salles pour les monuments* »[1] –, Édouard Mariette, demi-frère d'Auguste, donne du tout premier musée de Boulaq une description pour le moins divertissante :*

« *Les premières collections, – d'où le nom "Musée de Boulaq", – avaient été déposées dans un local, situé dans le faubourg de Boulaq, local ayant servi autrefois, avant la construction du chemin de fer d'Alexandrie au Caire, au transit des voyageurs et des marchandises, embarqués sur le Nil et passant par le Canal Mahmoudieh, la seule voie praticable à cette époque. Le plus précieux avantage de cet emplacement consistait dans l'existence du quai dont je viens de parler, chose alors très rare en Égypte, lequel permettait un facile accostage aux bateaux, et rendait la cour inaccessible aux riverains de droite et de gauche, la base du quai n'étant jamais découverte, même à l'étiage. De plus, il offrait aux monuments non classés des abris plutôt spacieux.*

Quant à la surface affectée au public, elle était des plus exiguës et comportait quatre ou cinq pièces, assez peu vastes, éclairées sur le côté, ayant jadis servi de bureaux. Le reste de l'immeuble comprenait la cour, transformée plus tard et partiellement en jardin, un embryon de maison où Mariette habitait, des magasins en partie vides, où les scorpions et les serpents abondaient, et dont les promenades à l'extérieur finissaient par devenir gênantes.

Il ne se passait guère de semaine où l'on ne trouvât dans la cour, dans une salle peu fréquentée du musée, ou même dans la maison, quelque reptile endormi au soleil ou

---

1. Archives Lacau, papiers Mariette, nᵒˢ 54 et 55.

119

quelque arachnide venimeuse arrêtée sur la dalle fraîche d'un vestibule. Un jour, je dus faire tuer, sur le palier haut de l'escalier, un scorpion qui ne mesurait pas moins de quinze centimètres de longueur. Une autre fois, le fidèle Hassan Noër, qui resta près de quinze ans au service de la famille, trouva dans le lit de Mariette un aspic luisant et gris comme l'acier. Le bey avait dormi toute la nuit, et sans ombre de défiance, à côté de ce dangereux voisin.

Dans une seule séance, un psylle, très réputé à Boulaq, appelé enfin par l'Administration du Musée, amena successivement par ses incantations et surtout par des sifflements particuliers, sur sa longue baguette de magicien, plus de quinze reptiles de toute taille. Dès que l'un d'eux, attiré par je ne sais quelle séduction, venait s'enrouler autour de la baguette, le psylle le saisissait brusquement à la nuque, lui présentait un pan de sa robe et lui arrachait les crocs venimeux en l'en séparant avec violence. Sur l'offre du sorcier, je me laissai même passer autour du cou une de ces vipères, frétillantes comme une anguille, et rendue par lui inoffensive. Le serpent m'ayant légèrement mordu le lobe inférieur de l'oreille, je fus déclaré invulnérable pour toute la vie. »

Retour en France en 1859

À l'été de 1859, Mariette exténué doit partir se reposer en France. Le fidèle Bonnefoy étant en inspection en Haute Égypte, Boulaq est confié à Gabet, qui le prie de lui rapporter de France six chemises bleues, tour de cou 38 [1]. Arrivé dans la mère patrie, Mariette est victime, à trente-huit ans, d'une première attaque de ce diabète qui ne le quittera plus, et finira par le tuer en 1881. Les 19 et 26 août, il communique à l'Académie des Inscriptions et Belles-Lettres sa *Notice sur l'état actuel et les résultats, jusqu'à ce jour, des travaux entrepris pour la conservation*

---

1. Archives Lacau, papiers Mariette, n° 57.

des antiquités égyptiennes en Égypte, et demande humblement à ladite Académie ses instructions sur les fouilles qu'il serait souhaitable d'entreprendre à l'avenir... car il est toujours Conservateur adjoint au Louvre !

L'Académie propose l'exploration de plus de trente sites répartis sur tout le territoire égyptien, dont quatorze dans le Delta, liste que Mariette ne suivra que partiellement. Le projet de création d'un musée du Caire vaut au *mamour* quelques questions.

Il part ensuite se reposer à Boulogne, en famille, et ne regagne Le Caire qu'à la fin de l'année. N'ayant plus de domicile boulonnais, la famille louera dorénavant, entre deux séjours en Égypte, de vastes demeures aux environs de Boulogne : le château des Moulineaux, le château Barnard (Commune de Saint-Léonard), le château Muhlberque (aujourd'hui une partie de l'orphelinat Beaucerf), la maison Furne, sa préférée, la villa Baudeloque... Toutes ces villégiatures sont situées dans la basse vallée de la Liane, de part et d'autre de la route de Paris, alors pittoresque paysage de pâturages avec ormes, peupliers et saules, collines et odeurs de marées. C'est aujourd'hui une zone de pavillons et d'industries. Mariette adorait y tirer des feux d'artifice au moindre prétexte familial.

Le Service en l'absence de Mariette

Pendant ce temps, en Égypte, ses collaborateurs continuent le travail, et lui envoient régulièrement des rapports. Gabet lui signale en août les nuisances des chercheurs d'ossements, qui vendent les objets découverts dans l'exercice de leur macabre industrie du noir animal, et celles des agents des antiquaires Fernandez et Masarra dans leurs excursions vers Abousir et la Basse Égypte. Il ordonne aux surveillants du Service de Conservation des antiquités de leur interdire l'approche des chantiers gouvernementaux [1].

---

1. Archives Lacau, papiers Mariette, n° 58.

Bonnefoy ne survit pas à un coup de soleil et meurt à Farchout, au cours de son inspection en Haute Égypte, le même mois. Gabet est averti de sa disparition et de son enterrement à Louxor par le surveillant local des travaux, qui joint une liste de ses effets personnels et demande des instructions : Bonnefoy avait regroupé tout le personnel du Service, et engagé des *raïs* supplémentaires, pour hâter le déblaiement du temple de Médinet Habou. Après la mort de l'Inspecteur, chacun est retourné à son affectation habituelle : que convient-il de faire ? Et que doit-on faire de sa barque, qui appartient au gouvernement[1] ? En octobre, c'est au tour du surveillant des travaux de la province de Qena de venir aux renseignements : Émile Prisse d'Avennes, « *M. Bris davènes* », est arrivé à Karnak, arguant d'une lettre de Mariette et Bonnefoy qui l'autorise à employer les ouvriers du Service pour déblayer les parties ensablées du temple qu'il souhaite vérifier pour fignoler son *Histoire de l'Art Égyptien*. Il faut lui rappeler que Prisse d'Avennes a bien obtenu, un an auparavant, une autorisation du Ministère de l'Intérieur, à condition qu'il s'entende avec Mariette pour que chacun travaille en paix[2].

Retour de Mariette au Caire – Travaux à Thèbes

Dès son retour en Égypte en décembre 1859, le *mamour*, confirmé à la tête des Monuments historiques et du musée du Caire, est envoyé en inspection en Haute Égypte par le Vice-Roi, qui projette de venir voir lui-même s'effectuer les travaux. Bonnefoy disparu, c'est Gabet qui le remplace en tant qu'Inspecteur, et Mariette s'inquiète de laisser le musée à la seule surveillance de Floris et de « *deux Barbarins* ». Il propose alors la nomination provisoire d'un dénommé Louis Chaillan, qui l'assure « *que mon temps,*

---

1. Archives Lacau, papiers Mariette, nᵒˢ 59 et 60.
2. Archives Lacau, papiers Mariette, nᵒ 61.

mon exactitude et mon dévouement ne vous feront jamais défaut » [1]. Il lui causera pourtant bien des soucis...

À Thèbes, Mariette rêve toujours de trouver des tombes royales : si, à la momie d'Aahhotep et ses bijoux, on pouvait ajouter d'autres découvertes aussi prestigieuses, Saïd Pacha serait davantage convaincu du bien-fondé de recherches qui contrarient tant d'intérêts et tant d'habitudes séculaires. Les hypogées des Thoutmosis et des Aménophis manquent encore à l'appel. Pensant les trouver au fin fond de l'Assassif, le Directeur des antiquités y poste 500 ouvriers. Sans résultat. Le déblaiement de Médinet Habou, déjà bien avancé, devrait être achevé à la fin de 1860.

Difficultés à Thèbes

L'encombrante présence de Mariette ne ravit pas tout le monde, et Fadil Pacha, le *moudir* de Qena qui a rudoyé l'année précédente la dépouille d'Aahhotep, fait de nouveau des siennes. L'infatigable *mamour* doit se plaindre, en février 1860, de son unité spéciale de surveillants insoumis, qui entendent diriger les travaux et non les contrôler. En 1859, l'un d'eux, persuadé, pour l'avoir lu dans un manuel du parfait chercheur de trésors, que le temple de Khonsou à Karnak recelait une fortune, l'a fait fouiller si profondément que les fondations en sont ébranlées [2]... Moustafa Agha, Agent consulaire de Grande-Bretagne, de Russie et de Belgique à Louxor, et trafiquant d'antiquités sous couvert d'immunité diplomatique, n'est guère plus coopératif. Par exemple, il s'oppose à la réquisition par le Service des antiquités de la maison abandonnée de Ouardi (Triantaphyllos), mort citoyen protégé français en 1852, sous le prétexte qu'un ressortissant anglais y a passé deux hivers et en a remplacé les fenêtres. Ce qui oblige Mariette à prendre des renseignements au Consulat, et à proposer d'acheter

1. Archives Lacau, papiers Mariette, nᵒˢ 62 et 63.
2. Archives Lacau, papiers Mariette, nᵒ 68.

aux éventuels héritiers de Ouardi la maison, qu'il souhaite convertir en entrepôt d'antiquités [1].

Saqqara et Giza : découvertes de quelques célébrités

À Saqqara comme dans la région thébaine, les recherches se poursuivent : la statue du *Cheikh el-Beled*, surnom donné par les ouvriers qui la mettent au jour, tant elle ressemble au chef de leur village, quantité de statues extraites des *serdabs* (« couloir » en arabe, pièce exiguë et quasiment aveugle destinée à abriter une statue du propriétaire du mastaba) vont rejoindre les collections de Boulaq. Le mastaba de Ti, encore pourvu de ses couleurs intactes, est déblayé. Une prospection dans la nécropole, à la recherche de nouveaux sites, amène la découverte par Vassalli et Mariette de la « Table de Saqqara », dalle de calcaire décorée d'un homme en adoration devant une liste de 58 cartouches de rois antérieurs à Ramsès II, précieux apport à la chronologie pharaonique, qui est loin à l'époque d'être aussi précisément connue que de nos jours. À Giza, le « temple du sphinx », déjà exploré pour le compte du duc de Luynes en 1854, est enfin complètement désensablé. Sur le dallage antique gisent des fragments de statues de Khéphren en diorite et – merveille ! – une fosse creusée dans le sol en abrite une intacte, qui rappelle à Mariette sa déception de 1854, lorsque les crédits lui furent refusés : « *Quelques centaines de francs de plus, la statue de Khéphren serait aujourd'hui à la France...* »

Nouveaux projets

Mais on ne se contente pas d'approfondir l'étude des régions déjà connues. Le bilan scientifique, un an et demi

---

1. Archives Lacau, papiers Mariette, n° 69.

après la fondation du Service de Conservation des antiquités, commence à être impressionnant. Il faudrait le publier : Mariette projette dès février 1860 (lettre à François Chabas notamment) un *corpus inscriptionum*, avec Devéria pour épigraphiste, qui ferait connaître rapidement au public les principaux résultats des travaux.

De nouvelles fouilles sont ouvertes dans le Delta, et tout d'abord à Sân (Tanis) au printemps de 1860, où 150 hommes sous la direction d'un inspecteur local doivent déblayer entièrement le temple jusqu'au sol antique, pendant que 50 autres sondent les buttes de décombres et la partie nord-est de l'enceinte[1]. D'autres prospections commencent à Saïs, Athribis, Sebennytos... Dans le courant de cette année 1860, il y aurait trente-cinq chantiers ouverts simultanément par le Service.

Difficile été de 1860

L'été est donc un moment difficile. La chaleur est éprouvante, Devéria est malade, Vassalli est rentré en Italie se battre aux côtés de Garibaldi. Le Directeur du Service est surmené, et s'inquiète de l'acquisition par l'État égyptien du palais de Qasr Ali, où il est question d'installer le musée. Mais l'affaire traîne en longueur[2]. En août, Mariette est épuisé et sa santé lui donne des soucis, qu'il confie à son ami Ernest Desjardins : « *Je commence à craindre pour mes propres yeux. Dès que je parais au jour, j'y ressens des douleurs vraiment cuisantes. Le fait est que le soleil et moi, nous nous sommes regardés trop longtemps face à face pour que je ne commence pas à ressentir les effets de sa vengeance. Les médecins me disent que j'ai les yeux brûlés et me menacent d'une amaurose. Que Dieu ne les entende pas !* » Il porte désormais des lunettes noires, rapidement caractéristiques de son personnage peu banal : « *Il est très-effrayant, le bey,*

---

1. Archives Lacau, papiers Mariette, n° 70.
2. Archives Lacau, papiers Mariette, n° 72.

avec sa haute taille, son tarbouch rouge très-enfoncé, sa figure sévère et accentuée, son parler bref, et ses effroyables lunettes noires bombées qui cachent complètement la région des regards et lui font des yeux apocalyptiques... Mais bientôt, se voyant malgré cela environné d'amis et d'intelligences sympathiques, il s'anime et devient étincelant de verve et d'esprit », écrit Arthur Rhoné, qui fait sa connaissance en 1863. Commentaire de Mariette : *« Ces yeux apocalyptiques font mon bonheur. »* Il est très désappointé lorsque, dans l'édition suivante de *L'Égypte à petites journées*, Rhoné juge plus respectueux de les censurer.

L'automne ramène un peu de fraîcheur, mais point de répit. Tanis est confié à la responsabilité de Chaillan, qui s'y rend en mission à plusieurs reprises. Il y est notamment témoin de la découverte de quatre sphinx, deux obélisques, les restes de deux colosses et d'une statue. Il y effectue des estampages en novembre. Au passage, il s'enquiert d'éventuelles trouvailles dans la région, en attendant une visite de Mariette à Mansourah [1].

Égypte ou France ?

La fin de 1860 est pour Mariette l'heure du choix décisif. Depuis juin 1858, soit depuis trente mois, il cumule les postes de Conservateur-adjoint au Département égyptien du Louvre, et de fonctionnaire turc. Depuis novembre 1857, il a passé huit à neuf mois en France, et plus de vingt-cinq en Égypte. À Paris, on envisage sérieusement de le remplacer. Emmanuel de Rougé, qui a succédé à Lenormant, mort en Grèce en 1859, au poste de Professeur au Collège de France, écrit alors à M. de Nieuwerkerke : *« L'absence continuelle de M. Mariette ne laisse pas que de devenir gênante, parce que les exigences de ma position ne me permettent pas assez souvent la présence au Louvre. »* Il suggère d'attribuer le poste de

---

1. Archives Lacau, papiers Mariette, nº 74.

Mariette à Théodule Devéria, si le remplacement doit avoir lieu. Et la mise en demeure d'avoir à rentrer en France, ou d'opter pour l'honorariat, est envoyée à Mariette, qui en serait, selon ses proches, profondément attristé. Après mûre réflexion, et malgré l'incertitude d'une situation professionnelle et financière qui dépend entièrement du bon vouloir du Vice-Roi, Mariette choisit, à quarante ans, de devenir Conservateur-adjoint honoraire au Louvre, le 26 janvier 1861. Le Louvre fait réexpédier au Caire, en septembre, son titre et sa médaille de Chevalier de la Légion d'honneur.

CHAPITRE V

SPLENDEUR ET MISÈRES
D'AUGUSTE MARIETTE : 1861-1865

La vie continue

Au début de 1861, l'activité est concentrée sur les fouilles de Tanis. Chaillan supervise les opérations de transport des objets, de Tanis à Damiette par le lac Menzaléh. Il tient Mariette, qui est au Caire, au courant des problèmes de navigation : le Nil est à l'étiage, et les paysans luttent comme ils peuvent contre l'envahissement des eaux salées, ce qui coupe certaines voies navigables [1]. Mariette est donc au Caire, et il est assez mal en point. Il

---

1. Archives Lacau, papiers Mariette, n° 75.

est même si malade qu'il demande un congé au printemps, pour aller se soigner en France.

Arrivé à Paris, il n'est pas mieux, et doit confier une communication à son ami Desjardins avec le soin de la lire devant l'Académie des Inscriptions et Belles-Lettres. Il ne regagnera pas Le Caire avant le 16 septembre. Entre-temps, après un repos à Boulogne, il tente une cure thermale et envisage de se faire soigner par l'électricité. C'est aussi en 1861 qu'Éléonore et Auguste Mariette perdent leur fille aînée, Marguerite-Louise, âgée d'une quinzaine d'années, malheureux prélude à une impitoyable série de disparitions familiales.

En Égypte cependant, Gabet a pris les choses en main, et envoie régulièrement au *mamour* un rapport d'activité.

Rapport d'activité de Gabet aux mois de mars et avril

En mars, Gabet doit remplacer Chaillan pour une tournée d'inspection qui le mène d'abord à Baliana (fouilles d'Abydos) : le *raïs* a écrit qu'on a découvert des stèles « *comme il n'en avait jamais été trouvé, et hautes comme un chameau* ». Sur place, Gabet découvre que les stèles miraculeuses n'ont guère d'intérêt historique, et ne dépassent le mètre de hauteur que de peu... Gendarmé, le *raïs* explique qu'il a voulu dire « de hauteur à être transportées par un chameau » ! La salle hypostyle du temple de Séthi Ier est pratiquement déblayée, et l'Inspecteur estime qu'un dégagement complet n'affectera pas l'équilibre des colonnes. Il demande à disposer d'ouvriers supplémentaires, dès que le ramadan aura pris fin. Poursuivant sa tournée à Thèbes, il a la même désillusion qu'en Abydos à propos d'une « *pierre merveilleuse* », et doit calmer deux *raïs* en conflit. Il signale à Mariette que le problème du recrutement n'est pas réglé : à Karnak, au lieu des 100 hommes prévus, il y a « *35 pauvres petits moutards, tout ce qu'il y a de plus petits* ». La situation est la même sur la rive gauche.

Renseignements pris, les surveillants venus de Qena seraient régalés par le *Cheikh el-Beled* pour fermer les yeux, et la bouche, à ce propos. Fadil Pacha, *moudir* de Qena, reste un gêneur : il aurait omis de payer leur dû aux *raïs*, qui naturellement se plaignent à Gabet. Le malheureux Inspecteur doit également insister pour qu'en cas de trouvaille, on prévienne le Service de Conservation des antiquités, au Caire, et non Fadil Pacha. Pendant son séjour, il poste deux cents enfants le long de la route entre Gourna et l'Assassif, pour tâcher de trouver des papyrus, et cent autres à Deir el-Bahari, pour continuer le déblaiement [1].

Rapport de Gabet au mois de juin

De retour au Caire, Gabet tient Mariette informé du titanesque projet du moment : Floris, le faiseur de miracles du musée, est à Saqqara, où il étudie le moyen d'extraire des souterrains du Sérapéum un des monstrueux sarcophages d'Apis, qu'il faudrait encore, après cela, traîner dans le désert accidenté, descendre dans la vallée et transporter au Caire ! Probablement, Belzoni dans les années 1815-1820 a donné le mauvais exemple avec ses incroyables transferts d'obélisques et de colosses... Le musée, toujours officiellement fermé au public, reçoit des visiteurs difficiles à éconduire, ce qui préoccupe Gabet. Il a dû accueillir les ambassadeurs de Siam et de Perse – « *Les premiers sont des sauvages, mais le second était un homme charmant et parlant très bien le français* » – ; il attend maintenant le Général de Beaufort et son état-major. Mais son principal souci est le comportement de Louis Chaillan. Rentré d'inspection depuis le 19 mai, celui-ci n'est pas encore reparti le 20 juin, et l'Inspecteur en chef est contraint d'envoyer quelqu'un à sa place à Saqqara, avec ordre de passer tous les trois ou quatre jours aux pyramides. Obligé de se déplacer jusque chez l'employé récalcitrant pour en obtenir des

---

1. Archives Lacau, papiers Mariette, n°s 77, 78 et 79.

explications, Gabet s'entend répondre qu'il n'a pas l'intention de retourner à Tanis « *pendant quelque temps* », et qu'il se rendra sans doute à Saqqara « *d'ici quelques jours* ». Embarrassé, il mène sa petite enquête, apprend qu'au Caire on commence à citer le proverbe « *Quand le chat n'y est pas...* », que le sieur Chaillan a quatre ou cinq procès en cours et vient de s'acheter un cheval, qu'on l'a vu en bonne compagnie dans quelques soirées mondaines d'Alexandrie, et, comble d'impudence, que madame Chaillan va partout se plaignant que son époux se tue de travail pendant que Gabet se prélasse. À ce triste rapport d'inactivité, Gabet joint une liste des nombreuses dernières trouvailles de Tanis, assortie du commentaire : « *Vous voyez, Monsieur, que votre espoir sur Sân était fondé et que vos prévisions se réalisent. Quel malheur que les travaux de cette localité ne soient pas mieux surveillés.* » Les fouilleurs clandestins, et notamment « le gang d'Abousir » (l'équipe de Salomon Fernandez), continuent leurs méfaits en Basse Égypte, et trois d'entre eux, identifiés par le fidèle *raïs* de Saqqara Hamzaoui, ont été particulièrement recommandés à la police. Plus gaiement, l'Inspecteur enchaîne sur les dernières nouvelles de Boulaq : le vapeur *Samannoud* est en voie d'aménagement, les entrepreneurs sont passés au musée, et l'adjudication des travaux ne devrait pas tarder. Tous les arbres plantés dans la cour de Boulaq ont repris racine, le cheval *Abydos*, après une maladie, est rétabli, les singes et les chiens se portent bien [1].

Les animaux du musée de Boulaq

Le premier musée de Boulaq aurait pu passer pour une annexe du jardin zoologique, à en croire Édouard Mariette, décidément très porté sur les bestioles :

---

1. Archives Lacau, papiers Mariette, n⁰ˢ 80 et 81.

« *Mon frère avait une inclination marquée, plus ou moins excusable, pour les singes. Il en assemblait généralement de trois sortes, toutes trois faciles à recruter au Caire, dans la cage qu'il avait fait établir sur le côté de la cour du Musée. On trouvait là le singe vert d'Afrique, doux, aimable et gracieux, quand il est jeune, sombre et violent dès qu'il prend de l'âge. Nous dénommions les divers individus de ce type, suivant l'ordre d'entrée en cage : Sin-singe Ier, II, III et ainsi de suite.*

Il y avait ensuite le singe rouge, d'Afrique également, à la voix grêle et plaintive comme celle du sapajou. On en désignait les quelques numéros sous les noms de Mme Pochet, en souvenir des portières d'Henri Monnier, de Colonel et même de Général. Toute réserve faite, ceux-ci, l'un comme l'autre, nous donnaient, avec leur longue frimousse, leurs dents rares et leur dégingandement osseux, l'illusion d'une vieille commère, à la fois revêche et sensible, ou de quelque sergeant-colour de l'armée hindoue.

Il s'y trouvait enfin le singe à nez blanc, importé sans doute d'Asie ou de Bornéo, très burlesque dans ses allures de bonzesse farouche, et auquel nous donnions, par antiphrase, le nom gracieux de Guzel (la jolie, en turc).

Ces animaux, toujours renouvelés, au fur et à mesure de leur disparition, – car le climat du Caire semble encore trop vif pour qu'ils puissent y vivre toute l'année au grand air, – constituaient pour nous comme pour tous les hôtes, un objet d'attraction fort goûté. À n'importe quelle heure du jour, soit en passant, soit de propos délibéré, l'on s'arrêtait devant l'abri des singes et l'on se distrayait au spectacle de leur inlassable mouvement.

De temps à autre, deux ou trois, sur un caprice du maître, étaient mis en liberté. Ils se répandaient alors dans la cour, rendus tant soit peu saisissables par la chaîne qu'on leur mettait, y faisaient mille tours plaisants, et n'étaient réintégrés en leur demeure qu'après avoir commis à la cuisine ou chez le voisin quelque méfait d'importance.

On peut affirmer sans crainte d'erreur que ce fut à la

présence des singes dans la maison, à l'incessante mobilité comme aux grimaces et contorsions dont ils sont coutumiers, que Mariette dût de mener à bien, dans ses longs isolements, la lourde tâche qu'il avait assumée.

Beaucoup plus tard, en 1876, il y eut à la maison de Boulaq un hôte non moins extraordinaire, une sorte de *hegim* en arabe, ou chameau coureur, que le bey avait gagné dans une tombola montée au Caire, en vue d'aider un imprésario tombé en déconfiture. Aussitôt qu'un étranger pénétrait dans la cour, l'animal savant survenait en courant à la commune satisfaction, et, tout à coup, pliait les genoux devant l'étranger comme pour lui faire honneur. Ce numéro de cirque, plutôt encombrant, ne fit qu'un court passage dans la maison. »

Il convient d'ajouter à cette liste la gazelle *Finette*, la chienne *Bargoutte* (« Puce », en arabe) et quelques congénères tant mâles que femelles, parfois des chats et des volailles.

Rapport de Gabet en juillet et en août

Le rapport de Gabet pour le mois de juillet contient surtout des listes d'objets reçus des différents chantiers de fouilles, et des plaintes à propos du recrutement des ouvriers : à Giza, déjà trop peu nombreux, ils sont très jeunes et proviennent de villages très éloignés, et très dispersés – 27 au total ! Louis Chaillan, finalement parti le 28 juin « pour Tanis », était encore le 4 juillet à Alexandrie et y menait, paraît-il, joyeuse vie. À Boulaq, Gabet entreprend de former un ouvrier au décapage préliminaire des bronzes : « *nous les plongeons par 140 à la fois* » ; on n'ose imaginer dans quel chaudron de sorcière. L'adjudication des travaux est faite à une entreprise française ; mais les finances du Vice-Roi ne sont pas brillantes, l'impôt foncier a augmenté de 8 %, l'effectif de l'armée est réduit à 5 000 hommes, il est question de diminuer tous les salaires de 25 %... Gabet se demande donc si le musée verra le jour, et si en conséquence il est vraiment raisonnable d'extraire du Sérapéum le grand sarcophage sur lequel Floris s'acharne depuis le mois de juin. À tout hasard, il surveille quand même la montée de la crue, et évalue la solidité de la digue relativement à celle de la route, bientôt immergée, si le transport devait avoir lieu. La faune du musée est amoindrie du fait d'une fugue du singe *Fiston*, qui a mordu une quinzaine de personnes dans le quartier avant de disparaître, et qui est considéré comme perdu [1].

En août, le vapeur *Samannoud* est en voie d'achèvement. Le couvercle du sarcophage du Sérapéum est en attente à l'entrée des souterrains (il y est demeuré depuis). L'Inspecteur demande à Mariette de préciser la date de son retour au Caire, afin de l'aller chercher. Il voudrait aussi des précisions sur les objets que le musée est supposé prêter à l'Exposition de Londres, qui aura lieu en 1862. La situation économique empire, et Gabet demande à son Directeur s'il pourrait prêter à madame Gabet, à Marseille, 100 ou 200 francs, par bon de poste, à mettre sur « *le petit compte courant que nous avons ensemble* ». Mais uniquement si c'est possible... Quelques cas de mort subite, au Caire, ont été suivis d'une panique au choléra [2].

Septembre : retour de Mariette en Égypte

D'Alexandrie où il s'est porté au-devant du *mamour*, Gabet l'avertit que Chaillan est très fâché qu'on mette en doute sa loyauté. En quittant Boulaq pour Alexandrie, et conformément aux instructions expresses du Directeur du musée, Gabet, en effet, a tout fermé à clef, provoquant l'incident susmentionné. Les réticences impertinentes de Chaillan à se rendre à la convocation de Mariette, au Caire en octobre, provoquent finalement sa révocation, d'autant

---

1. Archives Lacau, papiers Mariette, n°s 82, 83 et 84.
2. Archives Lacau, papiers Mariette, n° 85.

plus souhaitée que Vassalli est revenu d'Italie et peut reprendre son poste dès novembre [1].

Mariette diplomate

Tout en réglant ces problèmes administratifs urgents, Auguste Mariette doit assumer un rôle supplémentaire, et nouveau pour lui : diplomate non accrédité pour le compte de l'empereur Napoléon III. L'évolution politique et économique de l'Égypte intéresse beaucoup l'Europe. L'Angleterre, plutôt bien considérée par la Sublime Porte, suzeraine de l'Égypte, est particulièrement attentive depuis la concession à un Français du creusement du Canal de Suez. Il se trouve que Saïd Pacha n'a pas la prudence et la modération de son prédécesseur Abbas. Il fait effectuer de grands travaux (canaux, postes, chemins de fer...), et l'économie, on l'a vu, commence à en souffrir. Patiemment, l'Angleterre laisse le Vice-Roi contracter des emprunts de plus en plus considérables à la Banque de Londres, à des taux très désavantageux. Les rapports franco-britanniques étant ce qu'ils sont, la France n'a pas l'intention de laisser la partie se jouer sans elle. L'avantage du Canal de Suez risque d'être insuffisant ; il lui faut absolument se lier plus étroitement à l'Égypte. Mais dans quel domaine la France dispose-t-elle d'un monopole ? Réponse : le Service de Conservation des antiquités bien sûr, avec l'irremplaçable Auguste Mariette, qui a déjà largement prouvé qu'il ne se laissait pas marcher sur les pieds sans réaction. Et voilà pourquoi, récemment « rayé des cadres » du musée du Louvre, il s'est vu singulièrement choyer par l'entourage impérial durant son séjour en France de 1861 : l'Empereur souhaite en faire un de ces « agents parallèles » qui encombrent systématiquement sa politique. Le but de la manœuvre est de ramener Saïd Pacha, très impressionné lors d'une récente visite à Istanbul par le poids politique de

1. Archives Lacau, papiers Mariette, n°s 86, 87, 88, 89 et 90.

l'Angleterre, dans l'orbite de la France. S'il doit opter pour une nation susceptible de l'aider, par un nouveau prêt, à réorganiser ses finances, il faut que ce prêt soit français, et pour cela tâcher d'inviter le Vice-Roi en visite en France.

Mariette recherché par la cour impériale

Les intentions de Napoléon III sont exposées à Mariette par madame Cornu, subsidiairement épouse du peintre Sébastien Cornu, dans l'atelier versaillais de qui le Directeur du Service de Conservation des antiquités a eu plusieurs occasions de manifester sa fine analyse des problèmes égyptiens. Surtout, madame Cornu est sœur de lait de l'Empereur et bénéficie de toute sa confiance. En cure près de Nevers, à Pougues-les-Eaux, car le diabète met son estomac à l'épreuve, le futur agent spécial doit faire un détour par Versailles, où il reçoit ses instructions, avant de regagner Le Caire.

Le prétexte officiel à l'intérêt de Napoléon III pour l'Égypte, et le moyen tout innocent de mettre Mariette dans la combinaison, est la rédaction de la *Vie de César* par l'impérial historien. Les liens qui unirent César au pays des pharaons nécessitent naturellement des recherches sur place... Puis, l'Empereur s'est pris à rêver de manuscrits coptes et de la bibliothèque murée, des années auparavant, par le Patriarche.

Le voyage de retour de la famille Mariette

Après sa cure, Mariette est rejoint par son demi-frère Édouard, âgé d'une vingtaine d'années. Édouard est architecte, et Auguste a l'intention de l'aider à mettre en pratique sa formation en le faisant engager par la Compagnie du Canal de Suez (lettre du 6 juillet 1861, archives Édouard Mariette). Le musée, qui est en cours d'aménagement, pourrait aussi bénéficier de ses conseils techniques. La famille – Édouard, Auguste, Éléonore et leur fils Auguste junior, surnommé Tady, qui n'a pas encore cinq ans – traverse d'abord l'Italie : Turin, Milan, Venise où il faut s'accorder quelque repos. Auguste confie parfois sa nostalgie à Édouard : « *Quel dommage que notre pauvre père soit mort sitôt ! Qu'il eût été heureux d'assister à mes premiers succès, et que j'eusse eu de courage à en conquérir de nouveaux ! Lui qui t'aimait tant, comme le plus jeune, il aurait été bien joyeux de se retrouver ici parmi ses enfants !* » Ils embarquent à Trieste, et c'est quasiment chargé de mission par Sa Majesté que Mariette débarque à Alexandrie le 16 septembre 1861.

Entrevues avec le Vice-Roi

Pendant un bon mois, à Alexandrie, il a de longues entrevues avec Saïd Pacha au Fort Napoléon, sous prétexte de régler la délicate question de l'accès aux manuscrits, et le 19 octobre, il peut écrire à madame Cornu :

« *L'affaire des couvents est en train. Nous possédons ici un Copte de naissance, homme très instruit et secrétaire, pendant onze ans, du cardinal Maï*[1]. *C'est lui que le Vice-Roi a chargé de parcourir les couvents sous ma direction. Je lui ai donné pour instruction de faire un catalogue complet de tous les manuscrits, sans exception, que possèdent les couvents et de rédiger ce catalogue en français, de telle sorte qu'il puisse être imprimé. Nous n'aurions que cette œuvre, qui embrassera au moins deux mille manuscrits, tous inconnus, que ce serait déjà quelque chose. Une fois ce catalogue fait, nous choisirons, et le Vice-Roi enverra ce qu'il y a de bon à l'Empereur.* »

Il importe de noter que, contrairement à ce qui se raconte souvent, la publication des travaux est immédiatement envisagée par Mariette.

---

1. Il s'agit de Marc Kabis, qui restera attaché au Service de Conservation des antiquités de l'Égypte.

Quant au principe de l'invitation officielle en France, il séduit assez Saïd Pacha, mais ses créanciers, qui ont patienté sans trop de difficultés jusqu'à son retour d'Istanbul, accepteraient moins aisément d'autres atermoiements. Mariette négocie donc, dans la même lettre, pour qu'on ne bouscule pas trop un Vice-Roi aux abois :

« Celui qui fera faire l'emprunt au Vice-Roi lui mettra la corde au cou (expression du Vice-Roi lui-même), en d'autres termes, sera le maître de l'Égypte. »

Il poursuit en citant les propres paroles de Saïd Pacha :

« Je désire ardemment que l'emprunt soit français. Vous m'avez, n'est-ce pas, apporté quelques paroles bienveillantes de l'Empereur. Eh bien ! voici ma lettre dans laquelle il verra que je ne suis pas aussi Anglais qu'on le dit. Faites-la passer à Sa Majesté en lui disant que je suis son très humble serviteur (sic). »

En son nom personnel, le néo-diplomate ajoute :

« Telle est la lettre que je vous envoie. Vous voyez quelle est son importance. Je sais bien que l'alliance de l'Égypte avec la France n'est pas tellement essentielle que, si elle est rompue, la terre cesse de tourner. Mais ce n'est pas une raison pour donner à l'Angleterre la joie de mettre enfin la main sur une proie qu'elle convoite depuis tant d'années.

Depuis un mois que me voilà mêlé, sans l'avoir cherché, aux affaires de l'Égypte, j'ai pu étudier le Vice-Roi aussi bien que notre agent à Alexandrie, et je viens vous dire, en toute conscience : un mot, un geste, un sourire de l'Empereur fera du Vice-Roi actuel de l'Égypte le serviteur empressé de la France ; mais ce pauvre Vice-Roi, qui est un homme de sens, croit que la France s'occupe bien peu de lui, et, en présence de toutes les avances de l'Angleterre, il se demande si la France le connaît et si elle veut de lui... »

Très embarrassé de devoir mener à bien sa mission secrète sans en informer M. de Beauval, Chargé des Affaires de France, le *mamour* essaie même de convaincre madame Cornu qu'il serait bon de fortifier la position de ce dernier, et lui rapporte les propos de Saïd Pacha : « *Je regarde M. de Beauval comme un excellent conseiller ; mais qui sait si le gouvernement approuve ce qu'il fait ? Si tout ce qu'il fait avait l'approbation du gouvernement, il serait consul depuis longtemps.* » Le Vice-Roi tient pourtant le Chargé des Affaires en estime assez haute pour lui confier le secret de ses perpétuels changements de résidence : « *C'est pour mieux dépister vos bons petits collègues, toujours lancés à mes trousses. À force de courir de droite à gauche, je réussis parfois à leur échapper..., pas assez souvent.* »

Reprise des travaux d'antiquités

Les négociations terminées, Mariette regagne Le Caire, profitant de l'occasion pour inspecter la Basse Égypte, et notamment les fouilles de Tanis, d'où il rapporte les célèbres statues « hyksôs »[1]. Reprenant l'aménagement du musée, il met en train la décoration de la salle des bijoux, avec l'aide d'Édouard :

« *Nous nous attachâmes à cette besogne, lui (Auguste), Henry de Montaut, dessinateur à l'Illustration, pour le moment en Égypte, et moi ; et, en l'espace de quelques jours d'un travail opiniâtre, nous couvrîmes murailles et plafond d'une peinture en détrempe, de style égyptien, dans le goût de celles qu'on retrouve à Biban el-Molouk, près de Thèbes, sur la paroi des tombes royales de la XIXe dynastie. Il en traçait le dessin, d'après le "Denkmaeler aus Ægypten und Æthiopien" de Lepsius, sertissait personnages et hiéroglyphes d'un trait noir, et Montaut et moi,*

---

1. Les Hyksos sont des nomades poussés par le mouvement migratoire qui bouleverse le Proche-Orient aux XVIIe et XVIIIe siècles av. J.-C. S'infiltrant dans la vallée du Nil par l'est du Delta, ils parviennent à dominer l'Égypte de 1700 à 1600 av. J.-C. environ, et constituent les XVe et XVIe dynasties de la chronologie de Manéthon. Des statues d'un style particulier, trouvées à Tanis, dans la région de leur première apparition en Egypte, leur étaient alors attribuées, de façon erronée.

nous appliquions la teinte plate désignée par le modèle. Ces peintures, vives de ton, se détachaient sur un fond gris encadré de la bordure classique, et décoraient gaiement, d'une façon très seyante, le coin le plus opulent de toutes les collections. »

Mariette drogman de luxe

Mariette est alors pressenti pour servir de guide au comte de Chambord, si l'Empereur des Français ne s'offusque pas d'une visite aussi légitimiste. C'est le début d'une série de voyageurs de marque que le Directeur des travaux d'antiquités aura, dans les années suivantes, régulièrement la charge de cornaquer pendant leurs excursions. Il accompagne donc en Haute Égypte, au début de novembre 1861, le futur Henri V, les ducs de Blacas et de Lévis, les comtes de Laferronnaye et de Monti, etc. Ensuite, il a juste le temps de passer à Saqqara, qui vient de produire un lot d'une vingtaine de statues de l'Ancien Empire, avant de repartir en Haute Égypte, cette fois en compagnie du Vice-Roi, que l'attente de la décision de la France rend nerveux, et qui souhaite se changer les idées en assistant aux fouilles. Le Directeur du Service s'adjoint donc Vassalli, et il emmène en croisière son épouse, Tady et Édouard. Au cours de ce voyage, une partie de la compagnie explore la grotte de Maabda, située sur la rive droite du Nil, à hauteur de Manfalout, une cinquantaine de kilomètres en aval d'Assiout. Édouard est terrifié par cette excursion avec Vassalli dans *« ce corridor étroit, puant, de trois pieds de haut, sillonné par des nuées de chauves-souris effarées, long de plus de quatre cents mètres qu'il fallait au moins une demi-heure pour parcourir dans les conditions indiquées* (à genoux) *»*. L'endroit, redécouvert en 1812 par un voyageur anglais de dix-sept ans, Thomas Legh, est littéralement bourré de momies d'hommes et de crocodiles, bien sèches et bien imbibées de résine. Certains corps sont cassés, voire en miettes (en 1843, le botaniste George Lloyd en a brisé à la

140

hachette pour récupérer les débris végétaux qui l'intéressaient...). Bref, il vaut mieux y surveiller les torches pour ne pas finir grillé, ce qui manque leur arriver. C'est d'ailleurs un gigantesque incendie qui détruira les vestiges en 1885. L'excursion familiale en Haute Égypte, en compagnie du Vice-Roi, dure jusqu'au début de l'année 1862.

Théodule Devéria en Égypte

Malgré cet emploi du temps digne d'un voyage organisé en Égypte à la fin du XXe siècle, Mariette garde à l'esprit les buts qu'il s'est fixés depuis 1858, et parvient à se faire dépêcher Théodule Devéria, pour l'aider aux futures publications. La lettre qu'Emmanuel de Rougé adresse le 26 décembre à M. de Nieuwerkerke pour appuyer sa demande est fort gracieusement tournée : « *Vous savez que M. Mariette travaille maintenant très difficilement et qu'on ne peut en tirer la copie d'aucune inscription quand il n'a pas M. Devéria pour aide. Ses yeux et sa tête sont un peu fatigués du climat.* » Arrivé le 15 janvier au Caire, Devéria doit y attendre le retour du *mamour*. Il visite le musée en compagnie du peintre et sculpteur Jean-Léon Gérome, baguenaude dans la ville et ses environs, et doit finalement se résoudre à partir pour la Haute Égypte sans Mariette. Saïd Pacha en effet, toujours anxieux, monopolise le Directeur du Service, qui n'a que peu de temps à consacrer à son collègue et successeur au Louvre.

Le bref journal tenu par Théodule Devéria au cours de son voyage de deux mois et demi, jusqu'à Ouadi Halfa et la Deuxième Cataracte, a ceci de charmant qu'il révèle un peu de l'état d'esprit et des occupations des excursionnistes sur le Nil. Ils tirent des oiseaux, nagent et canotent – quand il n'y a pas de crocodiles –, et découvrent que, selon un proverbe arabe, « *qui vole un œuf vole un chameau* ». Ils discutent philosophie à la brune, dessinent autant qu'il est possible, admirent les fêtes religieuses et les tours des illusionnistes, jouent aux échecs, visitent une sucrerie, et notent soigneusement les caractéristiques physiques et vestimentaires des différentes populations rencontrées. Ils croisent le prince de Galles à Assouan, ne ratent pas le spectacle de la *Danse de l'abeille* – et en sont déçus comme tout le monde –, se renseignent sur les coutumes matrimoniales et le prix des esclaves, et ils ont le plus grand mal à faire affranchir leurs lettres à Derr : le préposé n'a qu'un unique poids, on y ajoute donc des grains de sable. Ils observent le caméléon de l'un d'entre eux, et constatent qu'« *il change véritablement de couleur, mais il ne prend pas, ainsi qu'on le dit, celle de l'objet sur lequel on le pose. Il est difficile de voir une plus sotte bête* ». L'ambiance est donc plutôt bon enfant : les compagnons de Devéria parient avec le chef du bateau sur les horaires d'arrivée aux escales, tranchent à la canne les querelles d'équipage, invitent la compagnie de Gérome, rencontrée en Moyenne Égypte, à partager un plat de queue de crocodile à la sauce aux scorpions... Ils recueillent aussi de curieuses nouvelles : « *Le Vice-Roi ordonna l'année dernière à un de ses moudirs de prendre un de ses bateaux à vapeur, et d'aller lui chercher des émeraudes dans ces fameuses mines de la Nubie dont on parle depuis la plus haute antiquité. Le moudir obéit ; il arriva dans une contrée où il ne vit que sable et granit, pas la moindre pierre précieuse ! Il revint donc les mains vides vers son maître et seigneur et lui dit : "Il y a certainement là-bas beaucoup d'émeraudes, c'est un fait palpable et connu de tout le monde, mais, Altesse, elles ne sont pas mûres".* » Ailleurs, « *Un voyageur nous assure que Mariette vient de faire une intéressante découverte : c'est que la reine Cléopâtre portait un nez aquilin dans les circonstances officielles, et s'en payait un retroussé dans l'intimité* ».

Tout de même, Devéria n'oublie pas qu'il est là pour travailler. Il relève des inscriptions à Kom Ombo, Philae, Derr, Asfoun, Karnak, prend des mesures à Dendéra, Abou Simbel, dans la Vallée des Rois, et des estampages à Abou Simbel, Maharraka, Dakkeh, Karnak, Deir el-Bahari, Abydos, dans la Vallée des Rois et dans le tombeau de

Khâemhat. Il constate que les temples de Dendéra, Karnak et Edfou sont presque entièrement déblayés, et celui d'Abydos en bonne voie de l'être. Il rend également visite à Edwin Smith [1], qui s'est retiré au désert pour rédiger la publication de son papyrus médical. Devéria est de retour à Boulaq, où il retrouve Mariette, le 9 avril 1862.

Occupations de Mariette

Pendant ce temps, Mariette a pris soin du moral de Saïd Pacha qui attendait la réponse de Napoléon III. C'est également au début de 1862 que l'éternel prince de Galles Édouard (futur Édouard VII), alors bien jeune, et ses compagnons viennent égayer le musée de Boulaq de leur exubérance. Nous devons, une fois de plus, ce récit à Édouard Mariette :

« Conformément à l'usage, notre bateau à vapeur était à quai ; et, de plus, une mahonne, revenue de la Haute Égypte, toute remplie d'antiquités, attendait, sous une robuste chèvre dressée, qu'on la débarrassât de son chargement. Deux solides haubans partaient du sommet de la chèvre et couraient isolément s'enrouler à distance aux pieds de deux grands acacias. Tout à coup, le Prince, obéissant au caprice de ses vingt ans, s'écarte du groupe, enjambe le nœud d'une attache et se met à suivre, comme sur une corde raide, le hauban qui s'élève peu à peu jusqu'au dessus de nos têtes. Inutile de dire que l'effort est bientôt suivi d'un faux pas qui met brusquement fin à l'ascension. Mais l'exemple est donné ; et, sans perdre une seconde, chacun des membres de la suite, très jeunes pour la plupart, s'en vient successivement enfourcher le hauban et s'efforce de conquérir la première place dans ce nou-

---

1. Edwin Smith (1822-1906), Américain installé en Égypte en 1858, où il vit du commerce des antiquités et du métier de prêteur, à Louxor jusqu'en 1876. Excellent connaisseur de l'écriture hiéroglyphique et hiératique, il achète en janvier 1862 deux considérables papyrus médicaux.

veau genre de sport. *Je fais naturellement comme les autres, avec non moins d'ardeur, peut-être aussi, et non sans cause* (un entraînement assidu !), *avec plus d'adresse. Quelques chutes retentissantes soulèvent des explosions de rire et, pendant plus de vingt minutes, la visite du Musée se trouve transformée en exercices acrobatiques, soulignés par une gaieté générale aussi bruyante qu'inattendue...* »

Enfin, Mariette a fait connaissance avec le nouveau vapeur attribué au Service par l'administration, le *Menschiéh*, et s'en montre très satisfait :

« *Nous gagnons en moyenne 15 minutes par heure sur le n° 3* (le Samannoud), *c'est-à-dire 25 pour cent, ce qui est énorme. Au lieu de 10 heures pour aller à Béni-Souef, je n'en mettrai ainsi que 8 environ. Du reste le bateau va comme un charme, et la machine fait si peu de bruit et de mouvement que quelquefois nous nous figurons que le bâteau est arrêté* » (lettre à Édouard, 8 avril 1862, archives Édouard Mariette).

Théodule Devéria travaille pendant trois jours avec Mariette, puis c'est le départ pour Alexandrie.

Saïd Pacha invité en France

Entre-temps, en effet, l'invitation de Napoléon III à venir visiter la France, écrite de sa propre main, est parvenue au Vice-Roi, dont l'enthousiasme est décrit par Édouard Mariette, témoin de la scène :

« *Mariette, vous me demanderiez aujourd'hui un million comme bakschich, que je vous le donnerais. Il l'eût fait comme il le disait, mais Mariette ne réclama rien pour lui-même : il ne songea qu'à son œuvre scientifique, et il exprima le désir qu'on pressât l'achèvement du musée et qu'on lui fournît les moyens de publier ses découvertes. Saïd Pacha y consentit et de son propre mouvement, il ajouta une faveur toute personnelle : il décida d'envoyer Mariette à Londres en qualité de commissaire général de l'Égypte à l'Exposition universelle et lui alloua de ce chef une indemnité très forte.* »

144

La visite doit se faire, si l'on peut dire, sur la route de l'Exposition universelle, organisée à Londres par la Société des Arts.

La protection des antiquités se précise

Auparavant, la législation sur la sauvegarde des monuments se fait plus rigoureuse. On se souvient peut-être que la création du Service de Conservation des antiquités n'avait pas remis en cause les droits des titulaires de *firmans* déjà délivrés. Nous avons cité quelques cas où ces autorisations anciennes pouvaient prêter à contestation. En avril 1862, la question est en principe réglée, par de nouvelles instructions de Saïd Pacha à l'Inspecteur de Haute Égypte : « ... *il existe des gens qui, du temps de mes prédécesseurs, avaient obtenu des permis de fouilles ; sur ce, vous devez émettre des circulaires à l'attention des Moudirs, les informant que, si ces gens désirent continuer à fouiller en vertu des permis en leur possession, à partir de maintenant, le Moudir, dans la Moudiriah de laquelle la fouille est exercée, devra arrêter le fouilleur, retirer son permis, en prendre connaissance, nous en adresser une copie et attendre notre réponse à ce sujet.* »

La même année, la numismatique est à son tour protégée. Par exemple, un trésor de pièces anciennes est récupéré par le musée ; mais le Vice-Roi ordonne que l'équivalent de sa valeur en monnaie courante soit versé à l'inventeur. De nos jours, en France, il n'en aurait que la moitié.

Départ pour l'Europe – De Paris à Londres

Peu après l'adoption de ces nouvelles mesures conservatoires, le Chef du gouvernement et celui du Service de Conservation des antiquités partent pour l'Europe. Gabet est également du voyage, car il doit précéder à Londres le

Commissaire général Mariette, qui ne manquera pas d'être retenu à Paris le temps de la visite officielle de Saïd Pacha (archives Édouard Mariette, lettre du 27 avril 1862). L'équipe du musée, et Devéria, embarquent à Alexandrie sur le *Vulcain*, à la fin d'avril 1862. Pendant la traversée, Mariette et Devéria discutent du plan à adopter pour la publication projetée, qui est d'une ambition stupéfiante, et peut-être bien irréaliste : une première partie sur les fouilles du Sérapéum, une seconde sur les travaux du Service depuis sa création. L'éditeur devrait être français (Gide), et le financement égyptien. Sous le titre général *Fouilles exécutées en Égypte, en Nubie et au Soudan d'après les ordres du Vice-Roi*, doivent paraître *tous* les travaux du Service depuis 1858, chaque volume portant en sous-titre le site concerné.

Traversée de la Méditerranée, Trieste, Venise, le col du Mont-Cenis... Dès son arrivée à Paris, Devéria commence à dessiner les planches des futurs ouvrages.

Quant à Mariette, au même moment il lui faut repartir, sur ordre impérial, à Toulon pour y accueillir Saïd Pacha et l'escorter jusqu'à la capitale. Pendant tout son séjour à Paris, le *mamour* a l'insigne honneur de loger aux Tuileries, qu'il quitte en même temps que le Vice-Roi pour l'Exposition universelle de Londres. Dans sa gloire du moment, il n'oublie pas la bonne ville qui l'a vu naître, et promet de donner une collection d'antiquités égyptiennes au musée de Boulogne, qui de son côté souhaite obtenir un buste en bronze de l'égyptologue. À son départ pour Londres, Saïd Pacha embarque d'ailleurs à Boulogne et visite la ville, où l'accueil chaleureux que lui réservent les Boulonnais le comble d'aise.

À Londres, l'installation de l'Exposition n'est pas simple. Veillant au moindre détail, l'attentif Commissaire pour l'Égypte a dessiné lui-même les armoires et les vitrines et obtenu, par faveur spéciale, l'autorisation de les récupérer après le démontage de l'Exposition : elles resserviront dans les salles du musée de Boulaq. Après un mois de travail, Mariette regagne Boulogne, puis Paris, au retour du Vice-Roi de nouveau Boulogne, où il s'attarde pour un peu de repos.

Vie de famille à Boulogne

Il compte y demeurer jusqu'au milieu d'octobre, « *soignant à la fois ma santé qui n'est pas très bonne, et l'ouvrage que je vais enfin publier sous le titre de* Fouilles en Égypte, *ouvrage dont le Vice-Roi fait les frais* », écrit-il à Édouard, demeuré en Égypte. Monsieur et Madame Auguste Mariette demeurent alors à Boulogne, au 4, rue du Puits-d'Amour, avec leur fils aîné Tady, qui se remet d'une grave typhoïde, et leur fille cadette Louisette. Les trois filles aînées (Joséphine, Sophie et Marie) sont à la campagne, et les deux fils cadets (Félix et Alfred) en nourrice. « *Ma dyspepsie continue à me tourmenter. Je vomis toujours, et les maux de tête ne me quittent plus. Toutes les drogues du monde y ont passé, et en ce moment j'essaie de nouveau de l'électricité. Je ne sais encore si j'en tirerai quelque bien* », précise Auguste le 8 août (archives Édouard Mariette). Toujours prêt à venir en aide à sa famille, Auguste s'inquiète du sort de sa sœur Zoé, et débourse 2 500 francs pour libérer Édouard de ses obligations militaires.

Les Boulonnais de l'époque gardent un souvenir ému et fier des séjours de leur glorieux concitoyen. Ils se rappellent surtout la simplicité joyeuse qu'il manifeste à retrouver des camarades d'école, à évoquer les bons moments du passé, à plaisanter sur sa situation présente, comme il le fait un jour dans le cimetière où reposent ses parents : avisant le gardien des lieux, il lui demande : – « Vous êtes le concierge ? » L'autre répond : – « Je suis un conservateur de cimetière. » Et Mariette enchaîne : – « Tiens, comme moi ! » Et le conservateur du cimetière boulonnais de l'Est de s'ébahir d'un confrère conservateur des cimetières de Memphis, Thèbes, Dendéra et autres lieux...

147

L'Égypte en l'absence de Mariette

Pendant ce temps, Gabet a regagné l'Égypte. De nouveau chargé de l'intérim à la tête du Service de Conservation des antiquités, il envoie régulièrement son rapport. Vassalli est au Fayoum depuis le début d'avril, tâchant de voir si on ne pourrait pas joindre, à la trouvaille du Sérapéum, celle du fameux labyrinthe déjà recherché par Lepsius. Il n'y a pas trop d'absentéisme à Giza, un peu plus à Saqqara. Au musée, on continue de nettoyer des bronzes. Le frère d'Auguste, Édouard, employé par la Compagnie du Canal de Suez à la construction de la ville de Timsah, future Ismaïlia, passe tout l'été dans le désert, d'où il correspond avec Gabet [1]. Ce courrier nous apprend que l'un des *Sin-singe* du musée l'accompagne à Timsah et s'y conduit fort mal.

Retour en Égypte : Mariette Bey

Mariette regagne Le Caire, en compagnie de son épouse et de trois des enfants, au début de novembre. Saïd Pacha est si satisfait de l'accueil reçu en France, qu'il nomme Mariette « *Bey de Première Classe, en récompense des éminents services qu'il a rendus à la science et aux arts* », et lui accorde une pension réversible sur sa femme. Tout semble sourire au nouveau Bey : diplomate heureux dans ses tractations pour le compte de son pays natal, apprécié et honoré du souverain de sa patrie d'adoption, qui favorise la protection de ses chères antiquités, promet de financer le musée et les publications. Il s'est assuré le concours de confrères qu'il estime pour mener à bien « sa longue et lourde tâche ». Du milieu de novembre 1862 au début de janvier 1863, il a le plaisir de guider son ami Desjardins en Haute Égypte, et dépose au passage à Thèbes Gabet et Vassalli, qui vont avec un millier d'hommes fouiller à

---

1. Archives Lacau, papiers Mariette, n° 92.

Gourna. Préludant au défilé de têtes couronnées qui recher-cheront sa compagnie au moment de l'inauguration du Canal de Suez, des voyageurs de marque commencent à lui rendre visite, prouvant qu'il est de bon ton, lorsqu'on est au Caire, de faire la connaissance de M. Mariette. Après l'Angleterre, en la personne du prince de Galles, au début de 1862, c'est la Belgique, représentée par le duc de Brabant, futur Léopold II, qui se fait accompagner en Haute Égypte au début de 1863.

Mort de Saïd Pacha

La position de Mariette Bey paraît assurée. C'est alors que la mort inopinée de Saïd Pacha, le 18 janvier 1863, vient tout remettre en cause. Affligé à titre personnel et amical, le Directeur du Service de Conservation des anti-quités s'inquiète, à juste titre, pour son avenir. Comment Ismaïl Pacha, nouveau Vice-Roi d'Égypte, petit-fils de Muhammad Ali et fils d'Ibrahim Pacha, sera-t-il disposé envers le patrimoine archéologique et son défenseur ? Le musée de Boulaq ouvrira-t-il un jour ses portes au public ? Saïd Pacha a créé un Service de Conservation des antiqui-tés qui ne dépendait que de lui ; le nouveau Vice-Roi a le pouvoir de le dissoudre, ou de lui couper les vivres. Théodule Devéria, très au fait des difficultés économiques du pays, écrit immédiatement de Paris, pour proposer de continuer à dessiner les planches des futurs livres gratuite-ment, si les fonds venaient à être refusés par Ismaïl Pacha. Ce dont le Directeur ne veut pas entendre parler : *« Songez bien que je suis loin de vous demander un travail de simple réviseur d'épreuves, et qu'une direction scientifique comme celle que je réclame de vous est de celles qu'aucun prix ne peut jamais payer. Tranquillisez-vous donc, vous que j'estime infiniment : mais je crois que cette fois-ci vous vous exagérez le sacrifice que j'impose pour vous à la bourse du vice-roi, en même temps que vous amoindrissez vos propres services. »*

Ismaïl Pacha, Vice-Roi de 1863 à 1879

Au grand soulagement de Mariette, Ismaïl Pacha est favorable à la protection du patrimoine pharaonique. Desjardins reçoit en avril de son vieil ami l'appréciation suivante : « *Quant au nouveau Vice-Roi, il n'y a qu'à se louer de lui. C'est un homme réfléchi, méthodique, patient, qui n'entreprend une chose qu'après l'avoir méditée long-temps, et qui, une fois accroché à une idée, y reste. Je dois dire d'ailleurs que, pour ma part, je n'ai eu avec lui, jusqu'à présent, que les meilleures relations et que tou-jours j'ai trouvé en lui, toutes les fois que je l'ai approché, une dignité, une clarté de vues, une droiture d'intentions, tout à fait remarquables. Je crois fermement que, sous son administration, l'Égypte fera de vrais progrès.* » L'histoire en jugera autrement...

Le musée

Pour l'instant, le Vice-Roi est tout acquis à la cause de l'achèvement du musée, et les travaux d'agrandissement, prévus depuis 1861, sont en cours. Ismaïl Pacha projette même la construction, sur la place de l'Ezbékieh, d'un nou-veau et grandiose musée que Mariette décrit à Desjardins en mars 1863 :

« *L'édifice sera élevé sur le plan le plus large. Outre le musée d'antiquités égyptiennes, auquel est réservée natu-rellement la place d'honneur, il contiendra un musée d'an-tiquités grecques recueillies en Égypte, un musée arabe, destiné à conserver les admirables morceaux qu'on vend maintenant comme bibelots au Caire, tels que lampes de mosquées, chandeliers de cuivre avec nielles d'argent, vases ornés d'inscriptions coufiques, meubles en nacre, ouvrages de menuiserie et de marqueterie, en un mot, tous les débris de cette vieille civilisation arabe qui a laissé en Égypte de si brillantes traces. Enfin, au Musée du Caire s'adjoindra aussi l'Institut égyptien, dont le directeur sera secrétaire perpétuel ; cet Institut, bien entendu, amènera avec lui sa bibliothèque, qui sera tenue au courant et confiée à un conservateur ad hoc. Bref, le Vice-Roi désire, comme vous le voyez, faire du musée le véritable centre scientifique de l'Égypte. Avec la persistance que tout le monde reconnaît à Ismaïl Pacha, je ne mets pas en doute que ce beau projet ne reçoive son accomplissement. »*

Aménagement des locaux de Boulaq

En attendant cette réalisation de prestige, on hâte l'aménagement des bâtiments de Boulaq et l'installation des objets dans les salles, et on engage un artisan pour achever les peintures. En juin, Mariette écrit à Desjardins :

« Vous ne reconnaîtriez plus notre ancienne cour de Boulak. Au centre s'élève aujourd'hui un vaste monument, de style égyptien antique, et composé d'une dizaine de salles bâties sur mes plans. C'est notre musée provisoire. Je ne dis pas que nous serons là logés comme des rois ; mais au moins nous y posséderons un ensemble de galeries et nous pourrons ainsi attendre le musée définitif. A l'intérieur comme à l'extérieur, tout est peint à l'égyptienne, et les monuments vont bientôt commencer à prendre leurs places, soit sur leurs socles, soit dans leurs armoires. L'inauguration de ces nouvelles constructions aura lieu le 1er octobre prochain. »

Mariette muséographe

Pour la présentation des monuments, laissons Mariette décrire lui-même ce qu'il a cherché à faire :

« Je sais par expérience que le même monument, devant lequel notre public égyptien passe toujours distrait et indifférent, attire ses yeux et provoque ses regards dès que, par un artifice de mise en place, on a su le forcer à y fixer son attention : il est certain que, comme archéologue, je serais assez disposé à blâmer ces inutiles étalages qui ne profitent

en rien à la science ; mais, si le musée ainsi arrangé plaît à ceux auxquels il est destiné, s'ils y reviennent souvent et en y revenant s'inoculent, sans le savoir, le goût de l'étude et j'allais presque dire l'amour des antiquités de l'Égypte, mon but sera atteint » (*Notice des principaux monuments*, édition de 1864, p. 7-8).

Le point remarquable de cette introduction est que Mariette a conçu son musée pour les Égyptiens et pour les gens non avertis, pour instruire, et non comme un « cabinet » réservé aux spécialistes étrangers. De même, Henri Wallon note que tous les monuments de Boulaq ont une indication de provenance, et si possible une date, *« et cela donne à ce musée un avantage considérable sur les musées égyptiens étrangers »*. De toute évidence, Auguste Mariette est de ces gens qui, mal à l'aise dans la carrière d'enseignant, sont grandement doués d'esprit pédagogique.

Les stèles du Gebel Barkal

Les fouilles, quant à elles, se poursuivent, un peu ralenties et moins nombreuses qu'auparavant. Jamais elles ne retrouveront l'ampleur de celles des années 1860-1862. Pourtant, Tanis, Giza, Saqqara, Abydos et Thèbes sont toujours exploités. Dans le courant d'avril 1863, semble-t-il, le Vice-Roi adresse un ordre en Haute Égypte, pour que des gardiens soient installés sur les sites antiques, afin de les protéger. Au Soudan, un officier d'État-Major égyptien est de passage au Gebel Barkal situé sur la rive droite du Nil, à une cinquantaine de kilomètres en aval de la Quatrième Cataracte. Il tombe en arrêt devant d'énormes stèles, relève l'une d'elles à l'encre de Chine sur un calque, signale sa découverte au Service de Conservation des antiquités, en joignant le précieux relevé. Mariette expédie le calque à Emmanuel de Rougé, et celui-ci en tire la matière d'une communication à l'Académie des Inscriptions et Belles-Lettres, qui déchaîne l'enthousiasme. L'Institut de France doit justement, cette année-là, attribuer son prix de 20 000 francs. Le Bey s'estimerait coupable, dit-il, en tant que « *père d'une très nombreuse et très pauvre famille* », de « *laisser passer une occasion de laisser après moi à ceux qui portent mon nom un petit patrimoine* ». S'il alerte ses fidèles amis, il n'entreprend aucune démarche, autre que celle de hâter ses publications, ce qui exige de Théodule Devéria un surcroît de travail. Les quatre premiers cahiers du Sérapéum, les seuls qui paraîtront du vivant de Mariette, sortent de presse cette année-là. C'est Jules Oppert qui obtient le prix de 1863 pour son expédition en Mésopotamie, mais du moins le Directeur du Service de Conservation des antiquités est-il nommé Correspondant de l'Institut.

Le voyage du prince Napoléon

Lassé peut-être d'attendre que l'obélisque de Louxor quitte la Place de la Concorde, le prince Napoléon se décide enfin, au début de l'été de 1863, à faire son voyage en Égypte, en compagnie bien sûr de Mariette, son guide attitré, qui l'attend depuis 1857. Invité à bord du *Mens-chiéh*, il effectue sa croisière en pleine chaleur, restant la plupart du temps au frais à bord, à en croire les mauvais esprits. Il visite tout de même Philae, où l'inscription commémorant le passage de l'armée de son grand-oncle Bonaparte a été mutilée par des touristes, et plus tard annotée rageusement : « *On ne salit pas une page d'histoire !* » Graffiti sur graffiti...

Scandaleux graffiti

Une idée de l'opinion du Directeur du Service de Conservation des antiquités sur ce genre de pratique nous est donnée par Arthur Rhoné : « *A l'entrée de l'un des plus beaux monuments, M. Mariette nous montre avec une indignation et un étonnement qui ne faiblissent pas en lui, une société de noms français assez connus qui ont jugé intéressant de*

*s'inscrire au plus bel endroit, en grands caractères lapi-
daires profondément gravés. On ne sait quelle main venge-
resse les a voués de son mieux au ridicule en écrivant au-
dessus, en plus beaux caractères encore et pour l'éternité :
LISTE DES IMBÉCILES. Notre bey, qui veille avec amour
à la conservation de cette inscription, nous disait que rien
ne peut arrêter la sottise dévastatrice de nos compatriotes
à l'endroit des noms et des dates infestant les murailles
antiques et gâtant les inscriptions hiéroglyphiques. Les
Anglais s'en abstiennent assez depuis que certains avis
publiés dans les revues, les guides et les catalogues ont fait
appel à leur* honorability *; l'un d'eux, dans son zèle, a
même demandé à M. Mariette la permission de laver à ses
frais les grandes pyramides de Gizèh... ... Quant aux
Prussiens, ils font mieux que personne : la commission
scientifique dirigée par M. Lepsius pour la composition des*
Denkmäler, *ouvrage, du reste, immense et admirable, a
pris depuis longtemps possession de la grande pyramide de
Gizèh en inscrivant au-dessus de son entrée le nom du roi
de Prusse en beaux caractères hiéroglyphiques, dont la
rédaction empêchera heureusement, dit-on, qu'on ne le
confonde jamais avec aucun pharaon* » (1865).

Disgrâce de Mariette

Après le départ du prince Napoléon, Mariette retrouve
son musée, dont l'inauguration approche. C'est alors que
les choses se gâtent. À l'automne de 1863, presque subitement, il perd la faveur d'Ismaïl Pacha. En fait, ses adversaires, scandalisés de tant de succès, ont renoué le fil de
leurs intrigues et répandent sur son compte des rumeurs
accablantes : la réfection du musée coûterait des centaines
de milliers de francs (exactement 159 000 francs, chiffre de
l'adjudication des 9 et 21 juillet 1861, communiqué par
Gabet dans son rapport à Mariette [1]), dont la plus grosse

1. Archives Lacau, papiers Mariette, nº 83.

154

part se trouverait dans les poches de M. Mariette. Dans ces conditions, Ismaïl Pacha, devenu méfiant, rechigne à inaugurer le musée. Félicien de Saulcy [1], de passage au Caire en rentrant de Palestine, proteste auprès du Vice-Roi, qui décide finalement de ne pas entrer en conflit avec de si bons amis de Napoléon III, et fait inaugurer le bâtiment le 16 octobre. Des témoins prétendent qu'il est resté à la porte, sans visiter les salles. Ne désarmant pas, l'adversité change de registre : le véritable but de Mariette est de vendre l'Égypte à l'Empereur des Français, et en attendant d'y parvenir il trafique des antiquités avec madame Cornu. Les travaux du musée ne sont que de la poudre aux yeux, et si la conspiration française échoue, Mariette donnera le musée à l'Angleterre pour garder son poste, ou le lui vendra pour financer une retraite dorée sous des cieux plus propices... Lassé, Ismaïl Pacha, qui a déjà supprimé la corvée pour entraver le percement de l'isthme de Suez, compliquant par là le fonctionnement des chantiers archéologiques gouvernementaux, retire au Service l'usage de son vapeur, ce qui empêche toute inspection en Haute Égypte. Ainsi paralysé, Mariette ne se décourage pas, et trouve un autre moyen de s'occuper.

Vie de famille

Privé de son bateau, Mariette travaille chez lui, dans la maison qui fait face au musée. À Édouard, il donne les nouvelles suivantes, au début de novembre 1863 :

« *Tout mon grand et petit monde va bien. Éléonore engraisse. Joséphine a l'ampleur d'une pyramide, Sophie la grâce élancée d'un obélisque. Tady n'est encore qu'un jeune pylône qui promet. Quant au sieur Ferdinand, qui a*

---

1. Louis-Félicien-Joseph Caignart de Saulcy, archéologue et numismate français (Lille 1807-Paris 1880). Spécialiste des monnaies royales, de Philippe Auguste à François Ier, il s'est également intéressé à la langue égyptienne, spécialement au démotique. Il est venu en Égypte en 1863 et en 1869.

eu hier cinq mois, il est l'amulette mystique ut'u[1], sur laquelle tu peux trouver des renseignements très-ennuyeux dans le Rituel, livre ordinairement écrit en hiéroglyphes et non encore traduit.

Mon personnel se compose encore :

1° de Mad^{elle} Finette, jeune gazelle aux doux yeux à laquelle on met son couvert tous les jours à déjeuner. Je n'ai jamais vu de gazelle plus familière et sans façon.

2° de Madame Bargoutte. Toujours la même : elle déjeune d'un mollet d'anglais et soupe d'une culotte américaine. De temps en temps elle avale pour se faire les dents un effendi qui se met à crier comme un beau diable. Elle avait une fille, Mad^{elle} Toutou, morte on ne sait pas où. En ce moment, elle allaite deux petits chiens aussi laids qu'elle, ce qui fait que sa bonté n'est pas du tout augmentée.

3° de Mr Fiston. Singe aimable et très gentil. Il a inventé le mouvement perpétuel, et fait des yeux blancs quand on lui frotte les sourcils.

4° de Mr Sinsinge. Il est hydropique, et urine toutes les minutes, c-à-d 60 fois par heure. Après chaque marée, il court au fleuve boire un coup. Il a un gros ventre et un assez bon caractère. Il est en liberté, vu la maladie, ce dont il profite pour se faire enfermer dans l'armoire aux provisions.

5° D'une poule du Soudan. Elle n'a qu'une patte et l'air très bête.

6° Un mimine. Bête inconnue et sans nom, qui ne mange pas les rats.

Et ainsi de suite. »

L'inconvénient de ce chat qui ne mange pas les rats sera atténué en 1868, du fait de l'installation spontanée d'un « *ichneumon très familier, qui vient quand on l'appelle* » (lettre à Édouard, juin 1868, archives Édouard Mariette). Félicien de Saulcy, de passage à Boulaq en 1863, ajoute

---

1. Oudjat, œil humain agrémenté des « larmes » de faucon, très couramment utilisé comme amulette protectrice..

que la gazelle Finette préfère, à tout autre dessert, les bouts de cigare des visiteurs.

Visite d'Emmanuel et Jacques de Rougé

Mariette accueille au début de décembre les égyptologues Rougé, père et fils, Emmanuel et Jacques. Alléchés par les trouvailles du Gebel Barkal, estimant en outre que les publications promises, financées par le Vice-Roi, tardent beaucoup, ils ont la ferme intention de faire provision d'inscriptions inédites. Le *mamour* disgracié leur consacre tout son hiver : tournée à Giza, Saqqara, Tanis... À Tanis, il signale à l'attention d'Emmanuel de Rougé une importante stèle de Ramsès II, appelée « stèle de l'An 400 ». Enthousiasmé, le vicomte en relève l'inscription, qu'il publiera à son retour à Paris, ce dont Mariette conçoit un peu d'amertume.

Après quoi, précédée d'ordres aux *raïs* de dégager toutes les inscriptions susceptibles d'intéresser le Conservateur des antiquités égyptiennes du Louvre, et de nettoyer les abords des chantiers, la compagnie gagne la Haute Égypte. Emmanuel de Rougé repart en avril 1864, *« content de lui et content de moi »*, commente malicieusement Mariette. Certes, Rougé a de quoi être satisfait : il rapporte de cette expédition la matière de ses quatre volumes d'*Inscriptions hiéroglyphiques,* des *Recherches sur les monuments que l'on peut attribuer aux six premières dynasties de Manéthon*, et il a pu copier, juste avant son départ, en plein vent de sable, la stèle « de Piânkhy » (ou de Péyé), qui vient d'arriver du Soudan à Boulaq avec les quatre autres stèles du Gebel Barkal. Quant à son fils Jacques, il emporte dans ses cartons de quoi publier deux tomes d'*Edfou*.

Défense du budget du Service

Au printemps de 1864 a lieu la bataille pour les finances du Service : d'une part, il faut appuyer une demande d'augmentation de Gabet [1] ; d'autre part, les fouilles coûtent cher au pays de plus en plus endetté, et Ismaïl Pacha voudrait bien s'en faire l'économie. L'indomptable Directeur les défend férocement, obtient des crédits réduits de 94 500 francs à 53 050 francs – *« Mais que faire ? Quitter en ce moment l'Égypte serait briser à jamais des fils qui ne se raccommoderaient plus, puisque toute la machine des fouilles une fois par terre, il ne se trouvera personne pour la remettre debout. Dans ces circonstances, je me regarde comme un peu responsable envers la science et, malgré tous les déboires par lesquels on essaie de me décourager, je reste. »*

Publications

Mariette profite de son « temps libre » pour rédiger un article pour la *Revue Archéologique* de 1864, consacré à la « Table de Saqqara », découverte avec Vassalli en 1860. Il compose également un *Aperçu de l'Histoire d'Égypte depuis les temps les plus reculés jusqu'à la conquête musulmane*, publié en 1864 chez Mourès (Alexandrie), en français et en arabe. Cet ouvrage, destiné aux enfants des écoles égyptiennes, connaît un succès immédiat et durable : réédité à Paris en 1867 et en 1870, à Alexandrie en 1872, au Caire en 1874, il est même traduit en anglais par le frère d'Auguste, Alphonse Mariette [2]. L'influence qu'il exerce sur la jeunesse égyptienne est considérable, à en croire le commentaire d'Anouar Louca en 1977 : *« En Égypte même, la jeunesse lisait l'*Aperçu de l'Histoire d'Égypte *de Mariette, traduit par Abû s-Su'ûd– un élève de Rifâ'a [3] – et vibrait de patriotisme. L'enthousiaste préface du traducteur en témoigne : "Il faut nous réveiller de cette torpeur, dit-il,*

---

1. Archives Lacau, papiers Mariette, n° 94.
2. Mort en 1906, Alphonse Mariette avait épousé une Anglaise, vivait et enseignait en Angleterre où il fut précepteur des enfants royaux.
3. Rifâ' at-Tahtawi, dont il a été question au chapitre 2.

Trois portraits   de Mariette.

(En bas, à gauche)
Photographie prise en
1865 par Théodule
Devéria sur la terrasse
de la « Villa Mariette »
à Saqqara.
De gauche à droite :
Sophie (1849-1885),
Madame Mariette
(1827-1865),
Tady (1856-1879) et
Joséphine (1847-1873).
(Centre W. Golénischeff.)

(En bas, à droite)
Photographie
prise à Karnak
en 1876.
De gauche à droite:
M. de Rochemonteix,
Paul et Ambroise
Baudry,
Auguste Mariette,
Louise (1862-1884)
et Sophie.
(Centre Wladimir
Golénischeff.)

Dégagement du cent trente-cinquième sphinx du dromos du Sérapéum de Memphis. La profondeur de la tranchée est très exagérée. (Gravure du XIXᵉ siècle.)

Les « grands souterrains » du Sérapéum de Memphis. A droite et à gauche, les entrées des caveaux des taureaux Apis. (Gravure du XIXᵉ siècle.)

Statue d'Apis découverte par Mariette au Sérapéum en 1851.
(Musée du Louvre.)

Statue du dieu Bès,
provenant des fouilles
du Sérapéum.
(Musée du Louvre.)

Un relief du mastaba de Ti à Saqqara, déblayé en 1860. Un troupeau traverse le gué. V^e dynastie, vers 2400 av. J.-C.

Statue de Ti, provenant de son mastaba de Saqqara. (Musée du Caire.)

Pectoral, au nom de Ramsès II, découvert parmi les objets de son fils Khaemouaset, au Sérapéum de Saqqara. (Musée du Louvre.)

Giza. La pyramide de
Khéops, le sphinx et
le temple de la Vallée
de Khéphren, déblayé
par Mariette en 1854,
puis en 1860. (Centre
Wladimir Golénischeff.)

Statue de Khéphren
en diorite, provenant de
son temple de la
Vallée. IVᵉ dynastie,
vers 2500 av. J.-C.
(Musée du Caire.)

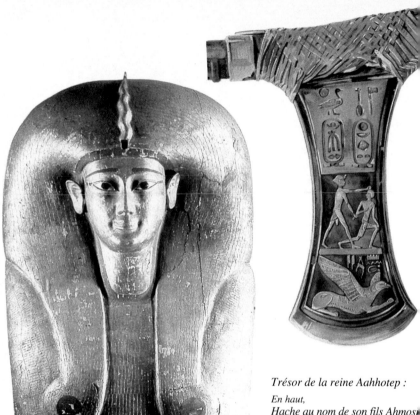

Sarcophage de la reine Aahhotep, découvert à Dra Aboul' Naga en 1859. XVIIIᵉ dynastie, vers 1550 av. J.-C. (Musée du Caire.)

Trésor de la reine Aahhotep :

En haut,
Hache au nom de son fils Ahmosis

En bas,
« Or de la récompense »,
pendentifs en forme de mouches

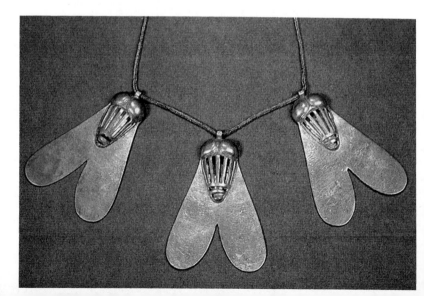

Maison de Mariette et de sa famille, au fond du jardin du musée de Boulaq. Mariette est mort dans cette maison, le 18 janvier 1881. (Centre W. Golénischeff.)

L'extérieur du musée de Boulaq avant l'inondation de 1879.

L'intérieur du musée de Boulaq avant l'inondation de 1879. (Centre W. Golénischeff.)

Rahotep et Nofret, statues retrouvées dans leur mastaba de Meïdoum en décembre 1871. IVe dynastie, vers 2600 av. J.-C. (Le Caire.)

« *La reine d'albâtre* », Aménirdis, divine adoratrice d'Amon à la XXVe dynastie, vers 700 av. J.-C. (Musée du Caire.)

Partie supérieure du tombeau de Mariette dans le jardin du musée du Caire. (Photo prise par Ch. Desroches Noblecourt avant le réaménagement du décor.)

par l'étude de l'histoire de nos aïeux afin que nous puis-
sions revendiquer leurs vertus glorieuses et, à leur exemple,
travailler ensemble comme de véritables Égyptiens et
comme de véritables patriotes au relèvement de l'Égypte."
Ainsi ce livre de Mariette aura produit sur les Égyptiens
contemporains plus d'effet que l'ouvrage monumental des
compagnons de Bonaparte ! » [1]

La « querelle des publications »

C'est pourtant à ce moment précis que débute la « querelle des publications ». Une partie du monde scientifique,
notamment britannique et allemand, se met à reprocher au
Bey sa lenteur à communiquer les innombrables documents
dont ses propres travaux le rendent dépositaire ; et Mariette,
conscient du problème, en conçoit une certaine amertume :

« Quant à l'affaire de la publication, il faut en sortir à
tout prix. Deux fois commencé, l'ouvrage [Fouilles en
Égypte] *a été deux fois interrompu...*

... Voici comment je comprends l'ouvrage : je ne veux
pas faire de luxe. Je désire au contraire éditer une sorte de
Vademecum *contenant des matériaux pour l'Égyptologie...*

... Pourvu que les textes y soient fidèlement reproduits,
peu importe que le papier soit plus ou moins fin, etc.
Cependant je voudrais quelque chose de présentable.

Un premier volume contiendrait le Sérapéum.

Un second volume contiendrait Edfou.

Un troisième volume contiendrait Thèbes.

Un quatrième volume contiendrait Abydos et Saqqarah.
– ainsi de suite. Je mettrais peu de texte, seulement j'y ajou-
terais beaucoup d'index destinés à faciliter les recherches.

Le devis arrivé, je le soumettrais au vice-roi. Si le vice-
roi veut me laisser faire l'ouvrage à ses frais, tout est pour

---

1. Anouar Louca, « Les contacts culturels de l'Égypte avec l'Occident », in *L'Égypte d'aujourd'hui - Permanence et changements,*
1805-1976, Paris (CNRS), 1977, p. 118.

le mieux. S'il ne veut pas, je suis décidé à le faire à l'aide de mes humbles petits capitaux. L'Empereur me prendra bien cent exemplaires ; le prince Napoléon cinquante ; le vice-roi cent. Avec cela, je me rembourserai. Mais il faut à tout prix que je sorte de cette situation fausse. J'ai planté avec beaucoup de peine un arbre. Je l'ai littéralement arrosé de mes sueurs. Je vois les fruits qui commencent à mûrir. Mais si je ne me hâte, ce n'est pas moi qui les mangerai » (lettre à Devéria, 17 juin 1864).

Au mois de novembre, le Vice-Roi accordera 28 000 francs.

Fouilles de l'été 1864

L'été voit aussi les fouilles continuer à Saqqara. Vassalli en congé pour deux mois en Italie [1], Marc Kabis, promu Inspecteur des fouilles, parvient à un accord avec les autorités locales, qui s'engagent à poursuivre et ramener les ouvriers fugueurs. L'accord, hélas, ne tiendra pas, car le fonctionnaire égyptien vient juste d'être nommé en remplacement d'un tyranneau de village, et son seul souci est de se ménager les bonnes grâces de la population... On signale la découverte, dans une partie de la nécropole de Saqqara, de momies de chats dans des sarcophages de calcaire, inscrits en démotique [2]. Pendant l'automne, c'est Abydos qui est à l'honneur : les deux salles hypostyles et les sept chapelles sont maintenant déblayées, et on attaque la partie sud du temple, ce qui amène la découverte de la « table d'Abydos », un relief du même genre que celui de Saqqara, avec une précieuse liste de 76 noms de pharaons antérieurs à Séthi Ier. La trouvaille est d'importance, mais Mariette n'a pas le temps d'en copier les inscriptions.

---

1. Archives Lacau, papiers Mariette, n° 96.
2. Archives Lacau, papiers Mariette, n° 96.

L'« affaire Dümichen »

J. Dümichen (1833-1894), égyptologue allemand, un élève de Lepsius et de H. Brugsch, et futur professeur à Strasbourg, passe par là quelque temps plus tard. Il s'empresse de relever la royale théorie et en adresse copie à son maître Lepsius, qui la publie dans la revue égyptologique nationale, la *Zeitschrift für ägyptische Sprache und Altertumskunde*. En tant que Directeur du Service de Conservation des antiquités, dont les travaux de déblaiement ont permis de découvrir le mur, Mariette est très chagriné du procédé : « *C'est moi qui tire le vin, il est bien juste que je le boive* », estime-t-il. Et « l'affaire Dümichen », additionnée de la « querelle des publications », cause de longues brouilles entre égyptologues. Pourtant, le vrai détonateur de cette bombe internationale est l'article que publie Ernest Desjardins dans *Le Moniteur*. Ce vieil ami du Bey l'admire tant qu'il n'a guère, depuis des années, que des propos méprisants pour les autres égyptologues, même français. Dans le cas de l'inscription d'Abydos, il prend parti contre Dümichen, Lepsius et Brugsch avec une telle violence franchement xénophobe que les choses ne peuvent plus s'apaiser d'elles-mêmes. Sa démarche est à peu près aussi démesurée que si on avait convoqué l'ambassadeur de Prusse pour lui faire des remontrances... Et Dümichen parle de se battre en duel avec Mariette ! Celui-ci, alors, lui envoie une lettre d'un ton très modéré, dans laquelle il se contente de déplorer que son nom ne soit pas même mentionné dans l'article de la *Zeitschrift*, et d'évoquer « *la question de délicatesse et de convenance que je n'envisage pas de la même façon que M. Lepsius* ». Mais le mal est fait : par exemple, profondément choqué de l'intervention de Desjardins, l'égyptologue chalonnais François Chabas proteste solennellement, et critique Mariette et Rougé pour leur non-communication de matériel scientifique.

Au milieu de tous ces tracas, quelques voyageurs plaisants viennent distraire le *mamour*, comme Ernest Renan, qui rend sur le pays un bien curieux verdict : « *L'Égypte est une Chine née mûre et presque décrépite.* »

Mariette rentre en grâce auprès d'Ismaïl Pacha

Une mésentente chasse l'autre, apparemment. Car la disgrâce du Vice-Roi est oubliée ! Par l'intermédiaire de François Bravay (« le nabab » d'Alphonse Daudet), une entrevue a eu lieu et tout est rentré dans l'ordre :

« *Grâce au ciel et à M. Bravay, ma brouille avec le Vice-Roi est enfin terminée et je suis rentré en pleine faveur. Une explication a eu lieu entre le Vice-Roi et moi à Alexandrie, et c'est là qu'à mon grand étonnement j'ai appris que toute ma mésaventure était due à notre ami ***, qui m'avait dépeint auprès du Vice-Roi comme un homme odieux, ennemi de l'Égypte, ne tenant à agrandir le Musée que pour le vendre à l'Angleterre (!), trafiquant des antiquités déjà trouvées avec Mme Cornu, etc., etc. Comme vous le pensez bien, je n'ai pas eu beaucoup de peine à faire revenir le Vice-Roi sur ces étranges accusations, et aujourd'hui la paix est faite* » (lettre du 7 janvier 1865, citée par H. Wallon).

Inspection en Haute Égypte

Ayant récupéré le *Menschiéh*, Monsieur, Madame et Mesdemoiselles Mariette partent en Haute Égypte. À Dendéra, où l'on dégage des chapelles en vue de la publication des inscriptions du temple d'Hathor, ils sont rejoints par toute une joyeuse compagnie, qui voyage aux frais d'Henry Péreire sur le bateau nommé *Qasd el-Kheir* : Théodule Devéria, Arthur Rhoné, qui a raconté ce voyage dans son livre *L'Égypte à petites journées*, Alexandre Surel, le Directeur des chemins de fer du Midi, le futur député Alfred Cibiel, et plusieurs personnalités du Canal de Suez, A. de

Chancel, l'Administrateur délégué, Sciama Bey, l'ingénieur avec son neveu, le docteur Companyo, médecin. Ayant déposé H. Brugsch qui se rend à Edfou en compagnie de Mariette, la troupe du *Qasd el-Kheir* prolonge son voyage en Égypte par une tournée en Palestine.

Publications, suite

Devéria ne suit pas ses compagnons de voyage en Terre sainte, mais se laisse convaincre de rester au Caire pour avancer les publications. Ismaïl Pacha a reconsidéré le projet : il n'entend plus financer d'ouvrage sur le Sérapéum, qui selon lui incombe à la France, mais il souhaite hâter la sortie des résultats des travaux du Service de Conservation des antiquités, notamment en vue de l'Exposition universelle de Paris, en 1867. Le climat du pays réussit bien à Théodule Devéria, qui a les poumons fragiles. Mais il recule devant les difficultés que la vie réserve aux égyptologues européens qui tâchent de s'y fixer, et écrit à sa mère :

« Quant à la possibilité d'un emploi qui me permettrait un séjour permanent en Égypte où je me trouve si bien du soleil africain, tu serais loin de le désirer si tu connaissais comme moi l'instabilité des choses de ce pays et le peu d'honorabilité des hommes qui y exercent le pouvoir. Quelle que soit la fonction qu'on y occupe, on peut toujours être remercié du jour au lendemain et congédié sous le moindre prétexte, ou même sans prétexte, comme un va-nu-pieds. Ce n'est qu'à force de diplomatie et d'habiletés qu'on peut se maintenir quelque temps. Notre excellent Bey a fait des prodiges en ce genre pour rester dix ans en fonction, et maintenant, après avoir beaucoup lutté et passé par toutes les phases de la faveur et de la disgrâce, il n'aspire plus qu'à venir se reposer en France où il n'a pas de position faite. Il en est exactement des petits comme des grands, et je ne me sens pas de force à remplir ce rôle. »

Théodule Devéria, qui doit assurer ses fonctions de Conservateur-adjoint au musée du Louvre, ne peut à lui seul dessiner toutes les planches du grand ouvrage projeté, notamment celles de Dendéra. Mariette essaie donc de s'assurer le concours du graveur Weidenbach, qui a collaboré aux *Denkmäler* publiés par l'expédition prussienne de 1843-1845. Il y parvient presque :

« *Je ne sais pas si je vous ai raconté mes nouveaux déboires à l'endroit de notre malheureux ouvrage des Fouilles. Weidenbach, comme vous le savez, était prêt à venir et tout allait se signer quand l'honorable et savant M. Lepsius a coupé court à tous les arrangements en nommant W. Conservateur-adjoint du Musée de Berlin, sans égard pour les droits de Dumichen qui au moins a pour lui d'être égyptologue. Vous comprenez qu'en présence de cette position qui assure à W. une certaine aisance jusqu'à la fin de ses jours, il n'a pas dû hésiter, et il reste à Berlin* » (lettre de Mariette à Devéria, le 7 août 1865. Archives du Cabinet d'Égyptologie du Collège de France).

Projet d'atelier lithographique au musée de Boulaq

Mariette envisage alors une autre solution, pour laquelle il demande conseil à Devéria, dans la même lettre :

« *Je n'ai pas besoin d'ajouter que je suis loin de renoncer pour cela à l'ouvrage, et c'est ici que j'ai besoin de vos conseils.*

Voilà ce que, d'accord avec le Vice-Roi, je voudrais.

Je voudrais établir au Musée même un modeste atelier de lithographie, de manière à publier ici l'ouvrage tout entier. Les planches seraient dessinées devant les monuments, puis transportées sur pierre, tirées, etc. etc., au Musée même. Au lieu de mettre sur la couverture à Paris, Firmin Didot, éditeurs, ou tout autre nom de ce genre, nous mettrions Le Caire, Imprimerie lithographique du Musée, *et tout serait dit. Vous comprenez les avantages énormes que peut avoir ce mode de publication, et je n'y insiste pas.*

Mais il faut que vous ayez la complaisance en premier lieu de me donner vos idées là dessus ; en second lieu de me faire un petit devis de ce que le matériel pourrait nous coûter. Je voudrais avoir ici un ou deux artistes qui se chargeraient des dessins et des lithographies, et que nous paierions à l'année. En connaissez-vous qui voudraient venir ? D'un autre côté sera-t-il nécessaire pour la manœuvre des presses d'avoir des ouvriers ad hoc *? Bref, je vous le répète, ayez la bonté de me donner une idée sur ce point. En principe je juge le système excellent. Mais il m'est difficile d'avoir une opinion sur l'application. Faites-moi le plaisir d'en causer avec M. Lemercier, et de me dire ce que je pourrais faire.*

J'ai parlé de cette affaire avec le Vice-Roi, et il est parfaitement dans ces idées. Son désir est, comme le mien, de faire tout ici au Musée. Ce n'en sera qu'un plus grand honneur pour son gouvernement. »

Restrictions budgétaires

Le projet, hélas, n'aboutira pas. Il aurait pourtant évité la mise au net et l'impression à Paris de reproductions de monuments situés au Caire, ce qui multiplie les risques d'erreurs. Il aurait par ailleurs permis de réaliser de substantielles économies, appréciées d'un Vice-Roi dont les difficultés financières deviennent chaque jour plus préoccupantes. Les crédits de fouilles sont très diminués, et à la fin de mars 1865, le chantier de Tanis est fermé, le *raïs* dépose chez le *Cheikh el-Beled* du matériel et des antiquités dont celui-ci devra prendre soin, et dont la liste est expédiée au Caire [1]. À la fin de l'année, les dernières corvées dont le Service bénéficie encore en Basse Égypte seront supprimées. Gabet est malade, et demande en avril quatre mois de congé pour aller se soigner en France [2].

---

1. Archives Lacau, papiers Mariette, n° 100.
2. Archives Lacau, papiers Mariette, n°s 101 et 103.

Avant de partir, il se montre très inquiet du sort de son poste pendant son absence. Des travaux de consolidation d'un mur du temple d'Edfou sont envisagés [1], mais ils ne pourront avoir lieu que bien plus tard. Les finances familiales de Mariette ne se portent guère mieux, et le Bey se fait rappeler à l'ordre pour retard de cotisation de revues familiales et domestiques en août [2].

Mort de madame Auguste Mariette

Mais tout cela n'est rien. Une épidémie de choléra terrorise Le Caire pendant tout l'été. Le Bey a pensé faire rentrer sa famille en Europe, mais son épouse n'a rien voulu entendre.

« Nous venons de passer de bien mauvais jours et notre pauvre Boulaq est pour ainsi dire dépeuplé. C'est navrant. Au Musée nous nous sommes trouvés au foyer même de l'infection cholérique, et nous avons dû fermer nos portes, par force majeure. Même opération à Saqqarah. Quand j'ai vu que nous y avions 3 ou 4 cas par jour sur 200 hommes, j'ai jugé nécessaire de renvoyer tout mon monde. Le Musée tout entier a été heureusement épargné. Pour nous, nous avons passé ce triste temps moitié au Caire, moitié à Saqqarah. Ma femme a eu une petite atteinte du mal et n'est pas encore entièrement remise », écrit Mariette à Devéria le 7 août 1865 [3]. Au moment où la maladie semble perdre de sa virulence, madame Mariette finit par en être victime. Brugsch, qui visite la tribu dans le jardin du musée de Boulaq le 13 août, est frappé de la brutalité de sa disparition : *« Je me joignis à eux et bientôt la conversation s'anima. C'était le soir, le soleil descendait déjà vers l'ouest et le crépuscule montait doucement, quand soudain*

---

1. Archives Lacau, papiers Mariette, n° 104.
2. Archives Lacau, papiers Mariette, n° 105.
3. Lettre, déjà mentionnée, conservée au Cabinet d'Égyptologie du Collège de France.

une chouette, qui s'était posée sur une des saillies de la corniche, au-dessus de la porte du musée, poussa à plusieurs reprises son cri aigu. Mme Mariette en parut s'effrayer et c'est presque avec angoisse qu'elle me dit: "Veut-elle appeler l'un d'entre nous ?" Trois heures après, elle ressentit les premières atteintes du mal. Au milieu de la nuit, je fus mandé au Musée, et je trouvai la malheureuse à l'agonie déjà. » Soignée sans succès par le docteur Revillout, de la mission anti-choléra envoyée par la France, elle meurt à l'aube du 14 août, à l'âge de trente-huit ans. Elle est enterrée au Cimetière catholique du Vieux-Caire.

CHAPITRE VI

D'EXPOSITIONS EN INAUGURATIONS :
1865-1869

Le budget de 1866

Mariette n'a guère le temps de s'apitoyer sur lui-même. Les tâches administratives l'absorbent ; il lui faut rassembler quantité de détails techniques sur le Service des antiquités, détails réclamés par le gouvernement, qui envisage des restrictions budgétaires. De 1860 à 1865 en effet, le « boom du coton » engendré par la Guerre de Sécession américaine a considérablement accru les revenus de l'Égypte. En 1865, le conflit a pris fin, et l'économie égyptienne s'en ressent. Au début d'octobre, on demande au *mamour* une liste complète de tous les employés sous ses ordres, avec mention de leur poste exact et de leurs appointements [1]. Il défend les *raïs*, qui lui sont particulièrement chers, en leur rendant ce magnifique hommage :

« *Les fouilles sont impossibles sans ces rêïs... ... Ces rêïs sont toujours des fellahs, nés en quelque sorte sur les ruines. Ils savent ce que c'est que les antiquités, ils les ont maniées depuis leur jeune âge ; ils connaissent les moyens de les trouver, ils sont en possession de ces mille petits secrets des ruines égyptiennes que moi-même, malgré ma longue expérience, je ne possède encore qu'imparfaitement. Pour les remplacer, j'ai essayé autrefois d'Européens, de cavass ; j'en suis toujours revenu aux rêïs. Un bon rêïs passe ses journées sous terre, au fond des puits ; il pioche de ses propres mains ; il a surtout l'avantage de ne pas user ses hommes à des travaux inutiles. Un cavass, au contraire, marche au hasard et n'a pas plus de raison pour diriger ses ouvriers d'un côté que de l'autre : il ne sait pas, comme le rêïs, suivre une piste. Bref, le métier de rêïs est un métier plus difficile qu'on ne pense et qu'on ne fait pas sans apprentissage. Le rêïs est aux fouilles ce que le mécanicien est à la machine.* »

En novembre, le couperet tombe ; un décret donne la liste exhaustive des membres du personnel que le Service des antiquités peut conserver, et de leurs salaires en livres égyptiennes : Mariette (Directeur du musée), Vassalli (secrétaire en français et Conservateur du musée), un surveillant et restaurateur, un surveillant du musée pour la nuit, deux gardiens, deux portiers, un magasinier, un jardinier, un porteur d'eau, un traducteur ; huit *raïs* de fouilles. Il faut leur ajouter les ouvriers à 300 jours de travail par an : un menuisier, un apprenti, un marbrier, trois polisseurs. Soit, en tout, 26 personnes [2].

---

1. Archives Lacau, papiers Mariette, n° 106.
2. Copie du décret dans les archives Lacau, papiers Mariette, n° 107.

Mariette Commissaire de l'Exposition de 1867

À la même époque, Ismaïl Pacha insiste pour nommer Mariette Commissaire général pour l'Égypte à l'Exposition universelle qui se tiendra à Paris en 1867, et promet des subventions – destinées en particulier aux publications – pour stimuler son enthousiasme. Les crédits sont effectivement débloqués en octobre. L'énergique Directeur écrit immédiatement à Devéria pour l'inviter à s'occuper des planches d'Abydos et de Dendéra, lui laissant quarante-cinq heures pour prendre sa décision, obtenir du Louvre son congé et faire ses bagages... Ensemble, Vassalli, Devéria et Mariette partent pour la Haute Égypte avec échelles et matériel, copient la grande inscription dédicatoire de Ramsès II à Abydos, rencontrent le général Desvaux, sous-gouverneur de l'Algérie, et l'escortent jusqu'à la Première Cataracte, rebroussent chemin et estampent à Dendéra « *tout ce qui mérite publication, c'est-à-dire environ quatre-cents bas-reliefs et inscriptions* » (Devéria). Le temps de navigation leur permet aussi de rédiger « *une monographie complète de tout ce qui est actuellement à découvert des admirables ruines d'Abydos* ». Ils sont rejoints à Dendéra par une excursion des enfants du Vice-Roi, et les voilà repartis jusqu'à la Première Cataracte. Profitant de ce deuxième passage à Assouan, ils relèvent des inscriptions inédites sur les rochers des environs, et dans l'île de Séhel. Délégué par Mariette qui lui accorde les pleins pouvoirs et toute sa confiance, Devéria, sitôt de retour à Paris, active la publication d'Abydos, et en confie les planches au lithographe Gohier.

Le pavillon égyptien de l'Exposition de 1867

À l'Exposition du Champ-de-Mars, l'Égypte sera surtout représentée par un pavillon, qui évoquera un temple, par un palais arabe et par un *okel*, sorte de caravansérail avec café, logements pour le personnel égyptien, ateliers et boutiques,

et une salle d'étude au premier étage. Mariette est maintenant âgé de 45 ans, il souffre du diabète (maladie mal
connue à l'époque, et mal soignée jusqu'à la découverte de
l'insuline en 1922) et de problèmes de vue (il a, semble-t-il,
failli perdre l'œil droit en octobre 1866). Loin de se laisser
abattre, il veille à tout. Son frère Édouard, qui est architecte,
trouve que le pavillon, « *sorte d'édifice gréco-pharaonique,
à la manière du Kiosque de Philae* » (en réalité, le mam-
misi), manque de sveltesse : au sol, 18 mètres sur 25, pour
une hauteur de 9 mètres ! Il tâche d'en convaincre Auguste,
dans une discussion que lui-même qualifie d'« *épique* » :

« – *Pour ma part, – lui dis-je timidement, – je préférerais
de beaucoup allonger le fût des colonnes, à la façon de
celles du Kiosque, avec des chapiteaux à feuilles de lotus
épanoui.*

– *Cela a été fait plusieurs fois.*

– *Ne trouves-tu pas plus de grâce dans les délicieux
chapiteaux de Kom-Ombos ou même de Kartas* (Kertassi)
en Nubie ?

– *Style de décadence !*

– *Pour les hiéroglyphes peut-être, mais comme architecture... S'il faut, à tout prix, frapper par l'originalité, ne vau-
drait-il pas mieux s'en tenir aux puissantes cariatides du
Rhamesseum ou, tout simplement, aux fûts proto-doriques de
Beni-Hassan ?*

– *Tu n'y songes pas. À Paris, on en ferait des gorges
chaudes, ou bien, – ce qui ne serait pas dépourvu de sens
critique, – on prendrait notre édifice pour quelque temple de
Pestum.*

– *En vue d'abriter les bas-reliefs de l'Ancien Empire,
un mastaba, décoré sur toutes ses faces d'un système de
rainures prismatiques et verticales, coupées par des filets
horizontaux, comme sur la tombe de Sabou à Sakkarah, ou
sur le malheureux sarcophage de Mykérinos, semblerait
mieux en situation.*

– *Je ne vois pas un* mastaba *au Champ-de-Mars.*

– *Il est clair que cette architecture renverserait bien des
notions courantes. Mais il y aurait profit réel, dans l'inté-*

171

rêt de notre moderne éclectisme, à en fournir une reproduction à grande échelle et soigneusement étudiée.

– *Comment alléger une pareille masse ? Tu n'oublies
pas qu'une salle d'exposition doit être très éclairée.*

– *Puisque notre temple est une sorte de synthèse de l'art
égyptien, ne convient-il pas d'y réunir le réalisme des Chéphren, la massivité des Ramsès et la grâce des Ptolémées ?*

– *C'est beaucoup demander... ... On a malheureusement
peu compris jusqu'à ce jour le style égyptien. Neuf fois sur
dix, les œuvres des artistes qui y ont eu recours, ne se sont
guère élevées au-dessus d'un passage du Caire, d'un com-
partiment de Sydenham Palace ou d'une salle de glypto-
thèque allemande. Il y a quelque chose de mieux à faire et
c'est ce que j'essaierai. »*

On propose à Mariette le somptueux granit pour matériau. Il s'écrie : « *Quelle hérésie ! tous les temples égyptiens sont construits en grès !* », et le pavillon, construit par
Drevet, sera en « grès », c'est-à-dire en blocs de plâtre sau-
poudrés de sable collé... Seul le dromos de dix sphinx qui
le précède sera en simili-granit.

Étant donné que son bâtiment n'est pas tant un édifice
utilitaire qu'« *une étude en quelque sorte vivante d'archéologie* », le Bey se préoccupe du moindre détail d'ornemen-
tation, qu'il ne veut en aucun cas confier aux improvisa-
tions fantaisistes des architectes parisiens de l'Exposition.
Pour les inscriptions, il se rend à plusieurs reprises en
Haute Égypte (Abydos, Gourna, Philae) et à Saqqara, pour
recueillir des documents. La salle intérieure du bâtiment
abritera des moulages réalisés à partir d'estampages de
tombes de la Ve dynastie. Le couloir de circulation sera
orné de reproductions de scènes historiques des XVIIIe et
XIXe dynasties, et les murs extérieurs de copies de tableaux
de Dendéra. Mariette prépare les fac-similés, et confie à
Brugsch le soin de les transférer sur pierre lithographique.
Ses échanges avec les dessinateurs et peintres fournis par le
Ministère égyptien sont souvent cocasses :

« *À chaque instant, le dialogue suivant s'engage entre
M. Schmitz et moi : "M. Mariette, ne vous semble-t-il pas*

que cette ligne serait un peu plus élégante si elle était arrondie par en haut ? – Monsieur Schmitz, soyez calme ; les Égyptiens ont fait cette ligne plate ; si elle est raide, ils en sont responsables, et non pas nous. – Cependant, monsieur Mariette, il va de soi qu'une ligne qui commence de cette façon ne peut tourner brusquement et finir de cette autre façon. Le bon goût... – Mettez, monsieur Schmitz, votre bon goût dans votre poche. Nous faisons de l'égyptien antique. L'égyptien antique met des yeux de face sur des têtes de profil ; il plante les oreilles sur le haut du crâne comme un plumet de garde national. Tant pis pour l'égyptien antique. Quant à nous... – Je comprends ; mais ce sera bien laid..." La conversation dure ainsi un quart d'heure. Après quoi, c'est M. Ulysse qui arrive. Ici le discours prend une tournure inverse : " – Monsieur Mariette, le dessin que vous avez fait est si joli que je ne puis le croire antique. C'est arrangé. J'ai consulté Owen, Prisse d'Avennes et la tombe de Ménephtah Ier dans la nécropole de Thèbes : évidemment c'est là de l'égyptien antique ou je ne m'y connais pas. Comment donc se fait-il que votre dessin... – Monsieur Ulysse, mon dessin est copié sur un monument que vous ne connaissez pas, voilà tout. – Copié ? – Copié !" Cette observation coupe court à la discussion pour quelques moments. Dix minutes après, M. Ulysse revient : "Monsieur Mariette, voici un petit projet dont je suis l'auteur et que je vous soumets. En voilà un qui n'est pas arrangé. Placez-vous à cinquante pas, et du premier coup d'œil vous serez surpris du cachet..." J'interromps M. Ulysse pour dire : "Monsieur Ulysse, malgré Owen, Prisse d'Avennes et la tombe de Ménephtah Ier, votre dessin n'a rien d'égyptien. – Cependant, monsieur Mariette... – Cependant, monsieur Ulysse..." Vadius et Trissotin entrent ici en scène. Comme je n'ai jamais su jouer la comédie, je m'esquive » (lettre à Charles Edmond, Commissaire parisien de l'Exposition, Le Caire, juillet 1866).

173

Anthropologie

La préparation du pavillon est aussi prétexte à de nouvelles recherches scientifiques. Mariette est très intrigué par le « problème racial » en Égypte, et se passionne pour l'anthropologie, comme beaucoup d'archéologues de l'époque. Déjà Prisse d'Avennes écrivait en 1860 à l'anthropologue Quatrefages de Bréau : « *J'ai commencé dans la nécropole de Memphis une collection de têtes contemporaines des Pyramides. Un de mes amis, employé aux fouilles du Pacha, m'a promis de compléter cette caisse et de me l'expédier aussitôt...* » La caisse en question contenait également quelques spécimens modernes, obtenus à l'hôpital du Caire et dans la région d'Assiout.

Quelques années plus tard, Mariette prévoit une galerie anthropologique à l'Exposition de Paris. À cet effet, il sélectionne différents types humains modernes de la Vallée du Nil qui, tout en faisant fonction de gardiens, illustreront la population du pays :

« *Au point de vue scientifique, deux questions surtout sont à soigner : C'est d'abord celle des Sémites, qui peuplaient le lac Menzaléh et qui me paraissent des descendants des anciens Hyksos... Il y a ensuite la question des Couschites de Khartoum, race de noirs et non pas de nègres. Il faut savoir, une fois pour toutes, à quoi s'en tenir sur ces gens à peau noire, à cheveux lisses, au nez aquilin. Voilà deux points qui intéressent plus particulièrement la science des antiquités... Nous vous enverrons : 1° des fellahs, de ceux qui, par leur conformation, se rapprochent le plus des statues de la IVe dynastie (6 000 ans) : on ne niera pas que ceux-ci ne soient de vrais Égyptiens ; 2° des Nubiens, race de Berbères à étudier ; 3° enfin des nègres du haut Soudan... Tout cela, vous le voyez, fera une tribu d'Égyptiens assez nombreuse. On pourra en employer quelques-uns comme gardiens dans l'intérieur du temple et dans les galeries proprement dites de l'Exposition* » (lettre du 3 mai 1866).

L'anthropologie se devant d'être comparative, Mariette réunit aussi des momies et fragments de momies : « *J'ai réussi à me procurer quelques têtes de l'ancien empire que je peux donner avec certitude pour contemporaines des Pyramides. C'est un pas énorme en avant. Le reste viendra tout seul. J'emporterai deux cents crânes de momies, avec la date approximative de l'époque à laquelle ils remontent »* (3 juillet 1866). Un peu plus tard : *« J'ai réussi à sauver six belles momies... Rien n'y a été touché ; vous les verrez telles qu'elles sont sorties du sein de leur mère... Si le cœur lui en dit, Sa Majesté l'Empereur, notre auguste maître, pourra venir assister en personne au démaillotage de ces intéressants sujets des Pharaons... Il y aura là une excellente étude à faire, sur le vif, des procédés d'embaumement en usage dans l'ancienne Égypte »* (lettre de Gourna, le 4 octobre 1866).

En fait, comme les recherches de Thibault Monier au Musée de l'Homme l'ont montré, quelque cinq cents crânes, et au moins sept momies, traversent la Méditerranée l'année suivante.

Beaucoup de ces échantillons antiques sont fournis à Mariette par Vassalli, qui en a conservé au moment des fouilles de Giza et Saqqara, de Dra abou'l-Naga et de l'Assassif à Thèbes. Il est également retourné dans la grotte de Maabda pour compléter sa collection. Vassalli ne fournit d'ailleurs pas exclusivement le Service de Conservation des antiquités, il est également pourvoyeur des amateurs italiens. Quant aux momies intactes, il faut une expédition dans la nécropole thébaine pour les joindre à l'ensemble.

Les prêtres de Montou, momies de laboratoire

Dès 1858, les fouilles du Service de Conservation des antiquités ont permis de découvrir à Thèbes des tombeaux collectifs, dans le temple funéraire de la reine Hatchepsout à Deir el-Bahari, sous le dallage, ou dans des puits situés aux environs. C'est là que les prêtres du dieu local Montou et leurs familles espérèrent, à partir de la Troisième Période Intermédiaire (environ 1085-715 av. J.-C.), trouver le repos éternel. Plusieurs dizaines, peut-être une centaine de ces notables, ont ainsi été tirés de leur cachette, au cours de fouilles du Service, qui se prolongent au moins jusqu'en 1866. Selon les inscriptions des bandelettes et des sarcophages, les momies de l'Exposition appartiennent à cette série.

Mariette à Paris

À la fin du mois d'octobre 1866, Mariette supplie Charles Edmond de le faire appeler de toute urgence à Paris pour les mises au point finales et la peinture du pavillon, qu'il tient à superviser lui-même. Il estime en effet que quatre mois ne seront pas de trop. Quittant l'Égypte avec trois cents modèles de scènes copiées sur les originaux, et des échantillons de coloris antiques prélevés sur les colonnes du temple de Philae, il demande à disposer de deux ou trois peintres – « *du monde intelligent* » – pour la décoration intérieure. Dans ce tourbillon d'activités, il déniche dans le bas de la colline d'Auteuil, près de chez son ami Ernest Desjardins, un provisoire havre de paix parisien, une maison sise au 44, rue La Fontaine, avec un petit jardin où les enfants pourront jouer. C'est là qu'il rencontre, en avril 1867, un étudiant de vingt et un ans que l'on dit prometteur. Il lui soumet des textes délicats, et s'ébahit de l'aisance avec laquelle le jeune homme se tire de l'épreuve : « *Il ira loin* », dit-il ; le garçon s'appelait Gaston Maspero.

Succès des momies de l'Exposition

Après les dernières retouches et corrections que Devéria, Brugsch et Mariette doivent apporter aux inscriptions maltraitées par les peintres parisiens, l'Exposition ouvre au public le 1er avril 1867. C'est un retentissant succès pour le pavillon égyptien. Les momies et crânes font fureur. Le

176

docteur Broca, Secrétaire général de la Société d'Anthropologie de Paris, est seul à pouvoir accorder l'accès à la collection anthropologique réunie par le Service de Conservation des antiquités. C'est lui aussi qui préside aux démaillotages solennels de momies, en présence de divers invités : le 27 mai, un véritable salon littéraire réunit, autour de Mariette et d'autres scientifiques, les frères Goncourt, Théophile Gautier, Maxime du Camp, Alexandre Dumas fils...

Voici le terrifiant récit des Goncourt dans leur *Journal* :

« Tout autour, sur des rayons de bois blanc, des crânes ficelés avec des chiffons, des têtes séchées, des crânes de toutes couleurs, les uns verts de la patine des bronzes, d'autres suintant sous le soleil de naphte et de bitume, d'autres tout noirs avec des morceaux carrés d'or plaqués, d'autres tout dénudés avec les beaux jaunes ivoirins des os, et les grands creux d'ombre du vide des yeux. Là-dedans, au milieu des fronts fuyants, un front renflé de pensée et de sagesse, noblement socratique ; et à côté, une tête de femme toute décharnée et qu'on rêve belle, coiffée de la luxuriance d'une chevelure roussie et carminée, comme tous les cheveux qui sont là, dont la natte, à demi émiettée, lui aveugle les yeux.

En travers, jetée sur une table, la momie qu'on va débandeletter. Tout autour, se pressant, des redingotes décorées. Et l'on commence l'interminable développement de la toile emmaillotant le paquet raide. C'est une femme qui a vécu il y a deux mille quatre cents ans [1] ; et ce redoutable et si lointain passé d'un être, dont l'œil commence à tâtonner la forme et dont on va violer l'immense sommeil, semble mettre dans la salle et dans la curiosité historique qui est là je ne sais quoi de religieux dans l'avidité de voir.

On déroule, on déroule toujours, sans que le paquet semble diminuer, sans qu'on se sente approcher du corps. Le lin paraît renaître et menace de ne jamais finir sous les mains des aides, qui le déroulent sans fin. Un moment,

---

1. Il s'agissait de Neskhonsou.

*pour aller plus vite et pour dépêcher l'éternel déballage, on
la pose sur ses pieds, qui cognent sur le plancher comme un
bruit dur des jambes de bois. Et l'on voit tournoyer, pirouet-
ter, valser affreusement, entre les bras hâtés des aides, ce
paquet qui se tient debout, la mort dans un ballot.*

*On la recouche et on déroule encore. Les mètres de toile
s'entassent, montent en montagne, couvrent la table de ce
linge au joli ton de safran rouillé d'une toile qui n'a pas
été blanchie. Et des senteurs étranges se lèvent, des par-
fums de poussière et de naphte, des émanations chaudes et
poivrées d'aromates et de myrrhe funéraire : les odeurs de
volupté noire du lit de la mort antique. Enfin, sous le
débandelettement, commence à s'esquisser un peu de la
forme humaine du corps : "Berthelot, Robin, dit Mariette,
voyez cela !" Un canif, qui fouille l'aisselle, en a fait sortir
quelque chose, qu'on se passe et qui semble être une
graine et une fleur qui a senti bon, un petit bouquet planté
là par l'Égypte sous le moite du bras de ses morts.*

*Les dernières bandes sont arrachées, la toile est à son
bout. Voilà un morceau de chair : il est tout noir et fait un
étonnement, tant on s'attendait, sous ce linge de deux mille
ans, tout frais, à trouver la vie de la mort et l'éternité
conservée du cadavre. Du Camp s'est jeté avec une sorte
de frénésie nerveuse au dépouillement du cou et de la tête.
Tout à coup, dans le noir du bitume figé au bas du cou,
reluit un peu d'or. Il crie : "Un collier !" Et avec un
ciseau, dans le pierreux de la chair, il fait sauter une petite
plaque en or, avec une inscription écrite au calame, et
découpée en forme d'épervier. Puis on fait encore sauter
un tout petit Horus et un gros scarabée vert. Mariette, qui
s'est jeté sur la petite plaque d'or, dit que c'est une prière
pour la réunion de son cœur et de ses entrailles à son
corps au jour éternel.*

*Les pinces, les couteaux enfiévrés descendent sur le
corps desséché, qui sonne le bois, dénudent cette poitrine
et ce ventre aplatis, déformés, insexuels, sillonnés dans
leur noirceur de taches de rouge cuit. Ils dépouillent ces
bras collés au corps, ces mains qu'un mouvement ankylosé*

*de pudeur, le mouvement même de la Vénus de Médicis,
abaisse sur le pubis avec leurs doigts aux ongles dorés.*

*Devant cela, Dumas fils, venu pour représenter ici l'esprit
du XIXᵉ siècle, cherche un mot de Paris, ne le trouve pas et
s'en va. Une dernière bande, arrachée de la figure, découvre
soudainement un œil d'émail, où la prunelle brune a coulé
sur le blanc, un œil vivant et qui fait peur. Le nez apparaît,
camard, brisé et bouché par l'embaumement ; et le sourire
d'une feuille d'or se montre sur les lèvres de la petite tête, au
crâne de laquelle s'effiloquent des petits cheveux courts,
qu'on dirait encore avoir la mouillure et la suée de l'agonie.*

*Elle était là, étalée sur cette table, frappée et souffletée
en plein jour, toute sa pudeur à la lumière et aux regards.
On riait, on fumait, on causait. »*

De nos jours, ce genre d'opération a lieu avec précautions, dans un milieu aussi stérile que possible, et ne peut
être public que si une caméra est dans la salle...

À la fin de juin ou au début de juillet, a lieu le solennel
démaillotage en présence de Napoléon III, d'Ismaïl Pacha
et de l'égyptologue François Chabas, qui prend des notes.
La Société d'Anthropologie de Paris a droit, elle aussi, à sa
séance privée, sans doute dans le cadre du Congrès international d'Anthropologie et d'Archéologie préhistoriques de
la fin du mois de juillet. Tous ces défunts et fragments de
défunts restent à Paris après l'Exposition, offerts pour partie à la Société d'Anthropologie de Paris, pour partie au
Muséum. Ils sont de nos jours conservés au Musée de
l'Homme (Laboratoire d'Anthropologie, Département
d'Afrique Blanche) après quelques tribulations qui ont
semé la confusion dans leurs numéros d'inventaires. Les
bandelettes des momies n'ont pas toujours été conservées.
Les cercueils, en revanche, sont retournés au Caire.

Conclusions anthropologiques

Dans le courant de 1868, Mariette correspond avec Franz
Prüner Bey, ancien collègue de Clot Bey en Égypte et

Président de la Société d'Anthropologie de Paris depuis 1865. Prüner étudie les crânes laissés à Paris, et communique à Mariette un avis qui nous paraît bien peu limpide : ceux de la XVIIe dynastie sont « éthiopiens » (Hérodote aurait dit « Macrobioi »), c'est-à-dire « couchites » pour un archéologue ; ceux des premières dynasties s'apparenteraient à ceux des Berbères kabyles, *« car, comme on peut le voir aujourd'hui dans les rues de Paris, la couleur des Égyptiens présentait et présente encore les mêmes nuances que celle des Berbères »*. Un peu plus tard, il rend son diagnostic sur les crânes de la XIe dynastie, plutôt du genre éthiopien, un ou deux étant peut-être franchement nègres, et quelques-uns tout à fait berbères-kabyles. La grande question étant, bien sûr, celle de l'origine de la *« race civilisatrice qui a édifié les Pyramides »*. Prüner Bey a une théorie : on peut évaluer la pureté d'une race par l'examen de la chevelure. En conséquence, il souhaite l'envoi de quelques échantillons capillaires, ainsi que de flèches en *« os de poisson »*, de fragments de bois de cercueil, etc., qu'il pourra comparer au matériel déjà observé. Le Directeur du Service de Conservation des antiquités de l'Égypte, de son côté, espère pouvoir compléter la collection par des représentants des autres dynasties, mais ne promet rien pour les crânes modernes : il faudrait trouver un arrangement avec les hôpitaux du Caire, et de récentes violations de sépultures rendent les autorités extrêmement méfiantes.

Mariette honoré

L'Exposition, avec tous ses à-côtés, est donc un triomphe, et le Commissaire pour l'Égypte, Auguste Mariette, reçoit les félicitations de tous les invités couronnés. Il est décoré de l'Aigle Rouge de deuxième classe par la Prusse en février 1867, et promu Commandeur de la Légion d'Honneur le 18 juin. Ismaïl Pacha lui-même est dans les meilleures dispositions : il vient de se voir accorder par le Sultan d'Istanboul le titre de Khédive [1]. Il congratule donc publiquement Mariette pour son magnifique travail si apprécié des visiteurs. Le public s'extasie devant les merveilles exposées dans le pavillon : la statue de Khéphren en diorite, le *Cheikh el-Beled*, la statue d'Aménirdis, une partie des bijoux de la reine Aahhotep, des statues de l'Ancien Empire, des statuettes divines, bronzes, amulettes, outils et ustensiles...

L'affaire des bijoux de la reine Aahhotep

Les bijoux d'Aahhotep surtout déchaînent l'enthousiasme... et la convoitise ! Il y a déjà longtemps qu'à la cour des Tuileries, certains nourrissent le contestable espoir de récupérer un jour en France ce qu'on appelle « *le musée de M. Mariette* ». Ainsi, en 1861, un écuyer de l'Empereur, M. de Bourgoing, à son retour d'Égypte, écrivait tout ingénument à Mariette : « *J'ai entretenu l'Empereur de vos grands travaux, de votre musée si curieux du Caire, et j'ai dit à l'Empereur que ce beau musée pourrait appartenir à la France, si on savait s'y prendre auprès du Vice-Roi. – Comment cela ? a répondu l'Empereur ; mais ce serait superbe ! – D'autant plus utile, Sire, ai-je dit, que si ce n'est pas la France, l'Angleterre pourrait bien en profiter. – Mais comment s'y prendre ? – Voyez M. Mariette, Sire : il vous le dira.* » Il ne faut donc pas s'étonner, après cela, des rumeurs qui ont valu au Directeur du musée sa disgrâce de 1863...

En 1867, une partie des trésors du musée du Caire est justement à Paris, et l'inévitable se produit. L'Impératrice Eugénie, connue pour sa délicatesse très relative, demande sans détour à Ismaïl Pacha de lui offrir les bijoux d'Aahhotep. Un peu désarçonné par cette audace charmeuse, le Vice-Roi n'ose pas un refus brutal et répond : « *Il y a*

---

1. Khédive : titre honorifique, signifiant approximativement « seigneur », « auguste », et porté par les Vice-Rois d'Égypte de 1867 à 1914.

quelqu'un de plus puissant que moi à Boulak, c'est à lui qu'il faut vous adresser. » Alors commence un ballet de courtisans autour de Mariette (Madame Cornu, le général Fleury qui est un ami personnel de l'Empereur...) : « *Très adroitement et sans avoir l'air d'y toucher, on m'a offert le titre et les appointements de conservateur au Louvre. J'ai bien vite accepté ; mais, le lendemain même, le lièvre des bijoux à donner a été levé ! Vous pensez bien que, sur mon refus, le titre et les appointements sont tombés à l'eau.* » Cette intransigeance, dont Ismaïl Pacha lui sait gré sur le moment, ne lui sera jamais complètement pardonnée par une cour impériale incapable de la comprendre, et dont il perd à cet instant le soutien bien utile dans les passes difficiles : « *Mariette ne dissimula pas un instant qu'en manquant de complaisance, il avait affaibli beaucoup sa position, mais il ne regretta jamais ce qu'il avait fait. Certes, il eût aimé voir au Louvre, à côté des trophées du Sérapéum, ces monuments qu'il aimait plus que ses propres enfants, mais la France l'avait cédé à l'Égypte pour qu'il conservât les antiquités sur le sol même qui les avait portées ; son devoir était de les défendre fidèlement, envers et contre tous, même contre ses compatriotes...* » (Maspero).

Heinrich Brugsch honoré

Compagnon de l'Exposition, H. Brugsch se voit proposer en septembre 1867 un poste de Professeur de démotique à la Bibliothèque Nationale. Avec un peu de malveillance, les commentateurs français y voient la raison pour laquelle Lepsius s'empresse de faire créer une chaire d'égyptologie à l'Université de Göttingen. La chaire est destinée à Brugsch, qui ne peut que l'accepter, mais l'abandonne un an plus tard, pour retourner en Égypte. Procédé sévèrement jugé par les susdits censeurs...

Retour en Égypte

À la fin de l'année 1867, après les fastes de l'Exposition, le retour en Égypte inaugure pour Mariette une nouvelle période de désillusions :

« *J'ai trouvé (entre nous) l'Égypte dans un désarroi abominable. Tout est désorganisé. On doit onze mois de solde aux employés du Musée, et je te laisse à penser la mine que fait Floris. Les menuisiers, les marbriers ont été renvoyés. Le bateau à vapeur m'a été retiré, puis, sur ma menace de démission, rendu. Quant à moi on me doit 13 mois, dont je n'ai pas encore réussi à toucher un centime. Il va sans dire qu'on a voulu aussi suspendre les fouilles. Mais j'ai tenu bon, et j'ai conservé 50 hommes à Saqqarah et Abydos au complet. De ce côté je n'ai pas à me plaindre. – Si j'avais été un peu plus canaille, ma fortune était faite. En appuyant de certaine façon sur les tribulations dont je suis l'objet, je me faisais renvoyer. De là réclamations consulaires. Je disais : Donnez-moi le Musée et je vous tiens quitte. On ne voulait pas. 22 mille monuments, c'est trop. Mais alors je demandais innocemment 100 monuments, à mon choix. Je prenais le Chéphren, les 5 stèles de Gebel Barkal, le cheikh-el-Beled, la reine, etc., etc. J'en avais tout de suite là pour un million, et je rentrais planter mes choux en France* » (lettre à son frère, le 4 janvier 1868).

Mariette se voit refuser le remboursement de ses dépenses parisiennes. Il n'en blâme pas le Vice-Roi, qui est seulement, selon lui, mal conseillé. Tous les salaires des fonctionnaires, en effet, sont diminués d'autorité, hormis celui de Mariette à la demande expresse d'Ismaïl Pacha. En outre, la corvée n'est toujours pas rétablie, et le *mamour* ne peut occuper aux fouilles que les quelques centaines d'ouvriers qu'il est en mesure de payer sans outrepasser son budget, là où il lui est arrivé de disposer de milliers d'hommes. Enfin, le secrétaire-interprète du musée, devenu aveugle, a été mis à la retraite sans remplaçant, et toute la correspondance officielle est paralysée pendant plusieurs mois.

Au début de janvier 1868, Mariette Bey doit partir pour

la Haute Égypte, précédant le Khédive qui veut assister aux fouilles de Thèbes, et cela ne lui sourit guère : « *Ce qui arrivera est facile à prévoir. Si on trouve quelque chose, il dira que je l'ai enterré la veille : surprise des têtes couronnées ; si on ne trouve rien, il m'accusera de maladresse. De toutes les façons, je vois ce voyage de mauvais œil. Du reste, à moins de trouver des trésors en or ou en argent, le plus important papyrus, la stèle la plus instructive ne seront jamais jugés que de médiocre valeur.* »

Mésaventures des objets prêtés à Paris

Au retour du voyage d'inspection, l'ouverture des caisses arrivées de Paris lui cause de nouveaux tourments : certaines statues, emballées sans assez de précautions, sont cassées et il faut les restaurer (Aménirdis, quatre statues de l'Ancien Empire) ; pire encore, le Cheikh el-Beled et une autre statue ont subi un moulage non autorisé :

« *J'ai examiné soigneusement le monument, l'ai fait examiner par un mouleur allemand de profession du Caire ; nous avons soumis les taches à la loupe, et nous avons acquis la conviction que tout au moins la tête a été moulée à Paris. Que ce soit en plâtre ou en gélatine, peu importe. Le mal principal vient de l'humidité qui a oxydé et continue encore à oxyder le bronze des yeux, et qui en a terni la transparence... Mallet a employé des ouvriers sans aucun doute infidèles. La chose s'est faite, avant la clôture de l'Exposition, pendant qu'on moulait le Chéphren et la reine d'albâtre. En définitive, de quelque surveillance que nous ayons entouré ces ouvriers, il nous fallait bien prendre notre temps de déjeuner. Bref, pour des ouvriers malintentionnés, il y avait mille occasions par jour de profiter d'un quart d'heure pendant lequel on avait le dos tourné pour faire le coup. Mais, le mal fait, il ne faut pas que Mallet en profite. Comme directeur du musée, je suis responsable vis-à-vis la science en France, en Allemagne, et partout, de la conservation et de la durée d'un monument*

184

désormais célèbre. Si le monument périt, c'est à moi qu'on s'en prendra ; mais vous comprenez très bien que si un jour ou l'autre on voit paraître dans le public des moulages de la tête de notre bonhomme, inévitablement on dira que la tête a été moulée et que le moulage en question est la cause de la maladie que fait en ce moment la statue. Il faudrait, mon cher ami, que vous vissiez Mallet et qu'à tout prix vous retiriez le creux qu'il doit avoir. Autrement, comme la chose s'est certainement faite sans votre consentement et sans le mien, je mets ma responsabilité à couvert en faisant savoir avec le plus d'éclat possible qu'il y a eu abus de confiance de la part du chef mouleur que nous avions béné-volement introduit dans le temple pour mouler le Chéphren et la reine d'albâtre (la divine adoratrice Aménirdis), *et alors Mallet subira les conséquences de son propre manque de surveillance... ... La statue de femme en bois foncé a dû être aussi moulée. Dans les rainures de ses cheveux nous avons enlevé à la pointe du canif une bonne quantité de substance jaunâtre qui n'est pas du plâtre. En outre le monument nous est arrivé huilé de la tête aux pieds.* »

Furieux de ces accidents, offusqué de l'affaire des bijoux de la reine Aahhotep, Mariette ne prêtera plus, aux exposi-tions suivantes, que des reproductions ou des œuvres mineures.

Soucis familiaux

Aux tracasseries professionnelles et financières, il faut ajouter une vie personnelle singulièrement compliquée par la mort d'Éléonore Mariette. De cette épouse et mère de famille, nous ignorons pratiquement tout, hormis cette appréciation de Mariette lui-même à un de ses amis, le sculpteur Alphonse Lami, en 1857 : « *Ma femme ne paie pas beaucoup d'extérieur ; mais elle est de celles qui négli-gent la forme pour le fond. Personne n'aime plus qu'elle son mari ; personne ne la surpasse en dévouement absolu, en prévenances, en amour, et je lui dois aujourd'hui*

185

d'autant plus de soins que, vous le savez, je lui ai fait autrefois plus de peines » (lettre écrite de Girga, Moyenne Égypte, le 29 novembre 1857). Elle semble avoir assisté efficacement son savant de mari dans tout ce qui regardait à l'existence quotidienne, et sa disparition a laissé Auguste assez désemparé. En 1868, il est pour la première fois au Caire, seul (Édouard est resté en France) à prendre soin des cinq enfants qui l'ont accompagné : Joséphine et Sophie, Tady, Félix et Alfred. Les choses ne se passent pas très simplement, et il envisage de les renvoyer tous en France :

« *Du reste, en ce qui regarde les enfants, il faut également que je prenne un parti. Les médecins ne disent trop rien en ce qui regarde Joséphine dont la santé ne s'améliore pas. Mais il faut que Tady aille en France. Quant aux deux petits bonshommes, la surveillance est trop grande, car c'est moi qui ai toute la charge sur le dos. Joséphine ne fait absolument rien pour les divertir, et tu sais que Sophie ne s'inquiète pas plus d'eux que s'ils n'existaient pas. De cette façon je suis obligé de tout faire. Leurs habits, leur coucher, leur éducation, surtout leurs va-et-vient dans la cour et le jardin, c'est moi qui ai tout sur le dos. Je leur sers de mère et de père. Or c'est un rôle qui ne me va guère. Dans ces circonstances, je songe sérieusement à les joindre à Tady... Si Joséphine est obligée de partir par ordonnance de médecin, il faudra bien que Sophie s'en aille aussi. Je resterai donc tout seul, et cette perspective m'épouvante. C'est là même, je te dirai, la cause de l'aggravation de ma maladie. Je ne suis plus heureux. J'ai des soucis, je m'ennuie. Forcé de me concentrer en moi-même, je m'use un peu plus tous les jours, et malheureusement ni Joséphine, ni Sophie n'ont compris cette situation, car il arrive des jours et des semaines où elles sont littéralement sans venir me voir dans mon bureau une fois, et où tout au plus elles me parlent aux heures des repas. Ce sont des enfants qui n'ont pas compris leur rôle. Elles devraient être la joie et la gaîté de la maison, et essayer de me faire oublier par leurs prévenances, par leurs petits soins, que je suis seul. C'est tout le contraire. Mes habits eux-mêmes, je suis obligé de les entre-*

186

tenir de ma main, et littéralement cet hiver il est arrivé un moment où je n'avais plus un seul pantalon avec boutons complets à mettre. Les enfants le savaient, et il ne leur venait même pas à la tête de m'offrir de les coudre. Tout cela est la cause de la maladie de Joséphine. Il est évident que, dans un corps comme le sien qui s'affaiblit de jour en jour, le ressort de l'espoir tend aussi de jour en jour à se détendre » (lettre à Édouard, 17 avril 1868, archives Édouard Mariette).

La garde-robe du *mamour* n'est pas seule à souffrir : les vêtements d'hiver des trois garçons, qui sont en pleine croissance, arrivent de Paris avec des mois de retard, et la mise des « *trois moutards* », comme les surnomme leur père, est plutôt cocasse...

La santé de Mariette, bien entendu, se ressent de ces tristes conditions, et il ajoute dans la même lettre : « *Mes anciens vomissements ont repris de plus belle, avec aggravation de petits mouvements de fièvre. Je suis en traitement pour un catarrhe chronique de l'estomac. On veut m'envoyer aux Eaux. Mais je ne sais si j'obtiendrai un congé.* »

Amertume générale

L'été de 1868 trouve le Directeur du Service dans de tristes dispositions. Il a l'impression que le musée est « *la dix-septième roue à la voiture du Vice-Roi* ». Il est obligé d'emprunter 9 000 francs en juillet, et il est très tenté, pendant quelques mois, de tout abandonner, fermer le musée et rentrer en France avec « *les honneurs de la guerre* » (lettres à Édouard, de janvier à juin 1868, archives Édouard Mariette). Il médite sur le bilan de son séjour à Paris :

« *J'ai donné à l'Exposition près de deux ans de mon temps... Que m'en est-il resté ? Le voici. Je me suis brouillé avec Mme Cornu, ma première protectrice en France, celle qui tiendrait en main mon avenir, si les circonstances voulussent (sic) que je fusse obligé de quitter l'Égypte. J'ai dépensé au-delà de mes ressources 14,000 francs, que je dois à mon banquier... qui, un jour ou l'autre, oubliera bien vite les sacrifices que j'ai faits pour lui et les services très désintéressés que je lui ai rendus, pour me mettre le couteau sur la gorge. Enfin j'ai encore perdu les 7,500 francs que l'Empereur voulait me rendre, et qui représentent mon traitement de conservateur au Louvre... L'Exposition est finie, morte, enterrée. J'avais espéré que, par elle, j'arriverais à pouvoir publier mon ouvrage, ce qui est maintenant ma seule raison de vivre. Il n'en a rien été... Quant au Vice-Roi, si j'ai un regret à formuler, c'est qu'il ne sache pas mieux reconnaître et encourager ceux qui, autour de lui, le servent sans l'exploiter. Voilà, mon cher ami, une bien longue confidence. Ne m'en veuillez pas. Je suis très souffrant au physique et très aigri au moral. C'est surtout mon malheureux ouvrage qui me tient au cœur. Non pas que j'y voie un marchepied à me construire, mais l'ouvrage en question est une dette que j'ai contractée envers la science, et je rougis littéralement de ne pas pouvoir la payer. Là est la plaie saignante de mon cœur. Avoir fouillé dix-sept ans, avoir en main les plus beaux matériaux du monde, être l'objet de l'attention de la science européenne tout entière, être commandeur de la Légion d'honneur, et n'avoir pas même un malheureux petit bouquin à montrer. Je regarde cela comme une honte et comme un vol. A tout prix, il faut que l'ouvrage se fasse, il faut que je livre à la science ce que, par avance et se fiant à moi, elle m'a payé en considération, autrement je suis perdu »* (lettre à Devéria, 12 août 1868).

Publications, suite

C'est précisément aux publications que Mariette consacre le reste de cette année-là. Il termine de copier, mesurer et dessiner 115 mastabas, achève le texte destiné à la *Revue Archéologique* de janvier 1869 : *Sur les tombes de l'Ancien Empire que l'on trouve à Sakkarah* (l'ouvrage complet, *Les mastabas de l'Ancien Empire*, ne paraîtra qu'après sa mort). Quant à la grande entreprise que le Vice-Roi doit financer depuis 1862, sa gestation est laborieuse et sujette à rebondissements. En 1868, la fabrication des *Fouilles exécutées en Égypte, en Nubie et au Soudan d'après les ordres du Vice-Roi* est paralysée. Les fonds sont épuisés, et l'éditeur parisien Vieweg refuse de continuer sauf souscriptions. Mariette enrage : « *En manuscrit, Éléphantine, Assouan, Dendérah, Tanis, Abydos, tout prêts, et la moitié de Saqqarah. C'est trois ou quatre volumes que je puis mettre sous presse à l'instant même si j'avais l'argent. Mais où trouver l'argent ? Le Vice-Roi ne dit ni oui, ni non. Supposons que j'obtienne une subvention de l'État en France. Mais alors le Vice-Roi se déclarera offensé, et il faudra donner ma démission...* » (lettre à Devéria, 12 août 1868). Pendant ce temps, le gouvernement égyptien réclame les 400 exemplaires déjà confectionnés (Gebel Barkal et Abydos), qu'il a financés, et que Mariette destine au public français. L'administration se propose de les répartir dans les écoles des dix-sept provinces égyptiennes : le texte est en français ? Tant pis, il reste toujours les images ! Aux dires des amis du *mamour*, c'est un peu sa faute. Il a en effet « *une aversion bien caractérisée pour tout ce qui est comptabilité financière et rendement de comptes obligatoires* » (Maspero). Mariette lui-même décrit cette « aversion » de pittoresque façon, dans une lettre à sa sœur Zoé : « *Une fois qu'il faut compter par doit et avoir, je m'embarbouille, et je trouve que mes hiéroglyphes sont un miroir de clarté auprès de ces ténèbres* » (lettre du 5 décembre 1869, archives Édouard Mariette). Les fonds destinés par le gouvernement à l'éditeur lui servent parfois à toute autre chose (fouilles, achat d'objets ou de matériel...). Après quoi il contracte un emprunt pour régler l'éditeur (ou les intérêts de l'emprunt précédent...), et ainsi de suite. Néanmoins, il essaie d'intéresser la France à son entreprise. Brouillé avec l'entourage impérial depuis l'Exposition universelle, il ne doit plus en escompter de souscription, et cherche un autre moyen. Le Ministère de l'Instruction publique, sur l'intervention d'Ernest Desjardins et Victor Duruy, propose son aide pour Dendéra, œuvre commune de Mariette et Devéria. Mariette se fait fort d'expliquer au Vice-Roi, s'il se vexait, que Dendéra n'est pas la publication de fouilles, mais une entreprise personnelle. Vieweg accepte. Il faut alors faire brusquement machine arrière : Ismaïl Pacha s'est décidé à financer huit volumes, mais il souhaite maintenant une parution progressive, site par site et sans le titre général *Fouilles exécutées en Égypte, en Nubie et au Soudan d'après les ordres du Vice-Roi*. Il faut alors faire retirer de la vente les volumes des *Fouilles* déjà parus.

Le *mamour* doit s'adapter, bon gré mal gré, à toutes ces péripéties. À l'automne de 1868, il se résout à envoyer en pension, en France, ses trois fils Tady, Félix et Alfred, et demeure au Caire dans la seule compagnie de Joséphine et Sophie. Apparemment, l'activité réussit au moral du Bey, beaucoup plus serein au début de 1869 qu'à l'été de 1868 : « *En vieillissant je me fais philosophe à mesure que ma barbe blanchit. Autrefois je serais entré dans des déses-poirs sombres, suivis de colères bleues. Aujourd'hui je pense que la vie est une traversée entremêlée de mal de mer. Quand il fait beau, je monte sur le pont, je respire la brise. Quand il fait mauvais, je me couche, je me résigne et je vomis, en pensant que je ne suis pas le bon Dieu, et que ce n'est pas moi qui ai fait le monde.* »

Préparatifs de l'inauguration du Canal de Suez

L'agitation reprend au Caire : le Canal de Suez doit être inauguré le 17 novembre 1869, et Mariette est tout désigné pour guider les invités de marque. Pour l'en convaincre, Ismaïl Pacha lui fait miroiter des crédits pour les fouilles et les publications, et de quoi ajouter deux salles au musée (« *Deux belles salles qui m'ont aidé à me débarrasser d'un tas de monuments dont nos magasins commençaient à être encombrés* »). Les travaux reprennent donc à Saqqara, Abydos, Assouan, Edfou, Thèbes, Dendéra, le Fayoum,

Tanis sous la responsabilité de Daninos, assistant au Louvre qui vient de rejoindre l'équipe du Service de Conservation des antiquités, en remplacement de Gabet, qui est mort en 1869. Sans enrichir considérablement le musée, les résultats sont scientifiquement intéressants. C'est à ce moment que Mariette renonce à identifier la pyramide à degrés de Saqqara au tombeau des Apis de l'Ancien Empire, pour l'attribuer au roi Ouénéphès de la Ire dynastie de Manéthon, peut-être celui que les égyptologues d'aujourd'hui appellent Djer.

Y a-t-il une préhistoire égyptienne ?

Mariette prend aussi parti dans « l'affaire des silex taillés » : le monde savant s'émeut des silex taillés découverts en Égypte, et s'interroge sur la préhistoire locale (il faut attendre les années 1890 pour voir son existence sûrement reconnue). Pour le *mamour*, « *L'âge de pierre n'a pas été trouvé en Égypte, et les silex en question peuvent remonter à toutes les époques, depuis la XIe dynastie jusqu'à la fin du XVIIe siècle avant notre ère. Pour moi, je me charge d'enfermer la question dans des limites purement historiques, et de faire au musée de Boulaq une vitrine de silex, pierres polies, grattoirs et ainsi de suite, rien qu'avec des monuments trouvés sur des momies* ».

La brouille de l'Égypte avec la Porte

Pour les cérémonies d'inauguration du Canal, Ismaïl Pacha a prévu des festivités grandioses et prestigieuses. Il a invité un grand nombre de personnalités politiques, du monde des lettres, des arts, des sciences et des finances, dans le but avoué d'éblouir l'Europe et la Turquie. Précisément, la Sublime Porte commence à se montrer irritée de ces manifestations d'indépendance. Le 8 juin 1867, Ismaïl Pacha a été gratifié par le Sultan d'Istanbul de la dignité de Khédive, pour services rendus dans la « pacification » de la Crète. Cet honneur est assorti du droit de ne transmettre le trône d'Égypte qu'à ses héritiers mâles directs, au détriment du reste de la famille de Muhammad Ali. En contrepartie, Ismaïl Pacha paie un lourd tribut pour garder une relative autonomie. En 1869, il profite de cette liberté pour décréter l'arabisation de l'administration, comme avait déjà tenté de le faire Saïd Pacha en 1858. Il s'ensuit, naturellement, une brouille avec Istanbul, qui ne rassure pas les observateurs européens.

Mariette en situation critique

La santé de Mariette n'est pas bonne, et il passe l'été 1869 à Plombières sur ordre de la Faculté, sans réelle amélioration. Dès son retour au Caire, il doit subir à nouveau les intrigues de ses ennemis. Ali Pacha Moubarak, Ministre de l'Instruction publique, demande à H. Brugsch de diriger une école d'égyptologie au Caire, destinée à « *former quelques hiérogrammates indigènes* ». Alors s'orchestre un vaste mouvement d'opinion favorable à Brugsch : on vante sa science infinie, sa parfaite connaissance du pays, son extraordinaire énergie... et on termine en s'étonnant qu'il ne soit pas encore Directeur du Service de Conservation des antiquités à la place de Mariette ! La rumeur prend une ampleur telle, en Égypte et à l'étranger, que le *Trübner's American and Oriental Literary Record* du 16 octobre 1869 annonce la nomination de Brugsch en remplacement du Bey, lequel refuse de croire que son vieux camarade puisse être mêlé à cette histoire. On conçoit toutefois que, la maladie aidant, il soit d'humeur chagrine :

« Ne m'en veuillez pas, j'ai bien tardé à vous écrire ; mais ce n'est pas ma faute. Je suis souffrant, inquiet, hypocondriaque. Je n'ai de goût pour rien, je néglige tout, même le soin de montrer à mes bons amis comme vous, que je ne les oublie point. D'un autre côté, la dispute de l'Égypte et de la Porte ne laisse pas que de nous inquiéter. Matériellement, l'Égypte peut tenir ; mais je crains bien

que la tête manque et que, devant la première démonstration un peu sérieuse de Constantinople, on n'aille tout simplement se réfugier à Paris, pour y vivre d'une immense fortune, honorablement acquise. Or, si Moustapha-Pacha [1] *devient vice-roi, je ne reste pas en Égypte ; mais le musée ? que deviendra-t-il ? C'est là un autre de mes enfants auquel je suis attaché par toutes les forces de mon esprit, et qu'il me coûterait singulièrement d'abandonner* » (lettre à Desjardins, 25 octobre 1869).

Les invités aux fêtes d'inauguration du Canal de Suez

Mais, pour l'instant, il n'est pas question de quitter l'Égypte : les hôtes de marque arrivent. Mariette rédige à leur intention un *Itinéraire des invités aux fêtes d'inauguration du canal de Suez, qui séjournent au Caire et font le voyage du Nil*, organisé sur vingt-quatre jours, qu'il faut rééditer presque immédiatement, et qui, remanié plus tard à l'usage des touristes moins exceptionnels, deviendra l'*Itinéraire de la Haute Égypte*. Pendant presque deux mois, Mariette accompagne lui-même les plus importants au cours de leurs excursions au Canal et dans le Saïd, les charmant de ses discours passionnés. Le résultat est qu'à la fin de l'année, il est exténué : « *Je ne me sens pas en veine de faire de grandes phrases. J'arrive de la Haute-Égypte, de Suez, de Saqqarah, à la suite de tant d'impératrices, de tant d'empereurs, de tant de princes et de princesses, que je ne sais plus où j'en suis. Le fait est que j'ai la tête rompue et les jambes aussi... Cette diablesse de plume est un outil pesant comme un marteau d'enclume, et mes pauvres doigts rhumatisants ont peine à la soulever* » (lettre à Édouard, le 6 décembre, archives Édouard Mariette). Il a rencontré, entre autres, l'empereur d'Autriche François-Joseph, les princes de Prusse et de Hollande, et bien sûr

---

1. Moustafa Pacha, frère et ennemi d'Ismaïl Pacha.

l'impératrice Eugénie. Elle lui prend un mois entier de son temps et, sans manifester la moindre rancune après l'affaire des bijoux d'Aahhotep, est « *charmante et pleine de prévenances aimables pour moi, mais je commence à me faire vieux et à trouver que rien ne remplace la tranquillité du chez soi* » (lettre à sa sœur Zoé, le 5 décembre, archives Édouard Mariette). Parmi les invités scientifiques, on remarque Brugsch bien sûr, mais aussi Lepsius, Ebers, Dümichen...

Le Musée de Boulaq en 1869

En ce mois de décembre, Boulaq nécessite quelques soins : « *Note par dessus tout cela que la maison est dans le plus aimable désordre à la suite de l'inondation qui l'a envahie (0.80 d'eau dans mon bureau). Bref il faut que je m'y remette* » (lettre à Édouard, 6 décembre, archives Édouard Mariette).

Dans le même temps, le Bey se préoccupe du sort de la collection Harris. Riche négociant anglais d'Alexandrie et heureux collectionneur d'antiquités, A.C. Harris meurt en novembre. Sélima, sa fille adoptive et sa légataire, souhaite vendre la collection tout entière, pour trois à quatre cent mille francs. Mariette, consulté par Ismaïl Pacha sur l'opportunité de son acquisition, estime que c'est là un prix considérable pour un Vice-Roi endetté : « *Si Votre Altesse a une pareille somme à consacrer aux antiquités, qu'elle me la donne pour des fouilles. Avec cela, je me charge de... faire une collection qui certainement vaudra quarante fois celle de Mademoiselle Harris.* » Souhaitant voir le grand papyrus de Ramsès III (quarante mètres de long !) entrer au musée de Boulaq, il propose pourtant 50 000 francs de ce seul document. En définitive, l'affaire n'est pas conclue, Sélima rentre en Angleterre avec sa collection, qui sera acquise en partie par le British Museum en 1872.

En remerciement de sa disponibilité, le Khédive nomme

le « cornac des princes », comme Mariette se surnomme lui-même, Commandeur de l'ordre de Médjidieh le 24 janvier 1870, et le comble de bienfaits : 4 500 francs par an pour payer les études de ses trois fils Tady, Félix et Alfred, et 100 000 francs à partager entre ses deux filles aînées, geste qui touche particulièrement le père de famille inquiet : « *Tu apprendras avec satisfaction que voilà Joséphine et Sophie passées à l'état d'héritières... Tu vois par là que si mon revenu n'est pas augmenté d'un sou, au moins je suis tranquille pour l'avenir de cinq de mes enfants, ce qui est énorme* » (lettre à Édouard, 28 janvier 1870, archives Édouard Mariette).

Soutien de famille

La même lettre nous apprend qu'Auguste se soucie beaucoup, moralement et matériellement, de l'avenir de sa sœur Zoé, qui éprouve bien des difficultés à s'établir solidement dans la vie. Après avoir aidé Édouard à trouver un emploi d'architecte à la Compagnie de l'isthme de Suez en 1861, à se libérer – moyennant 2 500 francs – du service militaire en 1862, à travailler pour l'Exposition de 1867, le Bey est navré de ne pas disposer de 6 000 francs à prêter à sa sœur. La correspondance familiale abonde d'ailleurs en longues missives consacrées à des problèmes de ce genre, et révèle qu'Auguste n'hésite à donner, quand il le peut, ni son temps, ni son argent, pour secourir les différents membres de sa famille. De même, il fera appel plusieurs fois à un autre frère, Alphonse, pour traduire en anglais certains de ses ouvrages.

Publications, suite

En 1869, le Ministère français de l'Instruction publique a décidé d'allouer 56 000 francs de subvention aux publications de Mariette, qui se demande s'il les aura véritablement, attendu que le Ministère vient tout juste de changer... La situation étant toujours embrouillée, Mariette s'en explique notamment auprès de Chabas, avec qui il est de nouveau en fréquents rapports épistolaires :

« *J'apprécie toute la valeur des observations que vous me faites quant à la nécessité de publier les matériaux dont je dispose. Mais quand je pourrai dire la vérité (et je ne pourrai la dire qu'en cessant d'être employé du Gouvernement égyptien), on saura que c'est malgré moi et même à mes propres dépens que jusqu'ici j'ai tenu les mains fermées...* [il est ensuite question des fonds indispensables]... *Veuillez donc, cher Monsieur, me croire quand je vous dis que si jusqu'à présent j'ai eu l'air de garder pour moi ce que je trouvais, c'est que véritablement je n'ai pas pu faire autrement. Placé dans une situation très fausse, j'ai dû avant tout songer à sauver les fouilles, ce qui était le point essentiel : les publications sont venues à leur jour, et je ne les fais en ce moment que parce que j'ai eu le courage et la patience de savoir attendre* » (lettre à François Chabas, 23 juin 1870).

À cela, Chabas répond qu'il comprend parfaitement la situation, mais qu'il ne conçoit pas que la France n'accorde aucune aide financière à la diffusion du travail d'un de ses ressortissants.

Le premier volume de *Dendérah* voit le jour, ainsi que deux volumes des *Papyrus égyptiens du Musée de Boulaq*, fac-similés d'Émile Brugsch, le jeune frère de Heinrich, talentueux lithographe et photographe qui vient assister son aîné à l'école d'égyptologie créée l'année précédente.

Un nouveau métier

À l'approche de la guerre de 1870, Mariette et sa famille quittent l'Égypte, le 29 juin : à Paris, une nouvelle tâche attend le Bey, celle d'égyptologue-consultant pour l'opéra qu'Ismaïl Pacha a rêvé d'entendre à l'inauguration du tout nouveau théâtre du Caire : *Aïda*, le vingt-sixième opéra de Giuseppe Verdi.

CHAPITRE VII

D'*AÏDA* À L'EXPOSITION DE VIENNE :
1869-1872

*Le scénario d'*Aïda

L'une des grandes attractions des festivités du Canal de Suez en novembre 1869 devait être l'inauguration d'une salle d'opéra au Caire. À cette occasion, le Vice-Roi adopte, en 1869, l'idée de représenter dans cet édifice typiquement européen quelque chose de typiquement égyptien. Il charge donc son « égyptologue à tout faire » de s'occuper de la chose, et Mariette se met à l'œuvre. Il faut d'abord écrire une intrigue. À ce propos, les aigreurs rétrospectives d'Édouard Mariette sont si drôles que nous ne résistons pas au plaisir de les livrer au lecteur :

« *De juin à la fin d'octobre 1866, nous fîmes d'impor-*

tants séjours dans la Haute-Égypte, à Abydos, à Gournah (Thèbes), à Philœ, puis au retour à Sakkarah...

... Or, pendant ces quelques mois de vie errante, passés en voyages sur le fleuve, ou en longues stations sur des points isolés de la rive, j'avais, à titre d'amusement, jeté sur le papier les grandes lignes d'une nouvelle, empruntée aux légendes locales, et que j'avais parée du titre « La fiancée du Nil ». Je ne raconterai point par le menu cette histoire, très romanesque. J'en dirai simplement le sujet, car il se rattache aux traditions les plus reculées de la société égyptienne, et semble être un des derniers traits de mœurs, religieuses et publiques, subsistantes encore aujourd'hui.

Voici, d'abord, la coutume actuelle :

Au moment où la crue du Nil atteint la hauteur de dix-sept coudées, on coupe au Caire les digues du canal qui le traverse et c'est le signal de l'ouverture de tous les autres canaux d'irrigation. En réminiscence des rites anciens, où l'on offrait au fleuve une jeune fille en holocauste, en vue de se le rendre favorable, il est encore d'usage de promener sur le Nil un mannequin habillé en femme, qu'on appelle « Mahroussa » ou fiancée, et de le précipiter finalement dans les eaux.

M'autorisant donc de ce que je connaissais déjà de la civilisation pharaonique, j'avais divisé par scènes les épisodes principaux d'un livret d'opéra tiré de l'antiquité. Déjà, plusieurs situations, très pathétiques à mon sens, avaient été particulièrement soignées et même menées jusqu'à la facture du couplet. Cette élucubration littéraire, alors en chantier, reposa tout entière à l'état de notes, brouillons et copie, sur la table de la chambre que j'occupais à Sakkarah, pendant plus de six semaines d'affilée que nous y séjournâmes. Mariette en prit assurément lecture, – rien de cela n'étant tenu caché, – et fut sans doute frappé du parti qu'il serait possible de tirer, dans une œuvre de ce genre, des immenses ressources offertes par les solennités égyptiennes.

Une telle notion a dû plus tard lui suggérer l'idée de

198

proposer à S. A. Ismaïl Pacha l'exécution d'une œuvre lyrique, au caractère égyptien, pour inaugurer d'une manière conforme le Grand Théâtre du Caire, nouvellement construit. Un opéra, dont l'intrigue, la mise en scène, décors et costumes, émaneraient d'un archéologue doublé d'un homme de lettres, et dont la musique serait écrite par un compositeur illustre, ne pouvait que jeter un nouvel éclat sur la jeune Égypte, tout en attirant vers elle un concours de voyageurs de plus en plus nombreux.

Le fait est que le 8 juin 1869, à la veille de rentrer en France, pour y passer les mois d'été, mon frère m'écrivait la lettre suivante :

« Il n'y a encore rien de nouveau pour mon départ. Il y a là-dessous toute une histoire, que je te narrerai un jour. Figure-toi que j'ai fait un Opéra, un grand Opéra dont Verdi achève [1] la musique, lequel doit être représenté au mois de février prochain sur le théâtre du Caire. Le Vice-Roi dépense un million. Ne ris pas. C'est très sérieux. À une autre lettre les détails. Selon l'usage, je suis très pressé, et n'ai que le temps de te serrer la main. C'est pour la mise en scène, pour les décors, pour les costumes, que je dois aller à Paris. »

Le jour même de son arrivée, deux semaines plus tard, il me remettait un exemplaire de son scénario, joliment tiré à dix par Mourès, et me demandait mon appréciation. À vrai dire, je fus quelque peu surpris, en parcourant ce texte, d'y reconnaître non pas des identités, – Mariette avait l'imagination trop vive pour s'abaisser au rang de plagiaire –, mais certaines concordances avec ma « Fiancée du Nil ». Involontairement, sans en avoir eu conscience, le même ciel, le même horizon, la même époque, la même race d'hommes, les mêmes mœurs, avaient ramené sous sa plume des combinaisons scéniques à peu près semblables à celles que j'avais imaginées.

---

1. Erreur de lecture d'Édouard ? La lettre originale dit, sans aucun doute possible, « *dont Verdi fait la musique* ». On verra plus loin qu'à cette date, Verdi n'avait pas même accepté encore de l'écrire.

– Tiens ! – fis-je simplement après avoir lu le scénario, – j'avais fait moi-même un rêve de ce genre, à cette différence près et d'autres encore, que mon couple d'amoureux se voyait précipité dans le Nil au lieu de mourir, comme Juliette et Roméo, dans les profondeurs d'un souterrain.

Il ne releva pas ma remarque.

– Ce sera fort beau, – reprit-il, – car le Vice-Roi paraît emballé.

– C'est tout à fait mon avis.

Je ne crus pas devoir ajouter, et pour cause, de plus amples réflexions. On voit tous les jours de pareilles surprises dans les arènes littéraires. À quoi eût-il servi de jérémier ? L'œuvre de mon frère n'avait-elle pas pris corps depuis un certain temps déjà ; n'était-elle pas en voie de réalisation, puisque Verdi finissait d'en écrire la musique ; qu'un crédit de un million était affecté à cette entreprise magistrale ; que bientôt les décors et les costumes seraient dessinés et façonnés à Paris ; qu'enfin la première représentation en était pour ainsi dire annoncée pour le mois de février suivant. J'aurais eu bonne grâce, vraiment, à invoquer en la circonstance une sorte de droit de premier occupant, alors que ma pauvre conception, à peine éclose, dormait toujours du plus profond sommeil dans la nuit de mes dossiers. »

Le livret

Quoi qu'il en soit de cette histoire, le scénario en prose d'Auguste Mariette est confié à Camille du Locle, librettiste de *Don Carlos* et Directeur de l'Opéra-Comique de Paris, qui le découpe en scènes et le développe, toujours en prose. Antonio Ghislanzoni, lorsque Verdi aura accepté de composer la musique, le traduira en italien, et en vers. Les rimes de Ghislanzoni seront plus tard traduites de nouveau en français par Camille du Locle et Charles Nuitter, pour la version française de l'opéra.

Le scénario est devenu cette histoire en quatre actes :

Aïda, princesse éthiopienne, fille d'Amonasro, est prisonnière en Égypte, tout spécialement attachée à la personne d'Amnéris, fille du pharaon. Aïda est amoureuse – et aimée – du capitaine des gardes Radamès, lequel est également aimé de la princesse Amnéris. Au palais royal de Memphis, on apprend l'imminence d'une invasion éthiopienne. Pour la réprimer, la déesse Isis désigne Radamès au commandement des troupes égyptiennes. Pendant la campagne militaire, Amnéris arrache à Aïda l'aveu de son amour pour le militaire égyptien. L'Éthiopie vaincue, Radamès triomphe à Thèbes en présence du pharaon, qui lui accorde la main de sa fille et, à la grande indignation des prêtres, la grâce des prisonniers. Parmi eux, Amonasro, le père d'Aïda, médite un complot pour récupérer son trône, mettant les charmes de sa fille à contribution. Projetant de s'enfuir avec sa bien-aimée, Radamès révèle imprudemment la route suivie par l'armée égyptienne. Surgit alors Amonasro triomphant, suivi de près par Amnéris et les prêtres scandalisés. Le roi d'Éthiopie et sa fille peuvent s'enfuir, mais Radamès, convaincu de trahison, passe en jugement, et refuse tout compromis avec Amnéris doublement torturée d'amour et de jalousie. Il est condamné à périr emmuré dans les souterrains du temple de Ptah. Mais point seul : Aïda, qui a deviné la sentence, l'a précédé au sépulcre.

Archéologie d'Aïda

« *La scène se passe sur les bords du Nil, au temps de la puissance des Pharaons* », tel est le seul décor planté par le scénario de Mariette, dont J.-M. Humbert a retrouvé un exemplaire à la Bibliothèque de l'Opéra de Paris. Il est d'avis que l'égyptologue s'est surtout inspiré du règne de Ramsès III (XXe dynastie, environ 1186-1155 av. J.-C.), dernier souverain du Nouvel Empire dont l'œuvre de réorganisation intérieure du pays et de lutte contre les agresseurs étrangers a encore quelque grandeur à nos yeux. La fin de son règne fut marquée par un complot, dont les instigateurs furent jugés et condamnés, événement auquel fait allusion le papyrus Harris, que Mariette souhaite acquérir pour le musée de Boulaq. Mariette sait que depuis Thoutmosis III (environ 1480-1425 av. J.-C.), la limite méridionale de l'influence égyptienne se situe à la hauteur de la Quatrième Cataracte du Nil, à Napata en face du Gebel Barkal, et c'est à cette ville que, dans son scénario, Radamès doit envoyer des troupes. Aux deux critiques musicaux E. Reyer et F. Filippi, invités par Ismaïl Pacha à la première représentation, Mariette signale, entre autres détails, qu'il s'est inspiré pour les costumes des peintures de la tombe de Ramsès III, et que le colosse du sixième tableau est copié sur ceux de la première cour du temple funéraire du roi à Médinet Habou.

La trame est bien dans le goût de Mariette, qui a toujours manifesté un intérêt particulier pour la politique internationale : de 1841 à 1843, plusieurs articles dans *La Boulonnaise, L'Almanach de Boulogne* et *L'Annotateur*, consacrés aux corsaires boulonnais et bretons, l'ont amené à traiter des rapports franco-anglais ; *Hassan-le-Noir*, son roman-feuilleton de jeunesse en cinq épisodes, paru dans *L'Annotateur* de décembre 1842 à janvier 1843, était prétexte à évoquer la « question d'Orient ». On a vu comment il s'est trouvé mêlé aux subtiles manœuvres de Napoléon III en 1861-1862. À l'égard du Canal de Suez, il professe, dès 1865, des opinions originales pour un citoyen français (récit d'Édouard Mariette) :

« M. de Lesseps est plein d'illusions patriotiques. Le percement du canal de Suez, hautement patronné par le gouvernement de l'Empereur, est une œuvre au contraire bien dangereuse. La France en sera la première victime, car Marseille et notre commerce en subiront d'abord de violents contrecoups. Rappelle-toi ce que je te dis : dès l'heure où le passage à travers l'Isthme sera régulièrement établi, l'Angleterre, qui en sera le client le plus assidu, voudra s'en assurer les débouchés, et, par suite, posera sa lourde main sur l'Égypte.

– Mais, – repris-je aussitôt, – la chose ne sera pas si commode : l'Europe, la France, ne manqueront pas de s'y opposer.

– L'Europe ne s'en souciera même pas.

– Mais la France ?

– On choisira le moment propice. L'Angleterre est riche et puissante. Elle suscitera des obstacles sur notre route. Elle jouera de son crédit et de ses banknotes. Puis, un beau jour, nous nous trouverons supplantés. »

On retrouve exactement, dans le *Times* de Londres qui rend compte de l'inauguration, en 1869, la même analyse des conséquences commerciales pour la France.

Au moment de la guerre égypto-abyssine de 1879, Mariette manifestera encore sa clairvoyance dans ce domaine : « *Que l'Abyssinie ne devienne pas une pierre d'achoppement et que tout ce qui se fait là-bas n'aboutisse pas à une intervention plus directe encore de l'Angleterre, c'est ce dont je ne réponds pas* » (lettre à Desjardins, 27 décembre 1879). La suite des événements devait lui donner raison : en 1876, les États créanciers de l'Égypte en banqueroute – France et Angleterre – imposent leur contrôle à l'administration égyptienne. En 1882, l'Angleterre occupe militairement le pays, qui devient exclusif protectorat britannique, après Fachoda en 1898, par la signature de l'Entente cordiale de 1904.

Les relations internationales dans l'Antiquité préoccupent également Mariette : on a vu qu'il croit reconnaître dans les riverains modernes du lac Menzaléh des descendants des antiques envahisseurs sémites, les Hyksôs. Un fil conducteur de ses interprétations des fouilles de Tanis est la relation entre l'Égypte et la tribu d'Israël, qui intrigue tant d'orientalistes du XIXe siècle. L'égyptologue pense aussi que les corps des XIe et XVIIe dynasties trouvés à Thèbes trahissent une population d'origine étrangère. La découverte du « jardin botanique » et de listes géographiques de Thoutmosis III sur un pylône de Karnak en 1874 l'enthousiasmera, comme l'a enthousiasmé en 1863 celle des stèles du Gebel Barkal, qu'il appelle des « *pages des archives officielles de l'Éthiopie* » (titre d'un article de la *Revue Archéologique*, 1865). Il ne fait aucun doute que les stèles du Gebel Barkal, tout comme les souterrains du Sérapéum – appelé pour la circonstance temple de Vulcain, équivalent romain acceptable du dieu Ptah –, où les deux amants périssent emmurés, ont contribué à inspirer l'intrigue d'*Aïda*.

Les costumes de Mariette

Dès 1869, Mariette rassemble inlassablement, sur les sites, au musée, des idées de décors, des éléments de costumes et de parures. Comme pendant son enfance, il couvre de dessins et d'esquisses tout ce qui ressemble à du papier ou à du carton. Mais, au lieu de soldats, d'animaux ou de sa famille, il met en scène sa chère Égypte, avec le même souci du détail authentique qu'il a apporté à la décoration du pavillon égyptien de l'Exposition du Champ-de-Mars. Ses essais, volontiers distribués à ses amis et connaissances, sont dispersés mais quelques-uns, demeurés regroupés, sont aujourd'hui propriété de la Bibliothèque Nationale. Le carton à dessin déposé à la Bibliothèque de l'Opéra de Paris porte la mention : « *24 aquarelles exécutées par Auguste Mariette pour Aïda, lors de la première représentation au théâtre khédivial du Caire le 24 décembre 1871 - Don de M. Alfred Mariette, fils de Mariette Bey, 8 juillet 1925* ». Ces dessins aquarellés sont de véritables croquis de travail, retouchés par Jules Marre, qui les met au net à Paris, et annotés de l'écriture de Mariette : précisions sur les divers éléments du costume, les matériaux à employer, les couleurs, listes d'accessoires, quelquefois une observation sur l'origine antique de tel objet, sur la signification historique de tel détail... Les vêtements d'Aïda, d'Amonasro, de Radamès, des hérauts, trompettes, musiciens divers, choristes, soldats, prisonniers éthiopiens, gens du peuple, prêtres porteurs de statue et de barque, processionnaires, dames de la cour, sont tous traités avec le même soin.

Certains dessins portent l'indication du nombre d'exemplaires à fabriquer, et des notes techniques en italien, d'une autre main. La confection des costumes et des décors devant se faire à Paris, qui est réputé pour la compétence de ses professionnels, l'égyptologue-ensemblier s'apprête, à la fin de juin 1870, à retrouver la France, avec des sentiments partagés.

Mauvais pressentiments

« Ce voyage m'enchante et ne m'enchante pas. J'ai bien peur de renouveler l'expérience de l'Exposition. Là, j'ai été l'âme de tout, j'ai organisé le tout, et pendant que je me brûlais les pattes à faire rôtir à point les marrons sur le feu, d'autres les mangeaient... ... Cette fois-ci, retomberai-je dans la même innocence ? C'est vrai que je ne fais pas la musique de l'Opéra en question ; c'est vrai que je n'en écris pas le libretto. Mais le scénario est de moi, c'est-à-dire que j'en ai conçu le plan, que j'en ai réglé toutes les scènes et que l'Opéra, dans son essence, est sorti de mon cerveau ; mais c'est moi qui vais à Paris pour faire exécuter les décors, pour faire exécuter les costumes, pour donner à tout la couleur locale qui doit être égyptienne antique. Maintenant qu'arrivera-t-il ? C'est que Verdi a fait déjà contrat pour 150 mille francs avec le Vice-Roi, que Du Locle touchera bel et bien ses droits d'auteur, que MM. les décorateurs et costumiers gagneront leur argent, que Draneht [1] prélèvera son tant pour cent sur toutes les dépenses, pendant que je dépenserai mon argent à l'Hôtel, car le Vice-Roi entend tout simplement que je sois assez payé en me laissant mes appointements à Paris. Je sais que je pourrais refuser et dire qu'après tout on me fait faire là un métier qui n'est pas le mien. Mais le moyen de renoncer à vous voir tous et de répondre à Joséphine et Sophie qui me crient avec des bouches énormes : Pèèèère, quand partons-nous ?

---

1. Surintendant de l'Opéra du Caire.

Aussi ce voyage n'a-t-il pour moi qu'un médiocre attrait. Je sais que le Vice-Roi a conscience de ce que je fais et que si l'Opéra a du succès il fera pour moi quelque chose. Je sais aussi que tout n'est pas fini, et que tout-à-coup le Vice-Roi peut me dire qu'il m'ouvre à Paris un crédit pour mes dépenses. Mais tout cela n'en constitue pas moins une position qui manque de franchise. Quoi qu'il en soit, à la grâce de Dieu.

Le plaisir de te revoir, de faire plaisir à mes filles, d'embrasser mes pauvres petits garçons, l'emporte sur tout. Il y en a qui paient pour avoir ce bonheur, et je dois m'estimer encore heureux si je puis me le procurer avec la chance qu'il ne m'en coûte rien » (lettre à Édouard, 21 juin 1870, archives Édouard Mariette).

Verdi se fait prier

Si l'Opéra du Caire, bâti en un temps record de cinq mois, est bien inauguré le 1er novembre 1869 – par une représentation de *Rigoletto* de Verdi –, *Aïda* n'est joué ni à cette date ni au mois de février suivant. La première représentation aura lieu le 24 décembre 1871. Ismaïl Pacha tient particulièrement à faire composer la musique de « son » opéra par Giuseppe Verdi (1813-1901), déjà célèbre pour *Nabucodonosor, Rigoletto, Il Trovatore, La Traviata, La Forza del Destino, Don Carlos* et quelques autres œuvres. Le maestro n'a pas l'air de prendre le projet du Khédive très au sérieux, et sa collaboration n'est pas facile à obtenir. En 1869, il commence par répondre à la demande d'Ismaïl Pacha qu'« *il n'est pas dans mes habitudes de composer des morceaux de circonstance* ». Jusqu'en mars 1870, il refuse de se laisser convaincre par du Locle, et seule la ruse vient à bout de son obstination : le résumé du scénario de Mariette – sans signature – lui est soumis, accompagné d'une lettre du Bey à Camille du Locle, où il est question, en post-scriptum, de faire appel à Gounod ou à Wagner en cas de nouveau refus...

206

L'argument fait mouche, et Verdi répond à Camille du Locle, le 26 mai : « *J'ai lu le scénario égyptien. Il est bien fait. C'est splendide de mise en scène. Je vois déjà deux ou trois situations, sinon très nouvelles, certainement très belles. Mais qui l'a fait ? J'y devine une main experte qui connaît très bien le théâtre. J'attendrai maintenant les conditions pécuniaires du Caire puis déciderai.* » Les conditions posées par lui-même le 2 juin – 150 000 francs français payables à la banque Rothschild de Paris –, sont acceptées par le Khédive, et Verdi écrit à l'un de ses amis, le 16 juillet 1870 : « *Je vous ai dit que je suis occupé. Devinez à quoi ? A composer un opéra pour Le Caire ! Ouf ! Je n'irai pas le mettre en scène : j'aurais peur de rester là-bas, momifié.* » Que Verdi se rassure, personne ne l'obligera à se rendre au Caire.

Le contrat

Signé à Paris le 29 juillet 1870 par Verdi et Mariette, le contrat est rédigé en ces termes :

« *Entre les soussignés*

M. Auguste Mariette Bey agissant au nom et avec l'autorisation de S.A. Ismaïl Pacha, Khédive d'Égypte, d'une part, et M. Giuseppe Verdi, compositeur de musique, d'autre part.

Il a été convenu ce qui suit :

M. Verdi s'engage à composer la musique d'un opéra en quatre actes intitulé Aïda, dont le plan est accepté par lui (sous réserve des modifications de détail qui seraient jugées nécessaires).

Cet opéra sera représenté sur le Théâtre Vice-Royal du Caire dans le courant du mois de janvier mille huit cent soixante et onze.

Les vers italiens seront écrits par un poète choisi par M. G. Verdi.

M. Verdi ne sera pas obligé de se rendre au Caire pour les répétitions de cet ouvrage, il pourra y envoyer, s'il le

*juge utile, une personne de son choix pour y diriger l'exé-
cution de l'ouvrage selon ses intentions.*

Aussitôt que l'opéra Aïda *aura été représenté au Caire,
M. G. Verdi sera libre de le faire exécuter en Europe sur le
théâtre ou les théâtres qu'il choisira.*

*M. Verdi choisira dans la troupe du Théâtre Italien du
Caire les artistes qui exécuteront sa partition.*

*Le libretto et la partition seront pour l'Égypte la pro-
priété absolue de S.A. le Khédive.*

*M. G. Verdi se réserve la propriété du libretto et de la
partition pour les autres parties du monde.*

*M. Verdi enverra en Égypte, ou remettra à Paris, au
mandataire de S.A., et ce en temps opportun, une copie
orchestrée de la partition d'*Aïda.

*M. Verdi recevra pour ce travail la somme de cent cin-
quante mille francs.*

*Cette somme sera payée en deux termes. Cinquante
mille francs le jour de la signature du présent traité, cent
mille francs le jour que M. Verdi remettra ou fera remettre
à S.A. la partition d'*Aïda.

Fait en double à Paris le 29 juillet 1870. »

Verdi fait ajouter deux codicilles le mois suivant :

*« 1/ Les paiements seront faits en or. 2/ Si par un cas
imprévu quelconque indépendamment de moi, c'est-à-dire
non par ma faute, on ne représente pas l'opéra au Théâtre
du Caire dans le courant de janvier 1871, j'aurai la faculté
de le faire représenter ailleurs six mois après. »*

Verdi se documente

Enthousiasmé à la lecture du scénario de Mariette, Verdi
s'est rapidement aperçu qu'il manquait de documentation
précise sur le lieu et l'époque de l'action. Il se renseigne
alors consciencieusement auprès de l'auteur, le plus souvent par l'intermédiaire de Camille du Locle, ou auprès
d'amis ayant vécu en Égypte, auprès des musées... Détails
sur la musique et la danse égyptiennes, sur les sacerdoces

et le nombre plausible de prêtres et prêtresses présents lors d'une cérémonie, paysages, distances à parcourir d'un lieu de l'action à un autre, autant de questions qu'il pose, parfois sans réponses. S'il renonce à sa première idée d'utiliser des instruments de musique antiques (!), il s'inspire, pour deux airs de son opéra, d'une mélodie turque et d'un thème égyptien utilisé lors des cérémonies des derviches tourneurs. Il compose vite, après s'être tant fait prier, et le 12 novembre 1870, il a presque terminé.

La guerre de 1870

Verdi est bien le seul à être dans les temps ! En France, la tâche est entravée par différents événements, dont la guerre de 1870, le siège de Paris et la Commune. C'est le 6 juillet 1870 que le Bey et sa famille sont arrivés à Paris, accompagnés de Brugsch et du docteur Reil, tous deux Allemands : le jour où Adolphe Thiers essaie de s'opposer, au Parlement, à une déclaration de guerre à la Prusse... Le 18 septembre 1870 débute l'investissement de Paris par les armées prussiennes, et Mariette s'installe à l'hôtel, Place du Palais-Royal. Dans ces conditions, Draneht Bey doit écrire à Verdi pour le prier de ne pas faire intervenir le second codicille du contrat : « *C'est à votre loyauté, cher Maître, que je veux faire appel, à votre tact et à votre délicatesse qui ne sauraient vous faire défaut en cette circonstance. Le retard apporté dans l'exécution de votre nouveau chef-d'œuvre nous est plus préjudiciable qu'à vous. En enlever la primeur à Son Altesse ne serait pas seulement une injustice. Ça serait encore et surtout lui causer un véritable chagrin. Vous voudrez l'épargner, j'en suis sûr, à l'auguste souverain qui vous a donné des marques de Sa haute estime, dans la pensée qu'il s'honorait lui-même en honorant le génie.* » À de tels arguments, que peut répondre Verdi ? Il admet le cas de force majeure : « *J'ignorais... que Mariette Bey fût enfermé dans Paris et qu'avec lui fussent enfermés décors, costumes, etc.* »

Les décors et les costumes

Dans Paris investi, Mariette met au point décors et costumes. Réaliser un décor antique historiquement plausible, voilà qui ne l'inquiète pas trop, il s'y est déjà essayé en 1867. Et, par chance, les décorateurs Chaperon, Despléchin, Lavastre et Rubé sont de ce « monde intelligent » qu'il réclamait pour la réalisation du pavillon de l'Exposition parisienne de 1867. Il en est très satisfait : « *Les décors sont vraiment splendides, sans parler de leur exactitude comme imitation des temples de la Haute-Égypte* »... Le temple de Vulcain est inspiré du Ramesséum – temple funéraire de Ramsès II à Thèbes – et le temple d'Isis de celui de Philae. « *Ces Messieurs y ont mis de l'amour-propre, et vraiment ils se sont surpassés* » (lettre à Draneht Bey, 28 septembre 1871). Le *mamour* est toutefois préoccupé par le montage de ces décors, très compliqués, qui demandera un long travail au Caire.

Quant aux costumes... L'art égyptien a, somme toute, un caractère assez statique. À quoi ressembleront des gens qui devront se mouvoir, habillés de vêtements que personne ne s'est jamais attendu à voir bouger ? Le principal souci du Bey est de parvenir à un équilibre acceptable entre décors, costumes et mise en scène : « *Un roi peut être très beau en granit avec une énorme couronne sur la tête ; mais dès qu'il s'agit de l'habiller en chair et en os et de le faire marcher, et de le faire chanter, cela devient embarrassant et il faut craindre de... faire rire* » (lettre à Draneht Bey, le 15 juillet 1870). La malheureuse couturière, Delphine Baron, qui officie sur les grands boulevards, est désespérée de la difficulté : « *Quelles affreuses teintes pour les trente-deux danseuses... Ce sont des costumes de caractère, jamais je n'y arriverai.* » Mariette surveille de près son travail : « *C'est pourquoi, aujourd'hui encore, je suis obligé de tâtonner, d'essayer, de faire et de défaire. À cet effet j'achète de mauvaises étoffes et tant bien que mal je bâtis les costumes par les mains d'une couturière* » (lettre à Draneht Bey, le 8 août 1870). Delphine Baron déplore aussi le retard de livraison des dessins, et des mesures nécessaires à la confection des corsages et des chaussures des cantatrices. Mariette, de son côté, redoute encore une chose : en ce Second Empire moribond, les chanteurs moustachus et barbichus « à la Badinguet » accepteront-ils de se raser pour avoir l'air plus égyptiens ?

Mort de Théodule Devéria

On ignore quels sont les effets du siège de Paris sur la santé de Mariette, mais celle de sa fille Marie en est affaiblie, et Théodule Devéria qui, à défaut du soleil africain, soignait depuis longtemps ses poumons en passant la mauvaise saison à Cannes, n'y survit pas : en septembre 1870, craignant pour les objets du Louvre confiés à ses soins, il refuse de quitter son poste. Le 10 janvier 1871 – on sait que cet hiver-là fut rude – il doit fuir son appartement atteint par les bombardements, et prend froid. Il meurt le 25 janvier, trois jours avant la capitulation de Paris, à l'âge de quarante ans. Désormais, le prometteur Gaston Maspero assistera Mariette dans ses publications.

Retour au Caire

Aussitôt la guerre finie, le Directeur du Service de Conservation des antiquités retrouve son poste au Caire, malgré les efforts de ses ennemis qui ont tenté une nouvelle fois de faire remplacer par Heinrich Brugsch un Directeur qui avait l'audace de s'absenter huit mois – il aurait sans doute dû, comme Gambetta, quitter Paris assiégé par le premier ballon... Vassalli a pris soin du musée, Daninos remplace Gabet. En 1871, la législation sur la protection du patrimoine égyptien s'étend au dernier domaine encore négligé depuis 1862, date à laquelle la numismatique avait bénéficié d'un décret. Ismaïl Pacha édicte en effet « *l'inter-*

diction d'exportation des antiquités arabes, à l'instar des antiquités égyptiennes anciennes ».

À la fin d'avril, une inspection en Haute Égypte mène jusqu'à Thèbes Mariette et Émile Brugsch, en compagnie d'Ambroise Baudry et Alfred Jacquemart, respectivement architecte et sculpteur.

Peu de temps après l'inspection, une lettre cocasse du 17 mai 1871 montre que, décidément, le Bey s'occupe pour *Aïda* du plus mince détail : il prie M. Grand, ingénieur au Caire, de bien vouloir « *recevoir et emmagasiner dans le garde-meuble du théâtre les quarante-deux perruques de théâtre commandées à M. A. Mitton* » [1].

Mort de Marie-Émilie

Des nouvelles alarmantes de la santé de sa fille Marie-Émilie rappellent alors Mariette en France. À Boulogne, il prend soin, et de son enfant, et de ses publications : les *Papyrus égyptiens du Musée de Boulaq*, deuxième livraison, et les corrections des épreuves de *Dendérah*, des projets pour les *Monuments divers*... Ismaïl Pacha signifie alors au Directeur absentéiste d'avoir à rentrer au Caire. Le père de famille sollicite un congé supplémentaire – sa fille est au plus mal –, qui lui est refusé. Il obtempère, quitte Boulogne et la France ; il est en mer depuis deux jours lorsque Marie-Émilie meurt, à seize ans, le 20 octobre 1871.

Les ravages des chercheurs d'ossements

Dès l'arrivée au Caire, le Bey se remet au travail. La production de noir animal, à partir d'ossements de momies, occasionne toujours des dommages sur les sites archéologiques, et Mariette la déplore dans une lettre à Ollagnier du 4 novembre 1871 : « *Ce sont, en effet, de véritables dilapi-*

---

1. Archives Lacau, papiers Mariette, n° 111.

dations qu'amène la recherche des ossements en cet endroit [Saqqara]. *Les vendeurs d'ossements y bouleversent tout, détruisent des murs, changent toute la topographie du terrain, et rendent toute recherche scientifique ultérieure impossible...* » Mais que faire ? Les industriels sont autorisés par des *firmans* à fabriquer, vendre et exporter ce charbon, et il est bien difficile de s'opposer à cette pratique lucrative. Comble d'ironie, la collection ethnographique que Mariette est autorisé à offrir, au nom d'Ismaïl Pacha, à la ville de Boulogne, quittera l'Égypte, au début de 1879, sur les « *navires qui font le trafic des os (restes de momies) pour la culture de la betterave entre Alexandrie et Dunkerque* » (Procès-verbaux des séances du Conseil municipal de Boulogne, 10 janvier 1879).

Meïdoum : Rahotep et Nofret

Bien que la période de gloire des fouilles appartienne au passé, et en dépit d'un personnel amoindri depuis que l'Égypte fait des économies, les travaux se poursuivent, à Abydos et Saqqara notamment. Et puis, à Meïdoum, des *sebakhin* [1] découvrent un mastaba. Le *moudir* de la province du Fayoum, docilement, transmet la nouvelle au Khédive, qui transmet au Service et Mariette, quelques jours avant la première d'*Aïda*, envoie Daninos fouiller à Meïdoum, avec les instructions suivantes :

« *1° Vous vous assurerez scientifiquement de la nature de l'édifice découvert ; vous verrez si cet édifice est un temple, un palais ou un tombeau ; à quelle époque il remonte. Vous en ferez un plan provisoire, et s'il est possible, vous m'apporterez un estampage des hiéroglyphes.*

2° Vous prendrez vos mesures pour que pas une pierre ne soit touchée, ni enlevée. Il est indispensable que tout reste en son état primitif jusqu'à nouvel ordre. Si, par

---

1. *Sebakhin :* chercheurs de *sebakh*, matière extrêmement fertile qui abonde dans les ruines antiques.

hasard, des statues s'y trouvent, elles doivent être laissées scrupuleusement en place. Vous savez aussi bien que moi que l'intérêt d'une découverte réside surtout dans la possibilité de constater où tout se trouve. Il y a là des remarques scientifiques à faire qui sont souvent fécondes en résultats.

Je suis l'interprète de Son Altesse le Khédive en vous transmettant ces ordres » (21 décembre 1871).

Les statues trouvées dans ce mastaba, légitime orgueil du musée de Boulaq, suscitent le commentaire suivant : *« En voyant l'éclat et la fraîcheur des couleurs, la perfection des yeux artificiels en quartz qui ornent ces deux figures, la vivacité des hiéroglyphes s'enlevant en noir sur la blancheur éclatante du calcaire lithographique, beaucoup de visiteurs se refusent obstinément à croire que les images de Râhotep et de sa femme Nefret n'aient pas été retouchées... »* (*Revue des Deux Mondes*, 15 janvier 1877). De fait, elles sont si vivantes qu'au moment de la découverte, les ouvriers saisis de panique s'enfuient, en s'écriant que « les morts revivent ».

Le musée en danger

Le bâtiment du musée, quant à lui, donne des inquiétudes : les agrandissements de 1863 n'étaient, après tout, que des locaux construits en avant des anciens magasins de la compagnie de chemin de fer, sans surélévation du sol, et donc inondables en cas de forte crue. Une telle catastrophe, en 1871, ne s'est pas encore produite, mais les crues de 1866, 1869 (où 80 centimètres d'eau avaient envahi le bureau de Mariette, au rez-de-chaussée de sa maison) et de 1870 ont sérieusement sapé les fondations. Il serait raisonnable d'édifier un musée moins précaire, mais les finances égyptiennes ne s'y prêtent guère...

La Hongrie et les États-Unis d'Amérique
en visite

De nouveaux visiteurs de marque sont accompagnés par Mariette en cette fin d'année 1871 : le général hongrois Gÿorgy Klapka, héros de l'insurrection de 1849 contre l'Autriche, et l'ambassadeur des États-Unis auprès du nouvel Empire d'Allemagne qui vient de naître, par ailleurs historien de son pays, George Bancroft. Le Bey endosse, une fois de plus, son manteau de *cicerone* de luxe ; son frère Édouard et Émile Brugsch sont du voyage. Si le général est plutôt détendu, Bancroft n'a pas la réputation d'être très francophile, et il s'avère un redoutable érudit, d'une insatiable curiosité. C'est donc une expédition sérieuse, toute remplie de doctes conversations, de développements philosophiques et de minuties historiques. Pourtant, un soir... : « *Nous avions fini de dîner depuis longtemps déjà, et, sans songer à mal, nous étions restés à table, le général, Brugsch et moi* (Édouard), *tout en fumant et causant, Mariette, qui se promenait à grands pas au-dessus de nos têtes, sur le pont, nous interpella tout à coup par le châssis vitré entr'ouvert. L'ambassadeur ayant gagné son lit en sourdine, le bey en avait assez d'être seul. En dehors des heures de travail, du reste, l'isolement lui semblait insupportable. Nous ayant donc hélés, à plusieurs reprises, sans recevoir satisfaction, il ouvrit brusquement le couvercle du châssis et laissa tomber lourdement par l'écoutille, sur la table chargée encore de nos reliefs, une dinde vivante, engraissée à bord pour notre usage et qui, en se débattant, jeta la déroute entre les flacons, et les cristaux qui s'y trouvaient.* »

Auguste Mariette descend de son piédestal

Voilà sans doute un échantillon de ce qu'Ernest Deseille appelle sa « *gaîté bruyante d'un enfant avec les brusqueries d'un géant mal réveillé* » ! Comme un enfant, en effet, certains ont pu le voir courir, sauter, lutter, jouer au bilbo-quet, à la balle, au baguenaudier, au cerf-volant, ou encore à un jeu assez stupide, inventé par temps chaud, et dénommé « le jeu de l'homme à la commission », en hommage à sa première victime, un grand jeune homme chargé d'une commission pour le Bey, si peu dégourdi qu'il n'avait pu se faire comprendre : le divertissement consiste à se pour-suivre jusques et y compris dans la maison familiale, et à se jeter des potées d'eau à la figure...

Il paraît aussi que Mariette a coutume de comparer le calembour à une fiente de l'esprit. Les lois de la nature étant ce qu'elles sont, il pratique bien évidemment ce genre de jeux de mots, dont voici un exemple connu : « *Donne ta Memphis, car je Thèbes, et tu m'es Caire !* » Dans le même style très approximatif, on peut lire dans une lettre à son frère : « *Le père Senlis continue ses exploits contre les truites, qui ne le sont pas encore toutes (des truites)* » (lettre à Édouard, 1876 ? archives Édouard Mariette).

De même, ce n'est pas toujours avec un parfait sérieux que le mamour s'adonne au spiritisme tellement au goût du jour, au Caire comme à Paris. Selon Édouard, un premier essai vers 1866 se solde par un échec « *tout à fait réjouissant* ». En 1867, en compagnie de Félicien de Saulcy, ils interrogent à Paris un esprit prénommé Méhémet, et sont tout étonnés d'en obtenir des réponses. En scientifiques méthodiques, ils mènent l'interrogatoire en français, en anglais, en arabe, en latin, en grec et en hébreu ! Pendant le siège de Paris, une nouvelle expé-rience, d'abord sans résultats, se termine par une ava-lanche de manifestations de l'Au-delà, dont Édouard avoue plus tard la responsabilité : l'esprit qui a fait bouger la table, c'était son pied, et tous les participants à la séance sont très vexés. Les questions posées au guéridon de Boulaq, vers 1875, prouvent le manque de recueillement général des opérations :

« – *Mon bon esprit, – faisait Mariette, – veuillez nous dire s'il existe une cachette d'antiquités à Meïdoum, soit dans la pyramide, soit aux alentours ?*

– Que pensez-vous, – insinuait Brugsch, – de l'expression démotique... (ici, un mot que je ne pouvais comprendre ni retenir) ... et de telle autre ?...

– La table, – exclamait le premier, – a répondu ceci... (soit une explication que je ne comprenais pas davantage).

– Mais non, – reprenait le second, – elle a dit : oui, tout simplement. Tenez, elle affirme qu'il y a beaucoup d'hypogées encore inexplorés, de mastabas ruinés et non violés.

Et, partant de là, une discussion à perte de vue s'engageait, pendant laquelle la table était entièrement laissée de côté devant les chances possibles d'une rencontre ou les acceptions diverses d'un vocable. »

Préparation de l'Exposition de Vienne

Au retour du voyage de Klapka et Bancroft, Mariette est sollicité par le gouvernement égyptien, en vue de l'Exposition de Vienne, prévue en 1873. Non qu'on veuille le faire Commissaire pour l'Égypte (ce rôle est attribué à Heinrich Brugsch), mais pour réaliser des reproductions de tombeaux de Saqqara et de Béni Hassan, qui décoreront l'édifice égyptien. L'idée sourit peu au Directeur des antiquités, ou plutôt il lui sourit peu de travailler avec des artistes capricieux, et il déclare : « *On est entre les mains d'artistes qui ne font littéralement qu'à leur tête ; et quand vient le jour de la responsabilité à prendre, on trouve ces messieurs très prompts à s'esquiver... Je ferai tout à moi seul, ou rien du tout. Il faut laisser la responsabilité à celui qui a la direction, et la direction à celui qui a la responsabilité* » (lettre à Chabas, 13 avril 1872). Il a décidément bien du mal à déléguer...

Conséquence inattendue de la préparation de cette exposition, l'école d'égyptologie de Brugsch doit fermer, car il n'a plus le temps de s'en occuper. Les élèves, qui ont bien évidemment appris l'allemand, deviennent pour la plupart interprètes arabe-allemand dans les différents ministères égyptiens. L'un d'eux, Ahmed Kamal (1849-1923), rejoint plus tard l'équipe du musée, en qualité d'interprète en 1880, puis de Conservateur-adjoint. Partisan de l'ouverture de musées en province et d'une école d'égyptologie dans la capitale, enseignant l'égyptologie à l'Université du Caire, il sera le premier égyptologue égyptien. Quant à Émile Brugsch, professeur à l'école de son frère, il devient le 23 avril Conservateur-adjoint au Musée de Boulaq.

L'été 1872 en Europe

À l'approche de l'été, la famille Mariette se languit de la fraîcheur de la France, et Joséphine est même sérieusement indisposée. Un des médecins de la colonie française du Caire en rend responsable le climat débilitant de l'Égypte, et précise que 70 % des soldats qu'il doit renvoyer en France sont tout simplement anémiés. « *Aussi je ne sais que faire, car garder Joséphine en Égypte est l'exposer à une aggravation certaine* », écrit Auguste à Édouard le 25 mars 1872 (archives Édouard Mariette). Au début de juin, c'est enfin le départ d'Alexandrie : « *Il était temps de partir d'Égypte. Cette pauvre Joséphine n'en pouvait plus. Rien autre chose que l'anémie. L'air de la mer et un séjour de quinze jours à Alexandrie l'ont heureusement remise, et nous arrivons à Bologne dans un état de santé relativement satisfaisant* » (lettre à Édouard, 14 juin 1872, archives Édouard Mariette). Un bref passage à Lugano, puis à Vienne pour la préparation de l'Exposition, et la famille prend ses quartiers d'été en France.

Comme lors de chacun de ses séjours dans la mère patrie, Mariette se consacre particulièrement aux publications en cours. Dendéra pose des problèmes particuliers, dus à la quantité de hiéroglyphes divers à imprimer. Mariette pense d'abord faire fabriquer sa propre fonte, à peu près analogue à celle de l'Imprimerie Nationale française. Mais le coût de fabrication est si élevé qu'il doit y renoncer, et achète une fonte allemande de Leipzig, un peu à contrecœur, car il la trouve imprécise et aux caractères

218

maigres. À Paris, Maspero corrige les épreuves du troisième tome de *Dendérah*, et veille à l'impression des planches des *Monuments divers*, dont les premières livraisons paraissent durant l'été de 1872. La première édition de l'*Itinéraire de la Haute-Égypte, comprenant une description des monuments antiques des rives du Nil entre Le Caire et la première Cataracte*, paraît à Alexandrie. Ce petit livre, qui tiendrait même dans une poche moderne, est le remaniement en forme de guide de l'itinéraire destiné aux prestigieux invités aux fêtes de l'inauguration du Canal de Suez. L'introduction et les avant-propos sont destinés à « *amener les visiteurs en présence des monuments de la Haute-Égypte et les leur expliquer sommairement au point de vue de la science* ».

Mariette pédagogue

Mariette ne vise pas à remplacer les guides pour voyageurs français ou anglais déjà sur le marché, mais il estime que : « *Pour goûter les monuments égyptiens dans ce qu'ils ont de vraiment bon, il faut une étude préalable et comme une sorte d'initiation. Quand Champollion n'avait pas encore retrouvé la clef si longtemps perdue des hiéroglyphes, on pouvait étudier un monument égyptien comme on étudie un monument grec, et ne lui rien demander au-delà de ce que nous révèle sa forme extérieure. Mais les textes parfaitement lisibles, qui sont aujourd'hui sous nos yeux, déplacent la question. L'art est rejeté au second plan, et ce que l'on demande à un monument égyptien, c'est avant tout ce qu'il signifie dans ses rapports avec l'histoire, avec la philosophie, avec la religion du pays.* » Ce discours n'a pas pris une ride.

Enfin, dans l'*Album du Musée de Boulaq*, recueil de quarante planches photographiques paru au Caire cette même année, il expose au grand public le but de son entreprise : « *Le Musée de Boulaq est né de l'excès même du mal qu'il est appelé à guérir. Aucune civilisation n'a laissé plus de monuments que la civilisation de l'ancienne Égypte, et on peut affirmer en toute vérité que l'Égypte étonne par la grandeur et la magnificence de ses ruines. Mais ce que, pendant des siècles la superstition, l'ignorance, la cupidité, l'insouciance ont coûté aux derniers restes de l'Empire des Pharaons est impossible à dire. Pendant des siècles, en effet, ces débris précieux ont été pillés, ravagés, dispersés, anéantis, si bien qu'après tant de catastrophes accumulées, on s'étonne qu'il en soit venu un seul fragment jusqu'à nous. Ajoutons que, depuis cinquante ans, l'Égypte a tiré de ses entrailles, pour les donner à l'Europe, une demi-douzaine de musées égyptiens, et que ceux qui formaient ces musées et en spéculaient ne craignaient pas, pour avoir une statue, de démolir un temple ; pour avoir un sarcophage, de démolir un tombeau. Or il était impossible qu'une fois entrée dans la voie du progrès où nous la voyons aujourd'hui marcher, l'Égypte continuât à prendre ses ruines comme une carrière, et les parchemins de son antique noblesse comme une marchandise. »*

Les voyageurs au secours des antiquités égyptiennes

À cet effet, Mariette prend exemple sur l'Angleterre, qui depuis quelques décennies incite ses ressortissants au respect des antiquités, et il donne, dans les avant-propos de son *Itinéraire*, quantité de conseils aux voyageurs pour aider à la sauvegarde des monuments. Ces recommandations nous apprennent au passage ce qui se produisait alors en Haute Égypte :

« Aussi ne cesserons-nous de recommander aux visiteurs de la Haute-Égypte de s'abstenir de ces enfantillages qui consistent à écrire des noms sur des monuments. Qu'on visite l'intérieur du tombeau de Ti, à Saqqarah, et on verra que ce tombeau a plus souffert par la main des visiteurs depuis dix ans, que pendant les six mille ans de sa durée

antérieure. *L'admirable tombe de Séti Ier, à Bab-el-Molouk, est à peu près perdue, et c'est à peine si nous réussissons à obtenir que le mal ne devienne pas plus grand encore. Je ne sais si M. Ampère, qui visitait l'Égypte en 1844, n'a pas dépassé la mesure dans ces lignes que j'extrais de son journal de voyage. Mais je ne les transcris pas moins pour montrer à quel jugement s'exposent ceux qui, innocemment peut-être, gravent leurs noms sur les monuments :* "La pre-mière chose qui frappe en approchant du monument *(la colonne de Pompée à Alexandrie)*, ce sont les noms pro-pres tracés en caractères gigantesques par des voyageurs qui sont venus graver insolemment la mémoire de leur obs-curité sur la colonne des siècles. Rien de plus niais que cette manie renouvelée des Grecs qui flétrit les monuments quand elle ne les dégrade pas. Souvent il a fallu des heures de patience pour tracer sur le granit ces majuscules qui le déshonorent. Comment peut-on se donner tant de peine pour apprendre à l'univers qu'un homme parfaitement inconnu a visité un monument, et que cet homme inconnu l'a mutilé ?" *Je recommande la lecture de ces lignes au jeune voyageur américain qui, en 1870, a visité les ruines de la Haute-Égypte, un pot de* goudron *à la main, et a laissé sur tous les temples des traces indélébiles de son passage.* »

Il suggère également aux voyageurs d'acheter les papy-rus qu'on viendrait à leur proposer, car « *Tel papyrus peut se trouver qui soit plus important qu'un temple tout entier, et il est certain que si jamais une de ces décou-vertes qui renouvellent la face d'une science est faite en égyptologie, c'est à un papyrus qu'on le devra... Dans l'état actuel des études égyptiennes, on ne peut pas rendre à la science un plus grand service qu'en sauvant les papyrus que le hasard fait tomber entre les mains des fellahs et qui, tôt ou tard, sont détruits si on néglige de les recueillir* ».

Projet de librairie pour les voyageurs à Louxor

Soucieux de l'éducation des voyageurs, Mariette l'est aussi de leur confort. C'est sans doute vers 1872, ou un peu plus tard, qu'il soumet à son frère une idée ingénieuse :

« Je crois que Mr Mourès [1] ferait bien de monter à Louqsor une petite librairie à l'usage des voyageurs.

Dans cette librairie on vendrait des ouvrages de voyages comme les Lettres écrites d'Égypte *de Champollion, les* Lettres écrites d'Égypte de B. Saint Hilaire, l'Aperçu de l'Histoire d'Égypte *de Clot-bey,* les Nuits du Caire *de Didier,* l'Histoire de la Princesse *d'Ebers (en allemand), etc., etc. On y vendrait aussi le* Guide Murray, *en anglais, le* Guide Joanne *en français, mon* Itinéraire de la Haute-Égypte, *ton Traité de la Construction en Égypte, les guides allemands dont je n'ai pas les titres, etc., etc., etc.*

À ce premier fonds de livres on ajouterait toute une série de photographies volantes achetées n'importe où en France ou au Caire, et revendues là-bas. Peut-être un traité avec Beato [1] serait-il nécessaire. On y joindrait un Album signé de moi qui est tout entier à faire.

Une autre division comprendrait les cartes et plans. Les cartes d'Égypte se trouvent partout et Mr Mourès n'aurait que le choix. Quant aux plans mon avis est qu'il faut les créer et faire paraître successivement :

Un plan général de Thèbes, en noir, avec itinéraires tracés jour par jour.

Un plan général des ruines de Karnak, en couleur, c'est-à-dire en notant par des teintes chaque règne. Beau travail à faire, et très utile. Un plan pareil n'existe nulle part et Mr Mourès pourrait le vendre ce qu'il voudrait.

Un plan particulier du Grand Temple, également en couleur, le tout accompagné de notices descriptives.

Un plan particulier de Louqsor – travail assez indifférent.

---

1. Alexandre Mourès, imprimeur à Alexandrie, et fréquent collaborateur de Mariette.

Un plan particulier de Médinet-Abou, en couleur.

Un plan de Bab-el-Molouk, en couleur. Tous ces plans manquent aux voyageurs, et je suis sûr qu'on en ferait un débit considérable.

Un plan de Dendérah, en noir.

Enfin je voudrais que Mr Mourès complétât son œuvre en mettant à la disposition des voyageurs du papier à lettres, de l'encre, des enveloppes, des crayons, des albums de papier blanc, etc., etc.

On trouverait donc à Louqsor :

I – Une bibliothèque de livres de voyage.

II – Des photographies.

III – Des cartes et plans.

IV – Une papeterie.

Tels sont les éléments d'appréciation que je te prie de communiquer à Mr Mourès. Que Mr Mourès fasse ses calculs et voie s'il peut entreprendre l'affaire, ce que je souhaite vivement.

En ce qui me regarde je suis prêt à l'aider en arrangeant tout là-bas sur les lieux, en rédigeant les textes, etc. En, ce qui te regarde, tu aurais à créer les cartes et plans, à surveiller l'exécution, etc. De cette façon nous deviendrions intéressés dans l'affaire » (lettre à Édouard, fin du mois de mai d'une année indéterminée, archives Édouard Mariette).

Retour au Caire

À son retour en Égypte, Mariette reçoit de nombreuses visites, de collègues ou de simples voyageurs. Citons, pour les premiers, Georg Ebers (1837-1898), professeur à Iéna et bientôt à Leipzig, égyptologue dont les romans historiques ont beaucoup popularisé l'Égypte ancienne *(Une Princesse égyptienne* sera traduit en seize langues !), Franz

---

1. On doit à la famille Beato, d'origine vénitienne, de nombreuses et célèbres photographies prises en Égypte dans les années 1860-1880. Il doit s'agir ici d'Antonio Beato, installé à Louxor depuis 1862, et mort en 1903.

Josef Lauth (1822-1890 ?), professeur à l'Université de Munich, Ludwig Stern (1846-1911), un ancien élève de Brugsch et de Lepsius. Au nombre des seconds figure notamment le vicomte Eugène-Melchior de Vogüé, qui semble redouter la rencontre, mais est rapidement conquis : « *Un homme de grande taille, de forte carrure, vieilli plutôt que vieux, athlète pris rudement en plein bloc comme les colosses qu'il gardait. La figure, haute en couleur, avait une expression songeuse et bourrue ; bon enfant au demeurant, on le prenait volontiers pour un pacha turc. Tandis que le visiteur traversait le jardin, ce propriétaire sourcillait d'un air rogue et fâché ; il suivait l'intrus d'un regard jaloux, le regard d'un amant qui voit un inconnu entrer chez sa bien-aimée, du prêtre qui voit un profane pénétrer dans le temple.* »

Mort d'Emmanuel de Rougé

C'est donc entouré de visiteurs que Mariette apprend une nouvelle d'importance : le 27 décembre 1872, Emmanuel de Rougé, chef de file de l'égyptologie française, est mort. En plus d'un siège à l'Institut (Académie des Inscriptions et Belles-Lettres), les deux postes de Conservateur des antiquités égyptiennes au Musée du Louvre, et de Professeur au Collège de France (Chaire d'Égyptologie), se trouvent simultanément vacants. Bien des proches (F. de Saulcy, A. de Longpérier, E. Desjardins, E. Renan, les hellénistes J.-D. Guigniaut et É. Egger, l'orientaliste J. de Mohl, le latiniste L. Rénier...) engagent le Bey à rentrer à Paris, où l'un de ces postes ne manquerait pas de lui être attribué. Lui-même y songe sérieusement, et s'exclame un jour : « *Enfin je vais partir, je vais les quitter ; voilà ma place marquée en France, c'est une affaire finie* » (Eugène-Melchior de Vogüé, témoin). Mais ses collaborateurs et sa famille n'y croient pas, et le taquinent sur ce départ...

CHAPITRE VIII

L'ÉGYPTE POUR L'ÉTERNITÉ : 1872-1881

Le choix de l'Égypte

De fait, après réflexion, Mariette décide de ne pas partir. Comme ses amis parisiens le relancent, proposant même un congé illimité juste après sa nomination, qui lui permettrait de retourner en Égypte, il s'explique longuement et irrévocablement :

« Je dois poser dès à présent comme principe qu'à aucun prix je ne dois quitter encore l'Égypte, parce que, si je quitte maintenant, je me fais à moi-même un véritable tort, aussi bien que je fais à la science un tort véritable.

Je n'admettrai jamais, en effet, que m'en aller à Paris enseigner devant une demi-douzaine d'auditeurs puisse

être comparé, comme services rendus à la science, aux ser-
vices que je rends en restant ici.

Je vous parlerai d'abord du musée. Après dix ans
d'efforts, je viens enfin de persuader le Vice-Roi, et le nou-
veau musée, digne des richesses qu'il doit contenir, est
commencé. Or, avoir fondé tout un musée avec les seuls
résultats de mes fouilles, avoir créé avec ma seule industrie
un musée qui n'a pas désormais de rival en Europe, est
certainement un titre de gloire pour moi et, j'ose le dire
sans fausse modestie, pour la France. Voulez-vous mainte-
nant qu'une fois mon but atteint après tant d'efforts, je lui
tourne subitement le dos ? Un autre viendra après moi qui
profitera de ce que j'ai fait, et mettez-vous bien dans la tête
que cet autre sera un Allemand.

Vous parlerai-je des fouilles ? Ai-je le droit de refuser
les fouilles que déjà, en prévision du nouveau musée, le
Vice-Roi m'a ordonné de faire ? Je sais bien que le Vice-
Roi ne sera pas embarrassé pour en charger un autre.
Mais cet autre y apportera-t-il comme moi une expérience
acquise par vingt-deux ans de travaux ? Tout le monde,
sans exception, sera neuf dans la carrière, et dès lors qui
en souffrira, si ce n'est la science ?...

... Autre argument. Dans ma vie, j'ai fait deux choses, et
tout le monde ne peut pas en dire autant : j'ai fait le
Sérapéum et j'ai fait le musée de Boulaq. Mais je mourrai
content et satisfait de ma tâche, si au Sérapéum et au
musée de Boulaq j'ajoute toute une suite d'ouvrages qui
comprendront la description de mes fouilles à Denderah, à
Abydos, à Karnak, à Medinet Habou, à Deir-el-Bahari, au
Fayoum, à Saqqarah, aux Pyramides, à Tanis. Là est main-
tenant le but de toute ma vie. Est-ce la France qui m'y fera
atteindre ? Pour faire ces ouvrages et en coordonner les
matériaux, il est tout à fait indispensable que je sois sur les
lieux, et je ne puis travailler sur les lieux si je n'ai pas
l'aide efficace du Vice-Roi en hommes, en déblaiements,
etc. Or soyez sûr de ceci : c'est que, quoi que vous fassiez,
je quitterai l'Égypte brouillé avec le Vice-Roi, si je pars
d'ici, juste au moment où, après l'avoir ennuyé de mon

musée pendant dix ans, je lui déclare que je n'en veux plus. Pour retourner en France, il faut donc que je renonce à mes ouvrages, ou que je les fasse faire par la France, ce que je regarde comme impossible.

Maintenant, permettrez-vous que l'égyptologie, jusqu'à présent représentée en Égypte par un Français, soit désormais représentée par un Allemand ? Nous avons en ce moment fort à faire pour lutter en Égypte contre l'influence allemande qui s'impose par tous les moyens. Veut-on que ce soit précisément moi qui donne aux Allemands l'occasion de s'emparer d'une des situations qu'ils envient le plus en Égypte ?

La conclusion de tout ceci, mon cher ami, c'est que mon devoir est de rester en Égypte. Vous me parlez du drapeau de la science française à aller tenir à Paris. Mais Chabas, Maspero le tiendront à Paris aussi bien que moi, tandis que, de mon côté, je ferai tout ce que je peux pour le tenir en Égypte. Ne m'appelez donc pas à Paris. Au contraire, si, dégoûté des obstacles qu'on me suscite ici et de la vie monotone que je mène, je venais à manifester le désir d'abandonner le poste où je suis placé, forcez-moi d'y rester. Ici je suis sur mon terrain ; ici je suis certain d'être bon à quelque chose ; ici, je rendrai bien d'autres services à la science que ceux que je pourrais lui rendre au Collège de France, où, quoi que je fasse, je n'effacerai jamais le souvenir de M. de Rougé.

Voilà, mon cher ami, ce que j'avais à vous dire. Pour résumer cette longue lettre, je vous avouerai que je ne suis pas disposé à changer de carrière. Depuis quelques années, je me suis tracé une route à suivre, je me suis proposé un but à atteindre, but élevé et digne qu'on y sacrifie sa vie. Permettez-moi d'y viser par tous les moyens. Vous savez que je ne suis pas ici sur un lit de roses. La question de mes enfants me préoccupe surtout. Vous l'avouerai-je ? Je souffre aussi du peu de considération qu'on a ici pour moi et du peu d'aide que je rencontre. Il ne faut pas néanmoins que le découragement me prenne... » (lettre à Ernest Desjardins, 23 février 1873).

Une lettre à Chabas, à la même date, montre que Mariette souhaite voir Maspero nommé au Collège de France, et Chabas au Louvre. En définitive, des impératifs économiques laissent la Conservation du Louvre vacante, et François Chabas sans poste, Gaston Maspero étant nommé Professeur au Collège de France.

Un nouveau musée ?

Comme l'indique la lettre de Mariette à Ernest Desjardins, la construction d'un nouveau musée est relancée, en ce début de 1873. Le 29 mars, l'adjudication des fondations – à l'exception toutefois de celles de la façade ! – est faite, et le travail doit s'achever au 1er octobre. Mariette lui-même fait des projets de façade, allant jusqu'au modèle réduit en plâtre, exécuté avec l'aide d'Émile Brugsch. En ce qui concerne ses travaux personnels, Mariette écrit deux articles destinés aux *Mélanges d'archéologie égyptienne et assyrienne* nouveau-nés. François Chabas étant passionné par la question des silex taillés, le Directeur du musée de Boulaq en rassemble pour lui, et les photographie. Il obtient également d'Ismaïl Pacha l'autorisation de n'envoyer à l'Exposition de Vienne, qui se tiendra durant l'été, aucune antiquité : « *C'est une fameuse épine hors du pied. Sans parler de l'embarras, j'ai toujours peur de ne plus voir ces antiquités revenir. Comment veux-tu que le Vice-Roi les refuse, s'il vient à l'idée de l'Empereur d'Autriche de les lui demander* » (lettre à Édouard, 27 mars 1873, archives Édouard Mariette). Même si telle n'était pas l'intention de François-Joseph, l'expérience de 1867 ne lui fait-elle pas craindre que des accidents n'endommagent les monuments ? Aussi est-ce le cœur assez léger qu'il envisage le départ pour Vienne via Naples, prévu par le paquebot du 1er avril.

Mort de Joséphine et retour en Europe

C'est alors que sa deuxième fille, l'aînée de ses enfants encore vivants, Joséphine-Cornélie, meurt brusquement :

« Je venais de finir la lettre que tu recevras en même temps que celle-ci quand des cris perçants poussés par la pauvre Sophie m'ont averti qu'un malheur était arrivé. Sophie venait en effet de trouver Joséphine morte dans son lit. La pauvre enfant était comme endormie et a dû s'éteindre sans douleur. Une paralysie du cœur l'a tuée. Depuis longtemps les médecins m'avaient mis en garde contre une fin subite de la maladie dont Joséphine était atteinte. Mais qui aurait dit que ce fût si tôt ? Hélas, mon pauvre frère, je souffre plus que tu ne peux le concevoir et que je ne puis le dire » (lettre à Édouard, 27 ou 28 mars 1873, archives Édouard Mariette).

Après l'enterrement de Joséphine, aux côtés de madame Auguste Mariette, au Cimetière catholique du Vieux Caire, le Bey embarque immédiatement en compagnie de sa fille Sophie-Éléonore, pour un retour par étapes, via Brindisi, Naples et Pompéi, Florence et Venise. À son arrivée à Paris, début mai 1873, il est exténué :

« Une anémie dont je souffrais depuis deux mois s'est effroyablement développée sous l'influence des fatigues de la route, et je suis si absolument dépourvu de forces en ce moment qu'il m'est impossible de me tenir debout, et que c'est tout au plus si je puis faire sans aide le trajet de mon lit à mon fauteuil. Le médecin me quitte à l'instant et me fait espérer que je pourrai être sur pied dans quinze jours. »

L'Exposition de Vienne

En juin, Mariette est suffisamment vaillant pour se rendre à Vienne avec Sophie, promue ange gardien principal à la disparition de Joséphine. L'Exposition n'est pas un grand succès. Il est vrai qu'une épidémie de choléra en

Europe centrale n'encourage pas les curieux, et les hôteliers, qui compensent le manque à gagner par la pratique des tarifs forts, découragent les téméraires. Mariette tourne la chose en dérision : « *Ce n'est pas en vain que l'Exposition est construite au coin d'un bois* », et donne quelques détails : « *Toujours même solitude à l'Exposition et même cherté de tout. Les journaux qui disent le contraire sont des menteurs. Les cerises sont communes ici. Innocemment, nous en avons demandé hier une portion pour notre dessert. À peine y en avait-il une poignée. Prix cinq francs. Cinq francs aussi pour un fromage. Cela nous amuse tellement que nous en rions comme des bossus. Mais en attendant je ne vis pas à moins de cent francs par jour* [1] *et nous ne sommes que deux, Sophie et moi* » (lettre à Édouard, 7 juin 1873, archives Édouard Mariette). Très préoccupé de ses difficultés financières, il avoue dans la même lettre qu'il doit « *aux imprimeurs, aux lithographes, aux graveurs, plus que je ne gagne et plus que le Vice-Roi ne me donne* ».

Mariette, qui n'est pas Commissaire à l'Exposition, n'a pas à Vienne les obligations mondaines qu'il avait à Paris, mais l'impératrice d'Allemagne, Augusta, insiste pour le rencontrer, et se montre charmante. Il passe le plus clair de son temps dans sa chambre d'hôtel, achève le manuscrit de *Dendérah* et l'adresse à son éditeur parisien : « *J'ai enfin envoyé à Vieweg le monument complet de Denderah. C'est un ouvrage sérieux qui m'a coûté six ou sept ans de travail et sur lequel je compte beaucoup. J'y ai mis tout ce que je sais. Je ne sais pas si j'ai réussi ; mais tout ce que je puis dire, c'est qu'on doit me tenir compte des efforts que j'ai faits, car la tâche était terriblement difficile. L'ouvrage est, en effet, sans précédent ; surtout il est de cette époque barbare qui correspond aux dernières années des Ptolémées, époque de vraie décadence, pendant laquelle les textes sont rédigés dans une langue si confuse qu'il faut toute une*

---

1. Cent francs représentent environ deux jours du salaire de Mariette en Égypte.

étude nouvelle pour les comprendre. Joignez à cela que les idées n'y sont pas plus claires » (lettre à Desjardins, 22 juin 1873). Peu de temps après, Mariette recommande à Maspero, à qui il a confié la surveillance des publications lorsqu'il n'est pas à Paris, de veiller tout spécialement au choix des caractères : « *Comme je paye tout, je désire que cela soit fait à mon idée, c'est-à-dire bien. Je désire un caractère sérieux et un peu grand. Lepsius publie à Berlin des ouvrages magnifiquement imprimés. Je ne veux pas faire moins que lui.* » Par quelle singulière bonne fortune Mariette, si gêné au mois de juin, est-il en mesure de tout payer ?

Le prix de l'Institut

Il s'attend, en 1873, à recevoir le prix biennal de l'Institut, qui lui a échappé en 1863. Effectivement, en novembre, l'Institut annonce officiellement que les 20 000 francs lui sont attribués, et le Président Hauréau prononce l'éloge suivant :

« *Le Lauréat présenté par l'Académie des Inscriptions et Belles-Lettres, couronné par l'Institut tout entier, est M. Auguste Mariette, l'infatigable et savant explorateur qui, après vingt années des plus pénibles recherches, dirigées avec une sagacité vraiment singulière, s'est fait un si beau nom par la découverte de cette Égypte souterraine dont il s'occupe maintenant d'exhumer, d'ordonner et d'expliquer les monuments si variés. La France, Messieurs, produit encore des hommes d'un mérite supérieur. Mais, quand elle les a produits, elle n'en est peut-être pas assez fière, ce qui permet à l'Europe de montrer sa justice en étant la première à les proclamer. Que l'inventeur du Sérapéum de Memphis et de toutes ces ruines redevenues célèbres, que cachaient depuis tant de siècles les sables de Saqqarah, d'Abydos, de Karnak, de Thèbes et d'Edfou, que le créateur du riche Musée de Boulaq, que l'auteur ingénieux, érudit, des grands ouvrages encore inachevés, dont chaque volume nouveau nous apprend l'histoire de quelque ville retrouvée, que notre correspondant, M. Auguste Mariette, reçoive enfin de l'Institut de France le prix qui lui était depuis longtemps réservé. »*

Retour en Égypte à l'automne 1873

Après l'Exposition de Vienne, l'explorateur qualifié par M. Hauréau d'« infatigable », éprouve pourtant le besoin de se reposer à Boulogne, en famille. À l'automne, il regagne l'Égypte, en compagnie de Sophie, Édouard, Félix et M. Chélu, futur bey et Directeur de l'Imprimerie nationale égyptienne au Caire. Sur la route, il s'arrête à Chalon, pour faire enfin la connaissance de Chabas, avec qui il est en correspondance depuis si longtemps. Au Caire, les nouvelles ne sont pas très bonnes. La banqueroute de l'Égypte est manifeste depuis l'exposition de Vienne. La construction du nouveau musée est interrompue alors que les fondations sont à peine achevées : « *Le Vice-Roi a tout arrêté sous prétexte d'économie ; mais je crains que ce provisoire ne soit définitif. Tant bien que mal nous resterons où nous sommes.* »

Le début de 1874 retrouve Mariette à Thèbes, où il reste deux mois pour hâter la publication de Deir el-Bahari. La singulière architecture du temple de Hatchepsout le déroute, et il se demande s'il ne faut pas y voir une influence étrangère, pountite. Mais il aimerait bien savoir où situer ce fameux pays de Pount. À la fin d'avril, les planches d'illustrations sont prêtes, et n'attendent plus que « *l'éditeur qui veuille bien les graver* ». Karnak lui apporte bien des satisfactions. Il commence par en refaire un plan complet – publié en 1875 – avec l'indication, par des couleurs différentes, des phases successives de construction, règne par règne : « *Le travail a été pénible, mais je crois que ce sera un service rendu.* »

Les listes géographiques,
et le « jardin botanique » de Karnak

La vérification d'une hypothèse d'Emmanuel de Rougé l'amène à dégager les abords du VIᵉ pylône, et à découvrir des listes géographiques du règne de Thoutmosis III. Ces listes, étudiées avec soin, devraient apporter de nombreuses informations sur le monde connu des Égyptiens à cette époque, et il commente : « *J'ai recueilli les éléments d'un véritable dictionnaire géographique, qui peut comprendre environ six cents noms du temps de Thoutmès III, appartenant à la Palestine païenne, au pays de Pount, aux Couschites et aux nations libyennes de l'Occident. Il y a là une nouvelle et féconde mine à exploiter.* » Cette découverte, communiquée à l'Académie des Inscriptions et Belles-Lettres lors de son passage à Paris en août, lui vaut la médaille d'or de la Société de Géographie. Objet métallique qu'il s'empresse de vendre, pour utiliser l'argent à ses publications.

Autre trouvaille de la saison, le « jardin botanique » du même roi Thoutmosis III, une salle dont les murs sont couverts de représentations de plantes et d'animaux des pays de *Retenou* et de *Ta-Netjer*. Mariette suggère immédiatement qu'on fasse appel à un botaniste pour localiser ces régions.

Il pousse ensuite son inspection jusqu'à Assouan, et sur le chemin s'occupe de vérifier les observations précédemment faites, pour les futures publications.

Retour à Boulaq

De retour au Caire, Mariette retrouve sa vie de Directeur de musée pauvre, avec toutes les obligations que cela comporte. Elles nous sont décrites, sur le mode théâtral et déclamatoire, par Vogüé :

« *Bon gré mal gré, Mariette Bey faisait partie de la maison vice-royale, au même titre que le chef des écuries et le chef des eunuques noirs. On avait un égyptologue, comme les ancêtres avaient eu un astrologue, fonctionnaire de parade, mal classé entre le bouffon et le médecin. La mode avait changé et non l'esprit. Le bey devait épouser les habitudes de la maison, en accepter les charges comme les bénéfices. Il fallait qu'il fût là pour apprendre et déjouer les intrigues ourdies contre lui par les confrères, les enne-mis. Il fallait qu'il fût là, attendant des semaines l'ordre d'entrer, pour guetter un bon caprice, la minute de générosité qui lui permettrait de déblayer Abydos ou de fouiller Tanis. Il fallait qu'il fût là, enfin, parce qu'on pouvait le demander et s'étonner de ne pas le trouver en bas ; qu'il y fût pour se faire voir, pour rappeler sa figure, ce qui a été de tout temps la grande affaire et la nécessité dans une cour. Le crédit était à ce prix, et le crédit de Mariette, c'était celui de la science ; si le bey laissait ébranler sa situation, avec elle s'écroulaient les beaux projets de fouilles, l'espoir des grandes découvertes, le temple bâti à la vérité. »*

Si la construction du musée est bloquée, Ismaïl se montre parfois généreux, comme au printemps de 1874, où ses fonds personnels permettent l'acquisition, pour le musée, d'antiquités découvertes clandestinement à Tell Moqdam, dans le Delta.

Rendez-vous manqué avec les princes allemands

Parmi les obligations de cour, il faut aussi mentionner le voyage dit « des Princes allemands », au cours de l'hiver 1874-1875. Mariette est alors en Haute Égypte, où il accompagne son frère Alphonse, venu visiter le pays en compagnie de son épouse anglaise. Émile Brugsch et Floris sont de la partie, mais il s'agit surtout d'une croi-sière d'agrément : *« J'ai peu travaillé. J'ai plutôt com-plété mes notes que fait dans le nouveau. Je tiens à faire paraître cet été, coûte que coûte, deux ouvrages,* Karnak *et* Deïr el-Bahari. *J'ai maintenant tous mes matériaux. Il*

234

s'agit de les mettre en ordre » (lettre à Édouard, 22 janvier 1875, archives Édouard Mariette). À Sohag, sur le chemin du retour, il reçoit l'ordre d'attendre l'arrivée des princes, et de les escorter jusqu'à Philae. Il devait y avoir, selon Édouard, les princes « *de Hesse, de Wurtemberg, de Saxe ou autres lieux* ». Après avoir vainement attendu Leurs Altesses pendant trois semaines, le Bey rentre au Caire, à la fin de février. Il est toutefois content de sa campagne : « *Nous avons travaillé d'arrache-pied et nous rapportons près de douze cents estampages, sans compter les copies à la main* » (lettre à Édouard, 2 février 1875, archives Édouard Mariette). L'essentiel du travail porte sur Karnak : « *J'ai complété Karnak, dont la description fera un gros ouvrage plus considérable peut-être que Dendérah. J'y travaille à force et j'espère avoir fini cet été.* »

L'été en France

Mariette reprend le bateau pour la France, où il passe désormais tous les étés. Pour mettre au net les nombreuses publications en cours, certes, mais aussi parce que sa santé l'exige de plus en plus impérieusement. Ainsi, en juillet 1875, il écrit de Boulogne à son ami Desjardins : « *J'ai passé quarante-huit heures à Paris, et j'étais bien résolu à en profiter pour vous aller voir. Mais véritablement j'étais (comme je le suis encore) trop souffrant. De plus, j'étais, et je le suis encore, trop désorienté et trop triste. Une vilaine période, celle de la mélancolie par souffrance chronique d'estomac, a commencé pour moi. Autrefois, je me passionnais pour tout ; je n'ai plus aujourd'hui de goût à rien. Quand je me lève, après une de ces nuits agitées que je connais trop maintenant, je pense avec un invincible ennui à la journée sans plaisir, sans distraction, que je crois avoir à passer. Le travail me console un peu, mais c'est le travail dans le sens pénible du mot, le travail douloureux et forcé. Voilà où j'en suis. Je sais que tout cela n'est pas dangereux. Mais, en attendant, je fuis tout le monde, comme je voudrais me fuir moi-même. excusez-moi donc. »*

Le fruit de ces étés de travail, autant que du labeur au Caire, est considérable. C'est d'abord la parution des dernières planches de *Dendérah*, suivies du dernier volume des *Papyrus égyptiens du Musée de Boulaq*. En 1875, sont publiées *Les Listes géographiques des pylônes de Karnak, comprenant la Palestine, l'Éthiopie, le pays des Somâl*, et *Karnak – Étude topographique et archéologique avec un appendice comprenant les principaux textes hiéroglyphiques découverts ou recueillis pendant les fouilles*. En 1877, c'est le tour de *Deïr-el-Bahari – Documents topographiques, historiques et ethnographiques recueillis dans ce temple pendant les fouilles exécutées par Auguste Mariette Bey*. Les derniers fascicules des *Monuments divers*, une monographie inachevée sur Tanis... Mais Mariette en veut toujours plus : il voudrait faire à Edfou ce qu'il a fait à Dendéra.

Publication d'Edfou : où trouver l'argent ?

En cette année 1875, les difficultés de trésorerie d'Ismaïl Pacha vont s'aggravant, et le conduisent à vendre les parts égyptiennes du Canal de Suez. Disraeli, Premier ministre de la reine Victoria, ne manque pas de les acquérir à vil prix pour le compte de l'Angleterre. Mariette s'inquiète : *« Les affaires ottomanes ont singulièrement réagi sur notre pauvre Égypte, et je crains bien, en présence des économies que l'on fait de toutes parts, que les antiquités ne jouissent pas d'ici à quelque temps d'un grand crédit. J'ai cependant quelques projets pour cet hiver que je vais essayer de mener à bien. »* Comment, sans argent, sans personnel suffisamment nombreux, mener à bien une tâche aussi lourde que le relevé d'un temple abondamment inscrit ? Mariette, qui ne souhaite pas renouveler l'expérience de Dendéra, entreprend d'intéresser à la chose Maxence de

Chalvet, marquis de Rochemonteix, envoyé en Égypte par le Ministère de l'Instruction publique en octobre 1875.

Maxence de Rochemonteix (1849-1891)

Cet intéressant personnage, qui parle arabe, berbère et nubien, a commencé par travailler dans une banque. Le Bey l'invite au Sérapéum illuminé, lui offre à boire du vermouth dans le sarcophage d'un des Apis. Vient l'heure de partir en Haute Égypte. Maxence de Rochemonteix achète le plus petit bateau qui se puisse trouver sur le Nil sans être trop inconfortable, le repeint avec l'aide de la compagnie du musée – Mariette lui-même aurait proposé et peint son nouveau nom, *Taïa*. Et le marquis commence sa croisière à la fin de décembre. À mi-chemin entre Le Caire et Tell el-Amarna, il est rejoint par le Directeur du Service de Conservation des antiquités de l'Égypte, à bord du bateau du musée, qui va maintenant le remorquer. Au cours de longues conversations, Mariette se dit épuisé par la publication de Dendéra, et pousse son jeune collègue à prendre en charge celle d'Edfou : « *Si vous ne voulez pas vous y mettre, au moins publiez-en quelque chose, ce sera toujours cela de sauvé.* »

Rochemonteix « s'y met », et réalise des quantités d'estampages qu'il envoie, au fur et à mesure, au Ministère de l'Instruction publique. À la mi-février 1876, il revient à Edfou, pour plusieurs semaines de copie : « *Quand le texte est en plein jour, à l'ombre, c'est charmant, dans les passages faciles on rêvasse un peu en écoutant les bruits d'alentour ; vers quatre heures du soir, la fatigue et l'abrutissement vous empoignent, et on se laisse revenir au gîte où on mange de son mieux...* » Rochemonteix, qui parle arabe, connaît bien l'Islam et le Maghreb, se lie avec les habitants qui recherchent sa compagnie et ses conseils. Il devient vite très populaire : « *Je songe à me porter aux prochaines élections* », dit-il quelquefois en plaisantant. Il quitte Edfou au début de mars, épuisé, s'arrête en route à el-Kab, travaille au temple d'Opet à Karnak, et rentre en France en juin 1876.

Difficultés financières de l'Égypte

Maintenant que l'entreprise Edfou est en marche, Mariette se débat dans les problèmes financiers, mais il espère encore :

« Vous savez dans quel état est notre pauvre Égypte. Ses beaux jours sont passés, et passés sans retour. Le plus à plaindre est le Khédive, qui doit renoncer pour toujours à ses habitudes de royale magnificence. Le Khédive, heureusement, continue à m'honorer de sa bienveillance, et je crois que le Musée ne souffrira pas du nouvel état de choses qui va s'établir. Après tout ce n'est pas un mal qu'il y ait un peu plus d'ordre dans les finances, et si la crise n'atteint que les banquiers qui, au bon temps, pressuraient le pauvre Vice-Roi et exploitaient sa gêne, il n'y aura pas trop de mal. La sagesse des nations l'a dit depuis longtemps : "Heureuse est l'année où les usuriers se pendent !" » (lettre à Desjardins, 30 avril 1876).

Hélas, les « usuriers » ne se pendent pas, ils s'organisent : en mai, le Khédive doit accepter un accord qui garantit à ses créanciers le remboursement de ses dettes, par la création de la Caisse de la Dette. Ce redoutable organisme établit un échéancier, et prélève directement sur les rentrées fiscales le montant des paiements prévus. Ce qui nécessite bien évidemment une stricte surveillance desdites recettes et de la gestion égyptienne par lesdits créanciers. Deux contrôleurs et deux ministres, français et anglais, sont chargés de la vérification. Dans ces conditions, Mariette ne doit plus compter, pour ses publications, sur la générosité du Vice-Roi, et se fie désormais à la France, et surtout à lui-même.

Mariette travaille pour le grand public

Ainsi, il accepte une tâche « alimentaire » : « *Vous ne me reconnaîtrez plus, quand je vous dirai qu'en ce moment je suis occupé à battre monnaie. M. Mourès veut faire un pendant à l'*Album du Musée de Boulaq, *en publiant un* Album de la Haute-Égypte, *et il m'a chargé de rédiger le texte, occupation qui me prend en ce moment tout mon temps* » (lettre à Maspero, 13 mars 1876). L'ouvrage, devenu *Voyage de la Haute-Égypte, explication de vues photographiques, d'après les monuments antiques compris entre Le Caire et la Première Cataracte*, est bien reçu, mais un peu trop luxueux pour être vraiment un succès alimentaire : deux volumes de 83 planches de grand format en photogravure, publiés à Alexandrie et à Paris en 1878 et 1880.

L'heure des économies

Dans d'aussi pénibles conditions économiques, les activités du Service de Conservation des antiquités sont bien entendu réduites au minimum. Les quelques fouilles encore possibles livrent par exemple à Saqqara les panneaux de bois du tombeau, de la IIIe ou de la IVe dynastie, de Hésiré, et le mastaba de Khabaousokar. Les finances de l'Égypte, de plus en plus fragiles, ne permettent plus les grands chantiers d'antan, et faute de réels travaux d'antiquités, les inspections se contentent souvent de contrôler le bon état des monuments.

La situation personnelle de Mariette n'est guère plus brillante, et il rentre en France à l'été, bien peu optimiste :

« *Je m'arrêtais jusqu'ici à Paris, ce qui m'était horriblement coûteux. Il me fallait héberger mes sœurs, mes cinq enfants, mon frère ; et tous les soirs on me voyait, conduisant au restaurant, au théâtre, un pensionnat de dix personnes qui défilait sur les boulevards en procession. J'ai mis ordre à tout cela, et, cette fois, je n'ai strictement vu Paris que dans le trajet direct de la gare de Lyon, où nous arrivions à huit heures et demie du matin, à la gare du Nord, où nous embarquions à dix...*

... Jusqu'à présent, quand le moment du départ était venu, le Vice-Roi entre-bâillait quelque peu sa bourse, et j'y glissais discrètement la main. Cette année, je n'ai même pas pu y introduire le petit bout de mon doigt. Les temps sont bien changés » (lettre à Desjardins, 3 juillet 1876).

Publication du Sérapéum ?

À Boulogne, il termine un résumé de son journal des fouilles du Sérapéum, et l'adresse à Ernest Desjardins en juillet :

« Vous avez reçu ou vous allez recevoir une petite caisse que je vous ai expédiée par chemin de fer. Elle contient le manuscrit d'un ouvrage que je compte publier et qui a pour objet mes anciens travaux du Sérapéum. Ce manuscrit, je ne l'ai encore communiqué à personne, et vous êtes le premier qui le verrez...

... Maintenant lisez-le et ne me ménagez pas les observations. Vous savez d'avance avec quel respect je les accepte. »
Maspero est chargé de trouver un éditeur en France :

« La forme donnée à l'ouvrage en fait un livre de librairie. Comme la mission a été faite par le gouvernement français et que c'est sa gloire que j'y chante de la première à la dernière page, je ne doute pas que nous n'obtenions facilement des souscriptions qui couvriront les frais et au delà. Il y a là une affaire facile à emmancher et où l'éditeur trouvera certainement de gros bénéfices » (25 juillet 1876, lettre à Maspero, qui précise que le récit de Mariette était plus anecdotique, mais plus développé que l'ouvrage publié en 1882 par ses soins).

Si Maisonneuve accepte sans difficulté de publier un deuxième volume d'*Abydos*, Hachette refuse le manuscrit du Sérapéum.

Le Bey alors change d'avis, envisage de publier le journal intégralement, et non plus en résumé : *« Évidemment il* y a autre chose à faire avec ce Sérapéum qu'un simple récit anecdotique. C'est pourquoi je prends le taureau par les cornes et cette fois je me décide à ne pas mourir sans avoir publié, dans tous ses résultats scientifiques, la mission que j'ai remplie autrefois. C'est un grand travail à faire, mais je suis décidé à l'entreprendre. Il y a là une dette envers la science française que je vais tâcher d'acquitter. »

Maspero doit tâcher d'intéresser le Ministre de l'Instruction publique, William Waddington, à l'affaire, et y parvient. Sur la promesse de 65 000 francs de subvention ministérielle, Vieweg accepte le manuscrit et avance 6 000 francs. Cet essai de publication sera-t-il le bon ? La fin de l'été ne sourit guère à Mariette, ulcéré de ces complications : « *Je ne suis pas particulièrement satisfait de mon séjour ici. Ma vilaine dyspepsie m'a repris et j'ai un mal de mer perpétuel. Le moral s'en ressent, et mon esprit est gris comme le temps. Vous avouerai-je que j'ai la nostalgie du beau ciel éclatant de l'Égypte ?* »

La « malédiction du Sérapéum »

Les vérifications sur place, nécessaires à la publication du Sérapéum, absorbent l'énergie de Mariette à son retour en Égypte. Pendant ce temps, Gaston Maspero achève, au Louvre, le récolement des objets conservés en France. Le but est de faire sortir l'ouvrage avant l'Exposition universelle de 1878, à Paris. Toutefois le Sérapéum semble décidément maudit, et Mariette, mécontent de la qualité des gravures du deuxième volume d'*Abydos*, confiées au même artiste que celles du Sérapéum, demande qu'on arrête la fabrication : « *Les bonshommes des peuples vaincus de la planche 2 sont de véritables caricatures, surtout les Asiatiques. Il n'est pas permis de faire de pareilles grimaces...* » (lettre à Maspero, 10 février 1877) – et, plus tard : « *D'après ce que je sais de M. Waddington, qui m'a été transmis par un ami commun, on compte que nous ferons avec le Sérapéum une publication digne de la découverte, digne du gouvernement français, digne des 65.000 francs qu'on nous accorde. Or, le deuxième volume d'Abydos m'est une leçon, et si je tiens à quelque chose, c'est à en donner au gouvernement pour son argent »* (lettre à Maspero, 12 mars 1877).

En conséquence, Mariette tient à contrôler lui-même les opérations, dès son arrivée à Paris en avril 1877. Il faut reconnaître qu'outre les péripéties de financement, abondamment décrites plus haut, outre les problèmes de reproduction, les constants changements d'avis de l'auteur, parfois en cours même de fabrication, retardent souvent la parution des ouvrages, et ne manquent pas d'en augmenter le coût... Il semble bien que Mariette ne soit jamais satisfait de son travail, en qualité comme en quantité. Quand on se rappelle avec quelles réticences il annonçait à Emmanuel de Rougé, au début de sa carrière en 1853, ses premières conclusions à propos du même Sérapéum, on se demande s'il était véritablement très sûr de lui dans le domaine des publications...

Edfou : deuxième mission de Rochemonteix

Mariette, par une chaleureuse lettre de recommandation, parvient à faire revenir Maxence de Rochemonteix à la fin de l'automne 1876. Le marquis travaille d'abord au Caire en attendant le Bey, répare son bateau, révise son nubien, revoit ses notes de l'année précédente. Le 1er mars 1877, il est à Edfou et s'installe dans le temple même. Il a d'abord la compagnie de Mariette, des deux frères Paul et Ambroise Baudry, peintre et architecte. Quelque temps plus tard arrivent Ferdinand de Lesseps et le fils du Vice-Roi, qui leur imposent une récréation de dix jours. Puis le marquis retrouve la solitude. Il s'est établi dans deux pièces non décorées du premier étage du temple, situées au-dessus de la cour du Nouvel An et ouvertes au nord. L'une sert de cuisine et de garde-manger, l'autre de chambre et de bureau. Leur mobilier, rien moins que luxueux, comprend : une couchette, deux caisses de linge, deux rayons pour entreposer les livres et les papiers, une table, quatre chaises, des nattes dont les bords piquants et recourbés sont destinés à décourager les scorpions. Rochemonteix se trouve mieux de ce confort spartiate que sur son bateau.

Des cinq personnes de son équipage, trois l'aident à faire des estampages, et il se prend à rêver aux *« armées d'estampeurs et de dessinateurs »* dont Mariette disposait à Dendéra. Entre les crises de découragement, il travaille comme un forcené, pendant onze mois, jusqu'à la fin de janvier 1878. Il se nourrit de maigres volailles, de conserves, de pigeons, s'offre parfois un dindon ou un mouton qui durent une semaine. Il n'a que de rares visites : Ernst Ritter von Bergmann (1844-1892), égyptologue autrichien et Conservateur des antiquités égyptiennes du Musée impérial de Vienne, le peintre Amador de los Rios.

Les habitants d'Edfou, qui ne l'ont pas oublié pendant son absence de quelques mois, lui demandent parfois de remplir l'office de juge de paix. La légende dorée de l'égyptologie veut qu'un jour, ayant en cette qualité fait mettre en prison une douzaine de délinquants, il se retrouve assiégé dans le pylône du temple par autant d'épouses en furie...

Mariette se fatigue

Dans l'intervalle, Mariette a repris son bâton de pèlerin : tout d'abord, il a inspecté en détail, pour la dernière fois, tous les sites de Haute Égypte jusqu'à Karnak, au début de 1877. Ensuite, nommé Commissaire pour l'Égypte à l'Exposition universelle de Paris, qui se tiendra au Trocadéro en 1878, il a quitté Boulaq au début d'avril 1877, pour superviser les opérations. À bord du bateau qui le ramène en Europe, il est victime d'une très grave crise de diabète, qui fait craindre le pire à ses amis : *« ... Maspero m'avait dit : "Hâtez-vous, si vous voulez le revoir encore !" En effet, je le trouvai méconnaissable, horriblement maigri, la voix éteinte et ne pouvant plus se tenir debout. Sa fille aînée, Sophie, le gardait comme on garde un mourant. Il voulut me reconduire jusqu'à la porte de son appartement, et ne put même pas se lever du fauteuil où il gisait »* (Arthur Rhoné, en visite à l'hôtel de Russie).

Le malade se réfugie quelques semaines à Boulogne, pour un repos forcé en famille, suivi d'une crise de bienfaisante paresse : *« Je vis ici au milieu des miens, bien tranquille et très disposé à ne rien faire »* (lettre à Daninos, 20 juillet 1877). En septembre, il est de nouveau à l'ouvrage. *Deïr-el-Bahari* est sorti, chez un éditeur de Leipzig. À Boulogne, en compagnie de Maspero, il prépare le dernier tome d'*Abydos* (*Catalogue général des Monuments d'Abydos*), important travail de copie et d'analyse de stèles du Moyen Empire. Il reprend encore l'infortuné manuscrit du Sérapéum, sans plus de succès qu'auparavant. Cette fois, selon Maspero, l'élan est coupé par des *« oppositions sourdes, qui se manifestèrent tantôt au Louvre, tantôt au Ministère de l'Instruction publique »*.

Les soucis familiaux s'ajoutent aux difficultés professionnelles. Les trois fils de Mariette sont dans une passe difficile, sa belle-sœur anglaise est en mauvaise santé, son frère Édouard essaie d'obtenir un emploi dans la préparation de l'Exposition (voir par exemple la lettre à Édouard, 28 juillet 1877, archives Édouard Mariette). Cette accumulation de tracasseries provoque en septembre une nouvelle crise de diabète, qui le laisse très angoissé :

« Depuis quelque temps, vous l'avouerai-je, je ne suis plus moi-même et je crois que je perds la tête. Une crise de diabète m'a empoigné et me tient encore. Ajoutez à cela la tuile de l'Exposition manquée. Toute ma vie, telle que je l'avais imaginée là-dessus, est à refaire pour quelques années. Je comptais passer l'été prochain à Paris, et, au Louvre même, finir ce fameux Sérapéum qui me tient tant à cœur. J'essayais d'obtenir un congé presque définitif du vice-roi, prendre un logement définitif à Paris, et aller frapper d'une main timide à la porte de l'Institut. C'était la fin de ma carrière et le couronnement de mon petit édifice. Je soignais

244

la carrière de mes trois fils, dont deux sont déjà entrés dans la vie et doivent gagner dès à présent leur pain. Au lieu de cela, il me faut regagner le pays des mauvais repos, des dyspepsies, du diabète, de la pauvreté et de la ruine. Qu'est-ce que je vais devenir dans tout ça ? Qu'est-ce que va devenir mon pauvre Musée avec un vice-souverain qui est ruiné et qui de plus en plus va faire argent de tout ? Qu'est-ce qu'il va advenir de l'Égypte elle-même ? » (20 septembre 1877).

L'Égypte participera-t-elle à l'Exposition de 1878 ?

L'Égypte, en effet, va si mal qu'Ismaïl Pacha envisage de renoncer à participer à l'Exposition de 1878, ou, au mieux, de rappeler Mariette au Caire jusqu'à l'inauguration, laissant les mains libres aux entrepreneurs. Il envoie à cet effet son secrétaire, Barrot Bey, enquêter à Paris sur l'utilité de la présence du Commissaire. Mariette se bat, remue ciel et terre, et reçoit en janvier 1878 le télégramme qui l'autorise à rester à Paris. En effet, on a trouvé un arrangement avantageux : la maison égyptienne au Trocadéro sera en bois, F. de Lesseps et la Compagnie du Canal de Suez participent aux frais. Inspiré des habitations égyptiennes de l'Ancien Empire, le pavillon est réalisé en trois mois sous la direction de Mariette et de Maspero, avec la collaboration des dessinateurs Weidenbach et Geslin.

La décoration, des scènes de tombeaux de Saqqara et Béni Hassan, illustre la vie égyptienne : travaux des champs, pêche et chasse, jeux, danse et musique, travail du bois, sculpture, navigation, préparation des offrandes... Elle est accompagnée d'un livret explicatif à l'usage des visiteurs. La maison abrite des artisans et des produits de l'Égypte moderne, et des vitrines thématiques : histoire de l'art (petite sculpture, modèles, œuvres inachevées), histoire du travail (outils, petit mobilier et armes), papyrus, bijoux de « faïence », silex taillés (d'époque historique !), poids et mesures, métallurgie (évocation du problème du fer), écriture et jeux, fragments divers... L'expérience de 1867 aidant, aucun des grands chefs-d'œuvre du musée de Boulaq n'est présenté, mis à part trois des panneaux de bois de Hésiré et douze statues de Saqqara. Et, bien sûr, un plan-relief du Canal de Suez est exposé.

La défense des antiquités : « l'Aiguille de Cléopâtre »

Pendant son séjour en France, le *mamour* ne perd pas de vue les intérêts des antiquités. On lui transmet du Caire une demande des États-Unis, qui sollicitent le don d'un obélisque [1]. La réponse de Mariette, très ferme, est aussi très pédagogique et très respectueuse :

« *Monsieur le Ministre,*

L'affaire de l'obélisque dont vous voulez bien m'entretenir dans votre lettre du 9 mars ne peut, en ce qui me concerne, avoir d'autre solution que celle à laquelle tout le monde doit s'attendre. Du moment où il existe en Égypte un service de Conservation des Antiquités, il est évident que le devoir de celui qui a l'honneur d'être chargé de la direction de ce Service est de s'opposer, dans la mesure de ses moyens, à ce qu'aucun monument antique soit transporté hors du sol égyptien.

Peut-être dirait-on que la France et l'Angleterre ont eu leur obélisque [2]. Mais je ferai observer que le don de ces deux obélisques a été octroyé à la France et à l'Angleterre il y a cinquante ans, c'est-à-dire à une époque où l'Égypte

---

1. L'une des deux « Aiguilles de Cléopâtre », obélisques d'ailleurs au nom de Thoutmosis III et non de Cléopâtre, et situés à Alexandrie. Sa sœur jumelle a été donnée par Muhammad Ali à l'Angleterre.

2. Muhammad Ali a offert à la France, en 1831, les deux obélisques du temple de Louxor. Celui de l'ouest est aujourd'hui à Paris, place de la Concorde. L'Angleterre, quant à elle, a reçu du même souverain la seconde « Aiguille de Cléopâtre », érigée beaucoup plus tard, en 1878, sur le quai Victoria, à Londres.

*ne possédait pas encore un Service de Conservation orga-
nisé, et où l'Égypte laissait créer en dehors d'elle-même
une demi-douzaine de Musées qui seraient aujourd'hui sa
richesse et sa gloire.*

*Le principe me semble donc à l'abri de toute contestation.
Il y a en Égypte deux musées. L'un est le Musée de Boulaq.
L'autre est l'Égypte entière qui, par les ruines répandues sur
les deux rives du Nil, de la Méditerranée à la deuxième
Cataracte, forme le plus beau Musée qui existe au monde
entier. A-t-on jamais donné un seul objet du Musée de
Boulaq ? Pourquoi donner un monument appartenant à l'autre ? Pourquoi diminuer l'importance, la beauté de cet autre
Musée que, tous les hivers, le monde entier vient admirer ? Il
est d'ailleurs un principe universellement adopté dans tous
les Musées. C'est que si un Musée peut recevoir il ne doit
jamais donner. Que l'Égypte demande au Musée du Louvre
la Vénus de Milo, au Musée de Londres la Pierre de Rosette,
au Musée de New York tel monument provenant de la
Collection Abbott, pour rien au monde on ne lui fera ce
cadeau. Pourquoi traiter l'Égypte autrement que les autres
Musées, pourquoi donnerions-nous et ne nous donnerait-on
pas ? Le temps où Lord Elgin enlevait les bas-reliefs du
Parthénon est passé. L'Égypte possède les plus vieilles
archives qui existent de l'histoire de l'humanité. Ce sont les
parchemins de son antique noblesse, et elle entend les garder.*

*Comme directeur du Service des Antiquités de l'Égypte,
je n'ai donc pas deux opinions à exprimer. Mon devoir est
de veiller au dépôt qui m'est confié, et, autant que je le
puis et avec tout le respect que je dois à des ordres supé-
rieurs, de n'en laisser rien distraire.*

*D'ailleurs voyez où nous entraînerait une première
concession. A quelle autre puissance pourra-t-on refuser
un autre obélisque, une statue, une stèle, du moment où la
demande des États-Unis a été accueillie ? Une bonne partie de l'Égypte ancienne passera certainement par la porte
que vous aurez ouverte. L'Égypte a envoyé en Europe
depuis quelques siècles vingt-et-un obélisques ; elle n'en a
plus que quatre à montrer aujourd'hui. Le jour viendra-t-il*

où, pour voir les obélisques, il faudra les aller chercher autre part que dans la patrie des obélisques ?

Quelles que soient les circonstances accessoires qui plaident en faveur de la demande de M. le Consul Général des États-Unis, mon devoir de Directeur, que M. le Consul Général des États-Unis comprenne, est de vous faire entendre ce que je crois être la vérité et l'expression de mon devoir. C'est à vous, Monsieur le Ministre, de décider » (lettre sans date, écrite en mars ou avril 1878).

En ce cas précis, l'obélisque quittera quand même l'Égypte. Il avait été offert, *verbalement*, aux États-Unis par Ismaïl Pacha en 1869, au moment de l'inauguration du Canal de Suez. Un monument aussi encombrant ne se transporte pas aussi facilement qu'une statue, l'affaire reste sans suite jusqu'en 1877. À cette date, l'autre « Aiguille de Cléopâtre », donnée au Gouvernement anglais par Muhammad Ali près de soixante ans plus tôt, prend finalement le chemin de Londres, ce qui ne manque pas de réveiller l'intérêt du public américain. L'ingénieur américain Gorringe commence alors à enlever l'obélisque d'Alexandrie, et l'alerte est donnée à Mariette, qui répond, on l'a vu, fermement mais en gardant une position de consultant. Les tractations entre le Consul général des États-Unis, qui rappelle au gouvernement du Khédive ses promesses, et le Ministre des Affaires étrangères égyptien finissent par aboutir, le 18 mai 1879, à l'octroi officiel, et cette fois écrit, de « l'Aiguille de Cléopâtre » à la ville de New York.

L'incident prouve que vingt ans après la nomination d'un Directeur des Travaux d'antiquités, les Travaux d'antiquités et leur Directeur sont encore soumis, en dernier recours, à la volonté incontestable du Vice-Roi. Ce qui devait devenir le Service des Antiquités est créé, mais il n'est pas encore autonome. Le patrimoine égyptien est défendu, mais il n'est pas encore propriété de la nation égyptienne.

L'Exposition du Trocadéro – Mariette membre de l'Institut

Au Trocadéro, la maison égyptienne est un succès, dont Mariette se réjouit : « *Je vous assure que je n'ai pas à me plaindre du résultat. Dans le public, on considère que nous avons pris la question par le bout sérieux, ce dont je ne me plains pas. Les gens d'étude viennent à nous plus qu'autre part. Quant à moi, j'ai fait tout ce que j'ai pu, et ce que j'entends dire me récompense de mes efforts. En somme, je suis content. Je voudrais cependant que ce fût fini.* »

Chacune des Expositions lui aura valu quelques honneurs. En 1878, l'Académie des Inscriptions et Belles-Lettres profite du fait qu'il est demeuré en France les onze derniers mois pour l'élire, à l'unanimité, membre ordinaire, le 10 mai. Les statuts de cette noble assemblée exigent en effet que ses membres soient tous des savants établis à Paris... Le voilà, enfin, à cinquante-sept ans, membre de l'Institut.

La médaille, comme de juste, a son revers : de même qu'en 1867, le Khédive oublie, pendant les onze mois de son séjour en France, de payer Mariette, qui doit une fois de plus emprunter pour assurer l'hébergement de sa famille à Paris. Chose plus grave, la combinaison financière retenue pour payer les entrepreneurs qui ont construit la maison égyptienne ne fonctionne pas très bien, et naturellement tous viennent se plaindre au Commissaire pour l'Égypte... et le scrupuleux fonctionnaire du Khédive atermoie pour que la banqueroute de l'Égypte ne devienne pas trop évidente aux yeux du public de l'Exposition. Son opinion personnelle est pourtant faite : « *J'ai la conviction qu'avant deux ans le Vice-Roi aura fait faillite comme un simple boulanger* » (lettre du 27 octobre 1877).

Le musée de Boulaq inondé

De nouvelles difficultés attendent Mariette à son retour au Caire : après les alertes de 1866, 1869, 1870, 1874 et

249

1876, la crue de 1878, la plus forte du siècle, est catastrophique pour le musée de Boulaq, envahi par les eaux dès le mois d'octobre. La maison de Mariette, au fond de la cour, est sérieusement endommagée. Le rez-de-chaussée, quant à lui, est ravagé. C'est là que se trouvait le bureau du Directeur, et un certain nombre de livres, manuscrits, notes et estampages, réduits à l'état de pâte à papier, sont irrécupérables. Désespéré, Mariette aurait tout jeté au Nil, sans même essayer de trier. Le bâtiment du musée devra être, sans doute, en grande partie démoli et rebâti : « *L'eau est entrée avec violence dans nos galeries. On a eu le temps de déplacer et de mettre en sûreté nos principaux monuments ; mais les armoires, les vitrines, plongées pendant deux mois dans l'eau, n'en sont sorties qu'à peu près perdues. En outre, quelque murs se sont crevassés, des poutres du plafond sont tombées. De tout cela, il résulte que le Musée est fermé, que les galeries sont vides, et que nos collections attendent dans des caisses, où nous les avons soigneusement enfermées, le jour où nous pourrons leur trouver un abri que le musée actuel leur refuse.* »

C'est une véritable catastrophe : le musée est fermé, les fouilles arrêtées, l'équipage du *Menschiéh* dispersé, ce qui pose un problème supplémentaire, celui du gardiennage : les marins assuraient jadis la sécurité de nuit à Boulaq, et les ouvriers de Saqqara celle de l'entrepôt local d'antiquités. Mariette doit maintenant demander au Ministère des Travaux publics de mettre des policiers à sa disposition. Les premières mesures d'urgence mises en place, il donne quelques détails à Ernest Desjardins, le 2 mai 1879 :

« *Vous savez dans quel tourbillon je me suis trouvé pris, dès mon arrivée au Caire. Je vous assure que pendant ces trois derniers mois je n'ai pas vécu. De jour en jour, je m'attendais à être obligé d'offrir au Khédive ma démission. Plus de fouilles, plus de musée, économies à outrance, même sur les besoins les plus indispensables d'un gouvernement. Qu'avais-je à faire ici ? Et puis, le spectacle de ce pays qui s'écroule est attristant. Jamais je n'ai vu combien j'aime l'Égypte que depuis le jour où je* me suis aperçu que d'un moment à l'autre elle peut mourir. Dans tout cela, la nostalgie, la véritable nostalgie m'a pris. Vous ne savez pas combien il est dur, à mon âge, de voir tomber ce qu'on a eu tant de peine à mettre debout, et quelles pensées désagréables vous hantent le cerveau, quand on songe qu'il va falloir renoncer à tout, tout refaire et recommencer une nouvelle vie. Joignez à cela quelques tracas de famille...

... les fouilles sont provisoirement suspendues. Ce qu'il y a de plus fâcheux, c'est qu'avec les travailleurs des fouilles, on a renvoyé les surveillants des temples et des tombeaux. Aussi les vandales ont-ils fait de nouveau irruption dans le champ de la science. Plus que jamais on mutile, on démolit ; enhardis par l'impunité, les fellahs ont repris ces fouilles clandestines, si funestes aux intérêts qui nous sont les plus chers. Le Khédive veut bien m'assurer qu'à la première éclaircie les fouilles seront rétablies et le service de surveillance réorganisé...

... Le musée n'a pas été mieux traité, quoique pour une cause différente. Depuis quelques années les bâtiments du musée menaçaient ruine. La formidable inondation d'octobre leur a porté le dernier coup...

Maintenant que va-t-on faire ? Essaiera-t-on de restaurer les bâtiments que l'inondation vient d'atteindre ? Construira-t-on un nouveau musée ? Trouvera-t-on un autre local où nous puissions nous installer ? Mais, pour cela, il faut ce qui manque le plus aujourd'hui en Égypte. La bonne volonté du Vice-Roi est certaine, de même que son désir de bien faire ; mais le Khédive n'est plus le tout-puissant souverain d'autrefois. En attendant, on fait des devis. Il y a ici, aux environs, d'immenses bâtiments inachevés qu'on appelle "l'École des filles nobles". On voudrait nous les donner. En même temps on étudie la question de savoir ce que coûterait une réparation sérieuse du musée actuel. Nous en sommes là. A quelle solution s'arrêtera-t-on ? Les bâtiments du musée sont commodes, d'une excellente distribution ; qu'on y ajoute une ou deux salles destinées à l'exposition de notre immense collection

de stèles, et je crois que nous ne pourrions que très diffici-
lement trouver à nous installer mieux ailleurs. »

Mariette se décourage

La situation financière personnelle de Mariette n'est pas plus brillante que celle de l'Égypte (lettre du 8 mai 1879) : « *Vous n'avez pas idée du désordre qui règne ici. Vous ne me croiriez pas si je vous disais qu'on me doit vingt et un mois de mes appointements pour tout le temps que j'ai passé à l'Exposition et qu'on ne m'a pas encore payé un sou. Et tutti quanti. Il faut avoir le diable au corps pour persister à rester ici. Si le Vice-Roi ne m'assurait que les fouilles seront bientôt reprises, il y a longtemps que j'aurais envoyé tout cet aimable monde promener »...* ... « *Malgré cela, en ce qui concerne les fouilles, je ne désespère pas. Le Vice-Roi est aussi bien disposé que possible, et c'est beaucoup. Il tient au musée, il tient aux fouilles, et je crois pouvoir annoncer qu'il fera ce qu'il pourra. Maintenant les événements ne seront-ils pas plus forts que lui ? »*

Les événements, en effet, ne portent pas à l'optimisme. L'armée n'est pas plus payée que les autres fonctionnaires gouvernementaux, et « *pour obtenir deux mois de solde sur les vingt mois qu'on doit aux officiers de l'armée, il a fallu employer le revolver et le sabre... »*. Les résidents étrangers en Égypte – environ 100 000 à cette époque – commencent à craindre des mouvements populaires : « *Il paraîtrait que l'Angleterre et la France veulent imposer au Vice-Roi l'entrée dans le ministère de deux ministres européens. Je crains que cela n'amène de terribles complications. La population indigène est très montée. On lui persuade que la France et l'Angleterre veulent s'emparer de l'Égypte, abolir l'islamisme, etc. On travaille l'armée dans le même sens, et comme on ne paie personne, parce qu'on ne peut pas, le mécontentement est extrême. Je crains que certaines personnes intéressées à pêcher en eau trouble n'aggravent la situation. J'ai vu le Vice-Roi hier. Je vous assure qu'il n'avait pas l'air tranquille du tout. Le pis de tout cela, c'est que les ulémas s'en mêlent et qu'on commence dans les mosquées à crier contre nous. On dit à tous ces pauvres diables : "C'est vrai qu'on vous pressure, qu'on vous prend à coups de bâton jusqu'à votre dernière piastre ; mais c'est pour envoyer cet argent à ces messieurs de Paris et de Londres qu'il faut payer avant tout : c'est pour solder les créanciers chrétiens avant les créanciers musulmans." Vous comprenez que, du moment où la situation se pose en ces termes, il n'y a plus moyen de répondre. Aussi les indigènes sont-ils d'autant plus montés qu'ils savent qu'ils ont raison »* (lettre à Desjardins, 10 mai 1879).

Mariette Pacha

Depuis 1863, Ismaïl Pacha n'a pas toujours eu de bons rapports avec Mariette. Mais, en 1879, une estime sincère s'est établie, qui se manifeste dans la joie comme dans la peine. D'abord, le 5 juin, le Khédive honore le Bey du grade de Grand Officier de l'Ordre de Médjidiéh, et du titre de Pacha : *« Dans le petit discours qu'il m'a adressé, il a bien voulu me dire qu'il ne pouvait faire moins pour le seul membre de l'Institut de France qu'il eût l'honneur de posséder dans son gouvernement. »*

À qui lui demande pourquoi il a accepté de devenir « Pacha » – le titre paraît en France à peu près aussi respectable que celui de « mammamouchi »... –, il répond rudement :

« – Mais parce qu'on me l'a offert, sans que je l'aie sollicité.

– D'accord ! Cependant...

– Que voulez-vous dire ?

– Qu'une notoriété se perd à changer de marque.

– Détrompez-vous... C'est le nom seul qui restera, s'il doit rester.

253

– *Mais alors, où gît l'avantage ?*

– *Là où vous ne le soupçonnez point. Ce titre, à lui seul, c'est le triomphe de l'archéologie française en Égypte. Il est d'importance extrême quant à l'influence qu'il me donne, non seulement aux yeux des humbles fellahs, mais dans les divans ministériels, auprès des hauts fonctionnaires turcs, avec qui je me trouve désormais en mesure de traiter d'égal à égal. Il me sera même utile auprès du souverain, dispensateur de cette grâce. Oui, dans l'intérêt supérieur de ma tâche, il convenait de l'accepter ; ... puis, ...*

– *Puis ?*

– *Cela me donne droit à quelques milliers de francs supplémentaires, par an. Et vous comprenez... »*

Mort de Tady

Deux semaines plus tard, Mariette est rappelé en France, au chevet de son fils aîné Tady, atteint d'une maladie mortelle. À la fin de ce mois de juin 1879, Ismaïl Pacha est contraint d'abdiquer et se retire à Naples. Mariette lui écrit de France une lettre amicale. En retour, Ismaïl lui adresse un télégramme de vœux pour le rétablissement d'Auguste junior. À Boulogne, veillant Tady, soignant un autre fils, Alfred, mais négligeant de se soigner lui-même, le père de famille est très affecté : « *Je n'aurais jamais cru à une pareille douleur. Il me semble qu'en ce moment ce n'est pas mon pauvre enfant qui se meurt, mais moi-même.* » Tady s'éteint le 3 août, à l'âge de vingt-trois ans. Un second télégramme d'Ismaïl, reçu le 6 août, montre la sympathie du Vice-Roi déchu pour son ex-employé : « *Mon cher Mariette Pacha, je prends part à votre grand chagrin et je vous exprime mes condoléances comme à un ami sincère et éprouvé.* »

Au Caire, la nouvelle parvient avec un peu de retard, et les lettres de condoléances de Daninos Bey, de Mohammed Kourchid, le gardien circassien du musée, et de Mohammed Sadek, l'interprète du Service, ont été conservées jusqu'à nos jours (archives Lacau).

Un automne studieux

Mariette s'attarde en France jusqu'en novembre, essayant de travailler entre les crises de diabète. Il tâche d'obtenir quelque argent en vendant au rabais les exemplaires de *Dendérah* qu'il possède encore ; il hâte l'impression de la suite des *Monuments divers*, s'occupe du *Catalogue général des monuments d'Abydos*. S'il rêve toujours au manuscrit du Sérapéum, ses projets pour les *Mastabas de l'Ancien Empire* sont plus concrets : plan, nombre des planches nécessaires à chaque monument, commentaire provisoire... Maspero est prié de chercher un éditeur, et le trouve. Puisque tout prend forme, Mariette décide qu'à son retour en Égypte, il faudra retourner dans tous les tombeaux. Avec quel argent ? Il est en France, loin du nouveau Khédive Tawfiq Pacha, fils aîné d'Ismaïl, venu au pouvoir selon la loi de primogéniture établie en 1867. D'autre part, les finances égyptiennes sont maintenues sous haute surveillance franco-anglaise. Il reste M. Waddington, promu Ministre des Affaires étrangères, par ailleurs archéologue et académicien. Mariette rédige en quelques semaines un *Mémoire sur les nouvelles fouilles à opérer en Égypte*, lu le 10 octobre devant l'Académie des Inscriptions et Belles-Lettres en comité secret, comité qui propose une communication publique. Le nouveau Pacha s'en explique ainsi à son ami Desjardins, le 1er octobre :

« Le but que je poursuis en faisant cette communication à l'Académie est celui-ci : je voudrais simplement que M. Waddington vît M. de Blignières et s'entendît avec lui pour la reprise des fouilles sur une base sérieuse. M. de Blignières, me dit-on, est encore à Paris ; je voudrais qu'il n'en partît qu'avec les instructions de M. Waddington. Comme contrôleur des finances, M. de Blignières a une grande influence en Égypte, et je crois que, parlant au nom

du gouvernement français, il sera très écouté. Je ne demande pas autre chose. Que M. Waddington dise à M. de Blignières l'intérêt qu'il porte et que l'Académie porte aux fouilles ; je m'arrangerai pour le reste, en Égypte, avec M. de Blignières. »

Mariette, épuisé, craint de ne pas pouvoir faire lui-même la seconde lecture en séance solennelle, le 21 novembre :

« Je ne puis pas dire que je vais plus mal, je ne puis pas dire que je vais mieux. Tout ce que je sais, c'est qu'une soif violente, compliquée de besoins qui, de demi-heure en demi-heure, troublent mes nuits, me fait voir que je suis sous l'empire d'une atteinte de diabète. Je ne m'en préoccupe pas outre mesure ; il faut savoir vivre avec ses ennemis ; mais ce n'en est pas moins gênant... ... Au diable celui qui a inventé le sucre ! » (lettre à Desjardins, 25 octobre 1879).

William Waddington, favorablement impressionné, recommande le Service de Conservation des antiquités à l'attention toute spéciale du contrôleur français des finances égyptiennes, M. de Blignières.

C'est donc avec un relatif optimisme que Mariette regagne son poste à la fin de novembre 1879. Son avis sur le nouveau Khédive en témoigne : *« On est ici très content de notre jeune Khédive. Il n'a pas l'activité dévorante et l'extrême pratique de son père ; mais il est sage, modéré, et se rend bien compte de sa position. Malheureusement on le voit peu et il ne prend pas une part assez grande aux affaires. L'Égypte est en ce moment le pays le plus parlementaire du monde, et je vous assure que les ministres ont fort à faire. Somme toute, la maladie que l'Égypte a faite n'est pas mortelle et on peut affirmer maintenant qu'elle n'en mourra pas. »*

Décevant budget de fouilles

Lorsque Mariette arrive au Caire, il reçoit une lettre de M. de Blignières, le priant d'envoyer rapidement un budget prévisionnel de son service pour 1880. Habitué depuis

1850 aux lenteurs proverbiales de l'administration locale, et tout occupé du musée et des amas de caisses qui l'accueillent à Boulaq, il oublie la lettre, en se disant qu'il a bien le temps d'y répondre. Seulement voilà : l'administration n'est plus si locale que cela, et M. de Blignières, en désespoir de cause, établit lui-même le budget, prévoit pour les fouilles (Saqqara, Abydos et Thèbes) 1 000 livres égyptiennes, soit à peu près 26 000 francs. Cela lui paraît suffisant, et Mariette, qui rêvait déjà au bon vieux temps des fouilles grandioses, en est fort marri.

Pourtant, il lui faut reconnaître que, dans l'ensemble, la situation est bien meilleure : le *Menschiéh* possède de nouveau un équipage, le service de surveillance des monuments est rétabli dans tout le pays, son traitement et celui de ses collaborateurs sont maintenant versés régulièrement. Le ton de sa lettre à Desjardins datée du 27 décembre en est tout ragaillardi :

« Je suis à peine remis de tous les embarras que j'ai rencontrés à mon arrivée ici. On n'avait naturellement rien fait en mon absence, si ce n'est de mettre tout le musée, jusques et y compris le plus petit monument, dans des caisses et de l'y laisser. D'un autre côté, les bâtiments qu'on a dû à peu près démolir, étaient encore en état de construction. Les dallages n'étaient pas faits, les peintures n'étaient pas commencées. Vous dire le travail que nous avons dû nous imposer est impossible, et nous n'avons pas fini. Le musée, en effet, ne peut être ouvert au public avant le 1er février.

Heureusement le public ne perdra rien pour attendre. L'ancien musée a disparu. Celui que nous allons inaugurer est, je puis le dire, un musée nouveau. J'ai tout changé, tout remanié. Le grand vestibule surtout sera une merveille. J'ai trouvé moyen d'y loger notre admirable colosse de Ramsès II, les deux gros sphinx de Thoutmès III, deux sphinx hycsos inconnus des anciens visiteurs du musée. Quand on entre dans cette salle, on a vraiment le sentiment de la force et de la grandeur de notre vieille Égypte...

Du côté des fouilles, je n'ai trouvé dans le gouvernement que de la bonne volonté, et j'ai vu que la démarche de l'Académie avait fait bon effet. Aussi le budget, non pas voté, mais accepté par le Khédive, nous nous mettrons à l'œuvre régulièrement, et j'espère que, une fois commencé, le travail ne sera plus interrompu. On a inscrit au budget les fouilles pour vingt-cinq mille francs. C'est bien peu ; mais, comme je ne compte pas les continuer pendant les quatre mois des grandes chaleurs de l'été, la somme devient, à la rigueur, suffisante, surtout si les frais de transport, de voyage, de matériel, ne sont pas à notre charge. Et puis, il reste la suprême espérance, si Nubar, par exemple, arrive au pouvoir, de voir la somme doublée ou triplée. »

Le nouveau musée de Boulaq

Décidé à tenir le délai, le Directeur passe deux mois d'hiver dans le nouveau musée, construit à l'emplacement de l'ancien, et de mêmes dimensions. Mais les plafonds, et surtout le sol sont considérablement rehaussés. Mariette désigne lui-même la place de chaque objet, travaillant toute la journée dans un bâtiment aux maçonneries encore humides, sans portes ni fenêtres, exposant ses poumons fragilisés aux courants d'air et à une hygrométricité néfaste. Après l'inauguration du nouveau musée, il prend le temps de demander le remplacement de son ancien interprète, débordé de travail, par Ahmed Kamal, ancien élève de l'école d'égyptologie de Brugsch, qui parle et écrit arabe, turc et français (25 février 1880).

Saqqara en 1880 – Textes des Pyramides ?

Puis il embarque à bord du *Menschiéh*, à destination de Saqqara. Ne doutant pas une seconde de ses forces, il a l'intention d'y travailler au Sérapéum, pour lequel il a repris courage, aux mastabas, et il souhaite aussi étudier sur place *« la question de la photographie des mastabas par l'électricité »*. Un peu ébahi des méthodes administratives de M. de Blignières, il observe : « *Nous avons maintenant plus de comptables, plus d'écrivains pour solder les hommes, que d'hommes pour remuer le sable, et nous allons mettre un an à faire ce qu'autrefois j'aurais fait en un mois.* » Déçu de son modeste budget de fouilles, il a obtenu du Ministère français de l'Instruction publique un supplément de 10 000 francs, et compte en profiter pour une importante campagne à l'automne. Gaston Maspero, chargé, par un artifice administratif, de lui transmettre la somme rapidement, a fait assortir cette subvention d'une condition expresse : il demande qu'on ouvre une des pyramides occidentales de Saqqara, car il est persuadé, contrairement au Pacha, que toutes les pyramides ne sont pas muettes.

À Saqqara, Mariette visite donc les ruines de la pyramide de Pépi Ier, et n'est toujours pas convaincu : il pense que, puisque inscriptions il y a, le monument ne peut pas être une pyramide. Il doit s'agir d'un mastaba – il est vrai que l'état de conservation de l'édifice rend cette hypothèse recevable... De nos jours, on sait que de nombreuses formules des Textes des Pyramides commencent par l'invocation : « *Ô ce roi* untel », dans le cas qui nous occupe : « *Ô ce* (roi) *Pépi* ». Pour Mariette, rien ne prouve qu'il s'agit bien d'un pharaon. Il pense que le propriétaire du « mastaba » porte un nom construit à l'aide de celui de son souverain, qu'il s'appelle « Ce Pépi ». Maspero lui objecte que l'homme s'appellerait alors, en alternance, « Ce Pépi » et « Ce Mériré » (du prénom et du nom de couronnement de Pépi Ier). Et Mariette répond qu'il a déjà vu des cas de doubles noms, utilisés en alternance.

Nouvelle attaque de diabète

Après ce printemps de travail, Mariette est repris d'une crise de diabète, et cette fois les médecins sont vraiment pessimistes : les poumons sont atteints. Mariette donne le 31 mai 1880, juste avant son départ pour la France, le bulletin de santé suivant : « *Mon prochain voyage en France ne sera pas un voyage de plaisir ; j'y vais, à la vérité, de mon propre gré, mais surtout par l'ordre précis et positif du médecin. Ma santé, en effet, est bien altérée depuis quelque temps. Je ne mange littéralement pas, je ne dors littéralement pas, et je suis d'une faiblesse telle qu'il m'est impossible de monter un escalier sans l'aide de deux bras. J'ai en outre, et depuis deux ou trois mois, une aphonie absolue. Joignez à cela une mélancolie, une hypocondrie, dont vous ne pouvez vous faire une idée. Je n'ai de goût à rien, je n'aime rien, je ne m'intéresse à rien. Et puis je me figure que tout le monde m'en veut et que l'univers entier conspire contre moi. Bref, mon assiette est dérangée et il est temps qu'on me force à partir. On m'envoie à La Bourboule. Avant de m'y installer je passerai par Paris et essayerai de voir si les médecins que je consulterai confirmeront le diagnostic un peu sombre des médecins du Caire.* »

La Bourboule

Le début de l'été est, raisonnablement, consacré au repos et à la cure. Mariette n'apprécie guère le séjour aux eaux :

« *Les eaux de La Bourboule n'ont pas tenu les promesses que les médecins du Caire et de Paris m'avaient faites pour elles. Depuis que je suis ici, j'aurais pris de l'eau claire, que je serais exactement dans le même état. La voix n'est pas revenue, la toux n'a pas cessé, la faiblesse des jambes est la même ; par-dessus tout, j'ai l'esprit hanté par les mêmes idées noires. Une seule modification s'est produite : en arrivant ici, j'ai fait examiner ma fabrique de sucre. Depuis six semaines je ne suivais aucun régime, je mangeais de tout, je me fatiguais (l'accident d'Alfred me préoccupait plus que je ne saurais le dire) ; bref, l'analyse a donné 40 grammes de sucre pour 1,000 grammes de liquide, ce qui, pour moi, est beaucoup. Mais de 40 grammes, nous étions descendus avant-hier à 18. Voilà la seule modification que j'ai observée. Pour le reste, je suis exactement comme vous m'avez vu, sauf le petit regain de gaîté que m'avait procuré à l'Institut le plaisir de vous revoir et de vous serrer encore une fois la main.*

Ne croyez pas cependant que je m'alarme beaucoup. Tout le monde me dit ici que La Bourboule, comme bien d'autres eaux, n'agit pas sur l'heure et qu'il faut attendre pour la voir produire son effet. J'attends.

Vous ne saurez jamais combien je me suis ennuyé dans cette affreuse contrée désolée. Ce n'est pas que le pays soit laid ; bien au contraire. Mais vivre au milieu de scrofuleux, de dartreux, d'eczémateux, n'est jamais bien appétissant. Et que dire des indigènes ? Ces diables d'Auvergnats ne sont pas beaux. Les femmes y sont taillées comme des hommes, et les hommes y ont des apparences d'hippopotames. J'aime mieux Paris.

J'aimerais mieux surtout la petite chambrette où j'espère pouvoir m'installer bientôt pour mettre sur le chantier le mémoire que je vous prierai de lire pour moi à l'Académie » (lettre à Desjardins, 11 août 1880).

Une autre lettre est plus désespérée : « *Je crois décidément que tout cela est plus sérieux qu'on ne veut me le dire. Loin de me fortifier, je m'affaiblis au point que je ne puis me lever sans aide de mon fauteuil ; je mange de moins en moins (si c'est possible), et je ne continue à ne dormir qu'à force d'opium.* »

Boulogne

L'automne ramène Mariette à Boulogne, où il essaie de travailler, ranimé par la parution du *Catalogue général des Monuments d'Abydos*, mais il doit se résoudre à l'inactivité, et sa rage impuissante est assez poignante : « *Vraiment je ne suis pas content de moi. J'ai un tas de dettes à payer envers la science, envers l'Égypte, envers la France, que je me crois de moins en moins capable de payer. Je me suis rapetissé et humilié. Quelquefois il m'arrive de me reporter d'une dizaine d'années en arrière, et de me rappeler le temps où j'avais le corps et l'esprit libres et où le travail m'était une joie. Aujourd'hui je suis encore l'arbre, je suis encore les racines et le tronc, mais les feuilles sont tombées et ne repousseront plus, ce qui est le plus triste de tout. Voilà où j'en suis. J'ai essayé de travailler un peu au Sérapéum, mais j'ai dû y renoncer. C'est pourtant là celle de toutes mes dettes que je tiens le plus à payer. Il est terriblement bête que, depuis trente ans, le Sérapéum soit là et n'ait pas encore été montré au public. Plus tard, on m'en fera un reproche très mérité. J'ai commencé ma carrière par le Sérapéum ; je m'estimerais très heureux si c'est par le Sérapéum que je pouvais la finir. Malheureusement, je crains d'avoir attendu un peu tard »* (lettre à Desjardins, 18 octobre 1880).

Mariette veut rentrer au Caire

À la mi-octobre, les médecins de Boulogne réunis en conclave concluent qu'un départ coûterait probablement la vie à Mariette. Il décide quand même de partir, accompagné de sa sœur et de ses deux seules filles qui soient encore en vie, Sophie et Louisette. S'il faut mourir, il veut mourir à Boulaq. La famille se met en route pour Paris, où il souffre de violentes hémorragies dès l'arrivée le 28 octobre. Le lendemain, sa fille Louise écrit à Desjardins :

« Cher Monsieur,

Nous sommes rentrés il y a à peu près une heure, et aussitôt arrivés à l'hôtel, papa a encore vomi autant de sang qu'hier matin.

Sachant que vous devez voir M. Fournier, je m'adresse à vous pour que vous lui appreniez l'accident qui vient de nous arriver. Je ne sais vraiment pas s'il est prudent de partir pour l'Égypte dans la position où se trouve mon père ; aussi vous prierais-je de le lui demander sérieusement et de nous faire part de son avis lorsque vous reviendrez voir papa, à moins que vous ne préfériez m'écrire. Veuillez nous dire tout ce que le médecin pense de papa et ne nous rien cacher.

Ne dites pas un mot de cette lettre à mon père, car il ignore que je vous écris. »

Décidément, Mariette veut mourir à Boulaq. Le 9 novembre, il quitte donc Paris pour traverser la France et la Méditerranée.

Parvenu à Alexandrie, il rechute gravement, mais insiste pour qu'on le mène à la gare. Au Caire, il retrouve sa maison dans le jardin de Boulaq, prend immédiatement le lit et ne le quittera presque plus. Il dicte à sa fille un ultime billet pour Desjardins, qu'il a juste la force de signer de ses initiales : *« Ne vais pas sensiblement mieux. A mon arrivée à Alexandrie, pris d'une hémorragie formidable ; je n'ai eu que le temps de me faire transporter au Caire et de me mettre au lit, que je n'ai quitté ni nuit ni jour depuis lors. Tête bonne, pas de fièvre, mais appétit absolument nul et débilité générale formidable. Vous écrirai bientôt. »* Il ne le fera jamais.

Dorénavant, sa vie se partage entre le lit et, lorsqu'il va un peu mieux, la chaise longue dans le jardin où on le transporte, et où il reçoit ses amis et collaborateurs. Ses mains et ses lèvres tremblotent presque imperceptiblement en permanence. Émile Brugsch, Conservateur-adjoint du musée, a fait restaurer la véranda, agréable treillis de plantes grimpantes qui orne la façade des bureaux de la conservation. Il tente de lui représenter un avenir souriant : *« Vous aurez de l'ombre l'été prochain, et vous pourrez aller au musée à couvert. Demain, quand vous serez remis de votre voyage, nous irons boire dans votre cabinet quelques bonnes bouteilles de bière à votre santé. »* Mais Mariette n'est pas dupe, et c'est en sanglots qu'il répond : *« Je ne me porterai jamais mieux, et je n'irai plus jamais par la Vérandah à mon cabinet ni à mon musée. »*

Dans les moments de répit, pourtant, il consacre toutes ses forces à l'archéologie. Déjà, en 1874, Maspero avait proposé au Directeur de l'Enseignement supérieur, M. du Mesnil, de créer au Caire une école analogue aux Écoles françaises d'Athènes et de Rome. Mariette, à l'époque, n'y était pas favorable et le projet avait fini aux oubliettes. Il en est tiré en 1880 par le baron de Ring [1], représentant du Ministre français des Affaires étrangères en Égypte. Maspero est chargé le 13 novembre 1880 de créer la Mission archéologique française en Égypte, composée d'égyptologues et d'arabisants, et devenue en 1898 l'Institut Français d'Archéologie Orientale. Maspero va si vite en besogne que tout le monde est prêt à partir au début de décembre. Les lenteurs administratives retardent le départ de la mission au début de janvier 1881.

Les Textes des Pyramides

Maspero est toujours persuadé qu'il y a bien des inscriptions dans certaines pyramides royales de l'Ancien Empire, et Heinrich Brugsch partage son opinion. Devant leur insistance, Mariette ordonne une mission à Saqqara. Le *raïs* Roubi, employé par Mariette depuis les fouilles du Sérapéum, fait procéder à l'ouverture de la pyramide n° 8 du plan de la nécropole memphite dressé en 1839 par l'ingénieur anglais Perring. Les frères Brugsch se rendent à Saqqara le 4 janvier 1881, y relèvent certains des textes et découvrent la momie du roi Mérenré Ier (VIe dynastie). En fin de journée, ils reprennent le train vers Boulaq avec la vénérable dépouille, qui paie un billet de première classe, et se voit taxer à l'octroi de Kasr el-Nil, faute de rubrique appropriée, en tant que « poisson mariné », comme le seront plus tard les momies royales de la cachette de Deir el-Bahari. Devant ces nouvelles preuves, Mariette se rend à l'évidence, et s'écrie : « *Il y a donc, malgré tout, des pyramides écrites, je ne l'aurais jamais cru !* »

---

1. D. J. Grange, *Archéologue et politique, Égyptologues et diplomates français au Caire (1880-1914)*, in *L'Égyptologie et les Champollion*, Grenoble, 1994, pp. 358-360.

La mort en Égypte

Maspero, après le 5 janvier, ne le verra plus conscient. Le 10, Mariette Pacha est déjà agonisant. Le Caire, Égyptiens et Européens confondus, s'émeut, et la maison ne désemplit pas de visiteurs venus aux nouvelles : le chef du gouvernement Riyad Pacha, son adversaire et futur chef du gouvernement Chérif Pacha, M. de Blignières, le Consul général de Grande-Bretagne Sir Edward Malet, le baron de Ring, les Maîtres de cérémonies du Khédive Tawfiq Pacha. Les matelots du *Menschiéh* errent toute la journée autour de la maison en pleurant, à l'affût du moindre service à rendre. Vassalli et Brugsch viennent tous les soirs, et restent le plus tard possible. Rochemonteix, alors employé par l'Égypte en qualité de Sous-administrateur de la Commission des domaines de l'État, Gabriel Charmes, Ambroise Baudry, Daninos, le docteur Gaillardot, l'imprimeur Chélu, font également partie des visiteurs quotidiens. Tout ce monde veille dans la pièce voisine de sa chambre, attentif à l'évolution du mal. La plupart du temps, Mariette délire et s'agite, au détriment de ses couvertures et de son tarbouche, et ses quelques moments de lucidité, deux ou trois fois par jour, sont brefs. Il ne cesse alors de parler de ses fouilles passées, du musée tel qu'il le rêve. Au matin du 18 janvier, il paraît brusquement décidé à quitter le lit, parvient même à se lever, et on doit appeler deux hommes pour l'obliger à se recoucher. Un peu après sept heures et demie du soir, tout est fini.

Les dernières demeures de Mariette

Jusque dans la mort, il devait être écrit que le destin de Mariette Pacha serait imprévisible. Il voulait mourir à Boulaq, près de ses chères antiquités, et reposer auprès de sa femme et de sa fille Joséphine, au Cimetière catholique du Vieux Caire, sous la pierre tombale dont il avait composé lui-même le texte :

« *Que Dieu reçoive dans sa miséricorde les âmes pures de celles qui ont été sur cette terre ma femme bien-aimée Éléonore Millon, morte à Boulaq le 14 août 1865, ma fille chérie Joséphine Mariette, morte à Boulaq le 27 mars 1873 – Ils ne viendront plus vers nous mais nous irons vers eux, Samuel, II, 12.* »[1]

Il n'y reposera pas.

Les funérailles d'Auguste Mariette Pacha sont prises en charge par l'État égyptien, qui souhaite l'associer à jamais aux antiquités pour lesquelles il a vécu. Quel emplacement plus adéquat que le jardin du musée de Boulaq ? Un premier tombeau provisoire y accueille sa dépouille, translatée le 8 mai 1882 dans un sarcophage plus somptueux, précédé de sphinx, œuvre de l'architecte et ami de Mariette, Ambroise Baudry. À chaque déplacement du musée, le tombeau de son fondateur suit : en 1891 vers le quartier de Giza, en 1902 vers son emplacement actuel, où le monument définitif est inauguré le 17 mars 1904, en même temps que le buste de Luigi Vassalli, mort en 1887, qui vient d'arriver d'Italie.

Retour des cendres en France ?

Il est un jour question de ramener les cendres de Mariette à Boulogne. La famille alors se concerte, et son unique fils survivant, Alfred, résume ses conclusions dans une lettre à son oncle Édouard :

« *Mon père a fondé le Musée de Boulaq, et, lorsqu'il mourut en 1881, le Gouvernement égyptien, appréciant les services rendus, décida, en manière d'hommage à sa vie de travail, qu'il serait inhumé devant le Musée, musée qui, bien qu'égyptien, n'en a pas moins un caractère scientifique tout à fait international.*

Lorsque ces honneurs furent rendus à mon père, nous en avons tous manifesté nos sentiments de reconnaissance au

---

1. En fait, 2 *Samuel*, 12, 23.

266

Gouvernement qui les décréta. Enlever ses restes à l'Égypte serait en contradiction complète avec la conduite bienveillante du gouvernement actuel comme avec nos propres sentiments...

... Ne faut-il pas tenir compte également que ma mère et ma sœur Joséphine sont enterrées au Caire ? Les laisser là-bas, au cimetière, toutes seules, alors que mon père serait rapporté en France avec toute la pompe souhaitable, semblerait établir une démarcation filiale, tout à fait incompréhensible et que je ne puis admettre...

... Enfin, te souvient-il qu'en octobre 1880, alors qu'il était encore en France, alors que les médecins l'avaient condamné, qu'il savait le terme de sa vie tout proche, mon père, dès qu'il connut le résultat des consultations, décida (à l'encontre de tous ceux qui craignaient qu'il ne pût arriver à Alexandrie) qu'il partirait malgré tout et le plus vite possible ; et, s'il faut voir dans cette volonté, hautement manifestée, le désir de mourir auprès de son œuvre, ne peut-on conclure logiquement qu'il désirait que son corps restât le moins éloigné possible de ce musée que, tu le sais bien, il aimait autant que sa famille. »

CONCLUSION

La succession de Mariette à la direction du Service des antiquités est recueillie par un Français, et le sera jusqu'à la révolution de 1952. En 1881, il s'agit de Gaston Maspero, qui écrit de son prédécesseur : « *Sans lui, l'Égypte aurait continué longtemps encore à détruire ses monuments ou à en vendre les morceaux aux étrangers, sans en rien garder pour elle-même ; il l'a contrainte à les conserver, et si elle possède aujourd'hui le plus beau musée d'histoire et d'art antique qu'il y ait au monde, c'est à lui qu'elle le doit... »*

De nos jours, nul ne s'étonne de l'existence d'une Organisation des antiquités en Égypte. Sa création en 1858 a pourtant rencontré, on l'a vu, quelques oppositions, et son fonctionnement – bon an, mal an –, jusqu'en 1881 a exigé d'Auguste Mariette des trésors d'énergie, de diplomatie et de ténacité. En 1865, plus de quinze ans avant la mort du *mamour*, Ernest Renan écrit : « *M. Mariette a fondé et dirigé la plus grande entreprise du siècle. Pas une concession faite à la frivolité des yeux du monde, à la sottise du public, à cette vaine recherche de l'objet de musée qui fait dégénérer la science en un chétif amusement !* » Les derniers fruits juridiques des efforts de Mariette devaient mûrir peu après sa disparition : en 1883, il est décrété que le musée de Boulaq, son contenu et ses dépendances font partie du domaine public égyptien, en 1891 que le produit des fouilles appartient de droit à l'État. Le patrimoine antique, soustrait à la volonté du souverain égyptien, est enfin devenu propriété nationale. En 1850, qui l'eût cru ?

L'œuvre scientifique de Mariette a, de tous temps, subi des critiques parfois sévères. Ses méthodes de dégagement ont été jugées brouillonnes et imprécises. Ainsi Wilbour s'indigne à Karnak, en 1883 : « *Mariette a remblayé à demi les salles avec les déblais de ses "fouilles" qui se trouvent toujours recouvrir plus qu'elles ne découvrent.* » De même, il observe en visitant Médinet Habou en 1882 qu'« *il faudra... beaucoup de travail pour réparer les dégâts de Mariette, qui a recouvert environ un tiers des victoires de Ramsès III au nord du temple, tout comme celles de Séthi Ier au nord du temple de Karnak ; et cela simplement parce qu'il était plus facile aux Arabes de laisser les déblais à cet endroit, que de les emporter cinquante pas plus loin* ». Bien évidemment, Mariette n'a pu être présent à plein temps sur les dizaines de chantiers dont le Service de Conservation des antiquités s'est occupé de 1858 à 1881, dans tout le pays. Ses instructions écrites étaient-elles toujours suivies à la lettre ? Pour le déblaiement d'Abydos, par exemple, il précisait bien au surveillant des fouilles, en janvier 1859 : « *Vous ferez jeter le sable bien loin de manière à n'avoir pas plus tard à remuer ce sable encore une fois.* » [1] Les consignes à Daninos, pour la fouille du mastaba découvert en 1871 à Meïdoum, sont claires, détaillées, et rigoureuses. Quant à Karnak, il s'en explique dans sa publication du temple : « *Il ne faut pas croire en effet que si le déblaiement d'un temple est un service que l'on rend à la science, ce soit toujours un service qu'on rend au monument lui-même.* » Il a observé que les eaux d'infiltration ont attaqué les fonda-

---

1. Archives Lacau, papiers Mariette, n° 40b.

tions du grand temple d'Amon, et il est le premier à estimer qu'il faut le consolider avant d'en poursuivre l'exploration. En 1895, la Direction des travaux de Karnak sera créée, et confiée à Georges Legrain.

Les publications de Mariette ont souvent suscité les mêmes reproches que ses fouilles. On a vu dans quelles difficiles conditions matérielles elles ont vu le jour... Mariette, bien sûr, a commis de ces erreurs qui jalonnent immanquablement le développement de toute discipline scientifique. Il pense par exemple, comme beaucoup de ses collègues, que les trente dynasties énumérées par Manéthon ont toutes régné successivement, qu'il n'y a pas de dynasties contemporaines et concurrentes. Cela le conduit à faire débuter la Ire dynastie en 5004 av. J.-C., l'Ancien Empire en 4449 av. J.-C., etc. Il croit aussi qu'il n'y a pas de préhistoire égyptienne, ni de textes dans les pyramides royales de l'Ancien Empire. Il attribue le Mastaba Faraoun et la Pyramide à degrés de Saqqara à des rois qui ne sont pour rien dans leur construction. Il envisage les rapports de l'Égypte ancienne avec les Hyksôs, les Éthiopiens et les Hébreux sous un angle aujourd'hui bien dépassé. Là encore, il est très loin d'être le seul à l'avoir fait. D'ailleurs, comme le note Gabriel Charmes, publiciste et ami de Mariette : *« Partout où Mariette a passé, il a laissé une trace ineffaçable. Il lui est arrivé quelquefois de se tromper dans les conclusions qu'il tirait de ses fouilles : mais ses erreurs n'ont pas été inutiles, car elles ont provoqué des réfutations qui ont eu besoin d'être péremptoires pour paraître plausibles. La lucidité d'esprit de Mariette était telle, la clarté de son style était si parfaite, il possédait à un si haut degré l'art de débrouiller les questions les plus obscures et d'en mettre en évidence les traits essentiels, que dans tous les sujets qu'il a abordés il semble avoir atteint l'évidence. Sa science n'a jamais eu rien de vague, de trouble, d'indécis : elle avait la netteté et la lumière des paysages égyptiens. »* Voilà un bel hommage, une fois de plus, à l'esprit pédagogique de Mariette.

« Partout où Mariette a passé, il a laissé une trace ineffaçable » : il semble bien que c'est là le cœur du problème.

Auguste Mariette est de ceux qui ne laissent personne indifférent, situation généralement peu enviable. Il est craint, détesté, ou aimé, voire vénéré. Son caractère entier est très diversement apprécié. Si Wilbour le trouve d'une « *grossière vulgarité* », Rochemonteix pense : « *... que M. Mariette est un homme un peu tout d'une pièce, ayant le cœur chaud et enthousiaste... Il est adoré de ses inférieurs qu'il rudoie constamment* » (lettre de décembre 1875).

Le très joli portrait littéraire que donne Edmond About dans son roman *Le Fellah* est, somme toute, assez juste :

« *C'est un des hommes les plus complets qui soient au monde : savant comme un bénédictin, courageux comme un zouave, patient comme un graveur en taille douce, naïf et bon comme un enfant, quoi qu'il s'emporte à tout propos, malheureux comme on ne l'est guère et gai comme on ne l'est plus ; brûlé à petit feu par le climat du tropique, et tué plus cruellement encore dans les personnes qui lui sont chères ; salarié petitement, presque pauvre dans un rang qui oblige ; mal vu des fonctionnaires et du peuple, qui ne comprennent pas ce qu'il fait et considèrent la science comme une superfluité d'Europe ; cramponné malgré tout à cette terre mystérieuse qu'il sonde depuis bientôt vingt ans pour lui arracher tous ses secrets ; honnête et délicat à s'en rendre ridicule, conservateur têtu de l'admirable musée qu'il a fait et qu'on ne visite guère ; éditeur de publications ruineuses que la postérité payera peut-être au poids de l'or, mais qui sollicitent en vain les encouragements des ministères, il honore la France, l'Égypte, l'humanité, et, quand il sera mort de désespoir, on lui élèvera peut-être une statue.* »

Quant à l'intéressé, voilà ce qu'il dit de lui-même : « *Je suis de ma nature assez farouche ; les apparences chez moi sont quelquefois froides et brusques, mais au fond il y a des amitiés que j'apprécie et auxquelles je tiens par-dessus toute chose.* »

NOTICE BIOGRAPHIQUE

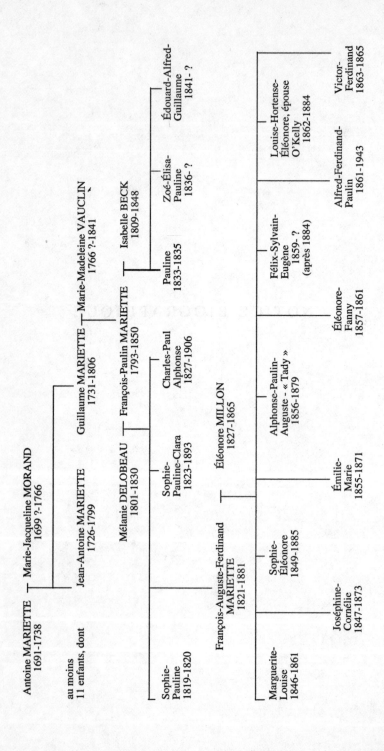

1821 : naissance à Boulogne-sur-Mer, le 12 février.

ÉTUDES : VERS 1825-1837

Jusqu'en 1828 ou 1829 : études à l'Institution Blériot.
1830 : mort de sa mère, Mélanie Delobeau (22 août).
1832 : remariage de son père (11 janvier).
Jusqu'en 1835 : études à l'Institution Leclercq, jusqu'à la classe de Troisième.
1835-1837 : études au Collège communal, jusqu'à la classe de Seconde incluse.

TRAVAIL À BOULOGNE ET EN ANGLETERRE : 1837-1841

1837 (août)-1839 (juin) : Auguste Mariette est aide-rédacteur à la Mairie de Boulogne.
1839 (octobre)-1841 : séjour en Angleterre, d'abord à Stratford-upon-Avon (1839-1840), puis à Coventry.

PROFESSEUR ET JOURNALISTE : 1841-1849

1841 : retour en France. Débuts au journal *La Boulonnaise* en avril (chroniques historiques et locales, histoires de corsaires). Maître d'étude au Collège communal en juillet. Préparation du Baccalauréat, obtenu le 4 août.
1842 : Maître d'étude au Collège communal. Mort de Nestor L'Hôte, dessinateur de la mission de Champollion en Égypte, dont les papiers sont classés par la famille Mariette.
1843-1849 : Régent de la classe de Septième au Collège communal. Poursuite d'une carrière de journaliste (Rédacteur de *L'Annotateur* de juillet 1843 à août 1846).
1845 : mariage à Saint-Nicolas de Boulogne le 5 juin avec Éléonore Millon.
1846 : première demande de mission en Égypte, refusée par le Ministère de l'Instruction publique. Naissance de Marguerite-Louise (18 avril).
1847 : publication de *Quelques mots sur la Galerie égyptienne du Musée de Boulogne,* dans *L'Annotateur* du 18 mars. Naissance de Joséphine-Cornélie (5 septembre).
1848 : vacances de Pâques et d'été à Paris, à la Bibliothèque Nationale et au Musée du Louvre.

1849 : en mai, demande de congé jusqu'à la fin de l'année scolaire. Abandon définitif de l'enseignement à la rentrée. Naissance de Sophie-Éléonore (26 mai).

PARIS : 1849-1850

1849 : emploi au Louvre, en tant qu'auxiliaire à la Conservation des antiquités égyptiennes.
1850 : demande de mission en Égypte, accordée le 22 août.
Départ de Marseille le 4 septembre.

LE SÉRAPÉUM : 1850-1853

1850 : Arrivée à Alexandrie le 2 octobre. Arrivée aux Pyramides le 20 octobre, à Saqqara le 27 octobre. Début des fouilles du Sérapéum le 1er novembre. Mort de son père le 7 décembre.
1851 : découverte de l'hémicycle des philosophes début janvier. Construction de la « Villa Mariette » fin avril-début mai. Fouilles interdites par le gouvernement du 4 au 30 juin, puis à partir du 12 septembre. Fouilles nocturnes. Entrée des souterrains du Sérapéum découverte la nuit du 12 novembre.
1852 : attaché à la Conservation des antiquités égyptiennes du Louvre le 1er janvier. Arrivée de madame Mariette et des enfants. Réouverture officielle des fouilles du Sérapéum le 12 février : « Petits souterrains », caveaux isolés.
1853 : H. Brugsch arrive en février. Tombe (?) de Khaemouaset en avril. Partie est du dromos. Au printemps, ordre de rejoindre le Louvre. Mariette reste, pour le compte du duc de Luynes.

RETOUR EN FRANCE : 1854-1857

1854 : fouilles du Temple de la Vallée de Khéphren à Giza. Assassinat de Saïd Pacha le 14 juillet. Octobre, retour à Paris. Communication à l'académie des Inscriptions et Belles-Lettres des résultats de la mission de 1850.
1855 : 15 février, Conservateur-adjoint au Louvre. Mission dans les musées européens, Berlin. Naissance de Émilie-Marie (5 septembre).
1856 : Louvre. Naissance d'Alphonse-Paulin-Auguste, dit « Tady » (31 octobre).

1857 : mission à Turin. Rencontre avec Ferdinand de Lesseps en juillet, avec le prince Napoléon en octobre. Le 9 octobre, Mariette est envoyé en mission en Égypte pour préparer le voyage du prince.

MARIETTE ENTRE DEUX PAYS : 1857-1861

1857 : fouilles à Giza, Saqqara, Abydos, Thèbes, Éléphantine..., pour le compte du prince Napoléon. Naissance d'Éléonore-Fanny (22 décembre).

1858 : annulation du voyage princier fin janvier. Le 1er juin, Mariette est nommé « Directeur des travaux d'antiquités en Égypte ». Ouverture immédiate de nombreux chantiers dans tout le pays. Arrivée de Théodule Devéria fin décembre.

1859 : 5 février, découverte du trésor d'Aahhotep à Thèbes. Déblaiement d'Abydos, de Médinet Habou. Achat de la collection Huber pour le futur musée. Retour en France à l'été. Première attaque de diabète. Mort de Bonnefoy en Haute Égypte. Retour en Égypte en décembre. Naissance de Félix-Sylvain-Eugène (31 octobre).

1860 : à partir de janvier, longue inspection en Haute Égypte. Printemps, début des fouilles de Tanis, Saïs, Athribis, Sébennytos. Projet de publication rapide et systématique des inscriptions trouvées lors des fouilles. À Saqqara, découverte du *Cheikh el-Beled*, du mastaba de Ti, de la « Table de Saqqara » ; à Giza, de la statue de Khéphren en diorite. Le Louvre demande à Mariette de choisir entre l'Égypte et la France.

1861 : Mariette est déclaré Conservateur-adjoint honoraire au Louvre le 26 janvier, Devéria le remplace à Paris. Naissance d'Alfred-Ferdinand-Paulin (20 janvier).

MARIETTE FONCTIONNAIRE ÉGYPTIEN : 1861-1881

1861 : fouilles à Tanis. Congé en France de mars à septembre. Napoléon III veut convaincre Saïd Pacha de se rendre à Paris pour y contracter un emprunt. Mort de Marguerite-Louise (1er mai). Octobre, inspection en Basse Égypte. Voyages du comte de Chambord, puis de Saïd Pacha en Haute Égypte. Mort d'Éléonore-Fanny (4 décembre). Arrivée de Devéria fin décembre.

1862 : naissance de Louise-Hortense-Éléonore (15 mars). Mai, voyage en France avec Saïd Pacha. Été, Exposition universelle de Londres.

1863 : mort de Saïd Pacha le 18 janvier. Voyage du prince Napoléon à l'été. Trouvaille des stèles du Gebel Barkal. Naissance de Victor-Ferdinand (2 juin). Disgrâce de Mariette. Inauguration du musée de Boulaq le 16 octobre. Au début de décembre, arrivée d'Emmanuel et Jacques de Rougé.

1864 : « querelle des publications ». Visite d'Ernest Renan. Fouilles à Saqqara, et découverte de la « Table d'Abydos ».

1865 : réconciliation avec Ismaïl Pacha en janvier. Voyage du *Qasd el-Kheir* et retour de Devéria. Mort de Victor-Ferdinand (2 janvier). « Affaire Dümichen ». Épidémie de choléra au Caire, mort de madame Mariette le 14 août. Restrictions budgétaires du Gouvernement en novembre.

1866 : préparation de l'Exposition universelle de Paris en 1867. Voyages de documentation en Haute Égypte, collecte de momies et crânes pour la galerie anthropologique... Retour en France en décembre.

1867 : grand succès du pavillon égyptien à l'Exposition universelle inaugurée le 1ᵉʳ avril. Mariette refuse les bijoux d'Aahhotep à l'Impératrice Eugénie. Rencontre avec Gaston Maspero. Retour en Égypte à l'hiver.

1868 : difficile déballage des caisses de l'Exposition. Tracasseries familiales, et amertume générale. Mariette travaille aux publications financées par le Vice-Roi.

1869 : *Aïda* en projet. Été à Plombières. Préparation des cérémonies d'inauguration du Canal de Suez, qui ont lieu en novembre. Divers travaux à Assouan, Edfou, Thèbes, Dendérah, Abydos, au Fayoum, à Saqqara... Mort de Gabet.

1870 : préparation des décors et costumes d'*Aïda* : Mariette est à Paris à partir de juillet, et s'y trouve bloqué par la Guerre de 1870.

1871 : mort de Théodule Devéria le 25 janvier. Retour en Égypte au printemps. Fin avril-début mai, inspection en Haute Égypte. Mariette rentre en France, au chevet de sa fille Émilie-Marie (morte le 28 octobre). À Meïdoum, découverte des statues de Rahotep et Nofret. Première représentation d'*Aïda* au Caire le 24 décembre.

1872 : voyage de Klapka et Bancroft en Haute Égypte. Préparation de l'Exposition universelle de Vienne en 1873. Été en Europe. Mort d'Emmanuel de Rougé le 27 décembre.

1873 : mort de Joséphine Mariette le 27 mars. Adjudication des fondations du nouveau musée le 29. Exposition de Vienne en juin. Prix de l'Institut pour l'ensemble de son œuvre.

1874 : inspection en Haute Égypte, spécialement à Karnak et Deir el-Bahari, et jusqu'à Assouan. Difficultés financières. Mariette travaille surtout aux publications. Médaille d'or de la Société de Géographie.

1875 : inspection et travail à Thèbes en début d'année. Été en France. En octobre, première mission de Rochemonteix, chargé de relever les inscriptions d'Edfou.

1876 : Rochemonteix de nouveau à Edfou en février. Mariette est en mauvaise santé, et passe un triste été à Boulogne. Longue inspection en Haute Égypte à partir de la fin de décembre.

1877 : retour de Haute Égypte vers le 20 février. Retour à Paris au début d'avril, pour préparer l'Exposition universelle du Trocadéro. Deux graves crises de diabète.

1878 : membre ordinaire de l'Académie des Inscriptions et Belles-Lettres le 10 mai. Exposition du Trocadéro. Graves soucis financiers. À partir d'octobre, le musée de Boulaq est inondé. Retour en Égypte.

1879 : abdication d'Ismaïl Pacha fin juin. Retour de Mariette en France au chevet de son fils Tady, qui meurt le 3 août. Retour en Égypte fin novembre. Réfection du musée.

1880 : organisation des salles du nouveau musée. Travaux à Saqqara, où il refuse d'admettre l'existence des Textes des Pyramides. En juin, retour en France, cure à La Bourboule, santé désastreuse. Mi-octobre, retour en Égypte contre l'avis des médecins.

1881 : 10 janvier, début de l'agonie. 18 janvier, 19 heures 40, mort de François-Auguste-Ferdinand Mariette.

GLOSSAIRE DES MOTS ARABES, TURCS ET PERSANS UTILISÉS DANS CE LIVRE

Bakschich, bakchich : « cadeau », pourboire, voire pot-de-vin.

Cawas, cavass : personnage aux fonctions multiples, de protection, surveillance et escorte officielle, équivalent approximatif d'un huissier ou appariteur. Le mot est aujourd'hui synonyme de « gendarme ».

Chaouiche : surveillant, policier.

Cheikh, cheik : « chef ».

Cheikh el-Beled : chef de village.

Dahabiya : bateau de grande taille, qui navigue sur le Nil à la voile et non à la vapeur.

Diwân, diwan : Conseil.

Effendi : « Monsieur », terme honorifique.

Fellah : paysan.

Firman : « ordre ». Autorisation, accordée par le Vice-Roi, de disposer de la main-d'œuvre locale.

Khédive : terme honorifique porté par les Vice-Rois d'Égypte de 1867 à 1914. Signifiant quelque chose comme « l'auguste, le seigneur », il marque une certaine émancipation politique de la tutelle d'Istanbul.

Mamour : « chef, directeur ».

Mastaba : « banquette ». Tombeau de l'Ancien Empire, dont la forme extérieure évoque celle de la banquette située devant les maisons égyptiennes.

Moudir, moudyr : « directeur, chef », ici gouverneur de province.

Moudiria, moudiriah : province.

Raïs, réïs : « chef », ici chef des ouvriers sur un chantier.

Richi : « de plumes », désigne un certain type de sarcophage, dont le décor imite des plumes.

Saïd : Haute Égypte.

Sebakh : matériau riche en azote, qui s'accumule au fil des siècles dans les endroits habités. Il est utilisé comme engrais par les paysans égyptiens.

Serdab : « couloir », ici la pièce exiguë et allongée qui renferme, dans un mastaba, la ou les statues du mort.

Wâli : Vice-Roi.

BIBLIOGRAPHIE

La plupart des sources utilisées ne se trouvent qu'en bibliothèque... ou chez les bouquinistes ! Pour les inédits, se reporter aux Remerciements.

Biographies de Mariette

DESEILLE E., *Auguste Mariette, notice,* Boulogne-sur-Mer, 1882.

DESJARDINS E., *Inauguration du monument élevé à Boulogne-sur-Mer en l'honneur de l'égyptologue Auguste Mariette... le 16 juillet 1882... Conférence de M. Ernest Desjardins sur Mariette. Documents divers,* Boulogne, 1882.

LAUER J.-P., *Mariette à Sakkarah – du Sérapéum à la direction des antiquités,* Mélanges Mariette (IFAO, BdE 32), Le Caire, 1961, pp. 4-55.

MARIETTE É., *Mariette Pacha. Lettres et souvenirs personnels,* Paris, 1904.

MASPERO G., *Mariette (1821-1881) – Notice biographique,* au début du tome XVIII de la *Bibliothèque Égyptologique* (1904).

RÉVILLOUT E., *Auguste Mariette Pacha, Revue Égyptologique* 1881, n°s II-III, pp. 317-320 (à suivre, n'a jamais eu de suite).

WALLON H., *Notice sur la vie et les travaux de François-Auguste-Ferdinand Mariette-Pacha, membre ordinaire de l'Académie des Inscriptions et Belles-Lettres,* Paris, AIBL, Compte rendu de la Séance publique annuelle, 23 novembre 1883.

Commémorations de Boulogne en 1971, puis en 1981

Auguste Mariette (1821-1881), Exposition pour le 150ᵉ anniversaire de sa naissance. Musée des Beaux-Arts et d'Archéologie, octobre 1971-avril 1972, Boulogne-sur-Mer, 1971.

En préambule au catalogue proprement dit, cette brochure contient une courte biographie :

DELAGNEAU R., *Mariette, Mariette-Bey, Mariette Pacha,* pp. 9-15.

Un bilan de la carrière journalistique de Mariette :

CASSAR J., *Auguste Mariette, journaliste boulonnais,* pp. 17-19.

Mariette-Pacha, citoyen boulonnais, Bibliothèque municipale de Boulogne-sur-Mer, Office Municipal de la Culture, 1981.

Les Cahiers du vieux Boulogne, 8, Numéro spécial *Mariette,* janvier 1981.

BATAILLE G., *Interview imaginaire... Les souvenirs du journaliste Auguste Mariette,* p. 4.

CASSAR J., *Auguste Mariette et l'Université,* pp. 5-7.

CASSAR J., *Les avatars du monument à Mariette-Pacha,* pp. 7-8.

YOYOTTE J., *Une autorisation d'absence en 1846,* p. 9.

WIMET P.-A., « *Vieilles Pierres – Vieilles Rues* », *Les maisons boulonnaises de Mariette,* pp. 11-12.

Autour de Mariette et de son temps : quelques idées de lectures

BELZONI G., *Voyages en Égypte et en Nubie,* Paris, Pygmalion, 1979.

BRUGSCH H., *Mein Leben und Wandern,* Berlin, 2ᵉ édition 1894.

CARRÉ J.-M., *Voyageurs et écrivains français en Égypte,* Le Caire, IFAO, 1932.

CLAYTON P.A., *L'Égypte retrouvée, artistes et voyageurs des années romantiques,* Paris, 1984.

DUFF GORDON L., *Letters from Egypt* (1862-1869) ; une réédition en poche se trouve dans les librairies anglaises.

EDWARDS A., *A Thousand Miles up the Nile* (1877), réédité par Century (Londres, Sydney, Auckland et Bergvlei) en poche en 1982 : se trouve dans tous les bons hôtels du Caire !

FAGAN B.M., *L'aventure archéologique en Égypte,* Paris, Pygmalion, 1981.

FIECHTER J.-J., *La moisson des dieux. La constitution des grandes collections égyptiennes,* 1815-1830, Paris, Julliard, 1994.

KHATER A., *Le régime juridique des fouilles et des antiquités en Égypte* (IFAO, RAPH 12), Le Caire, 1960.

LAUER J.-Ph., *Saqqarah*, Paris, Tallandier, 197?.

TRAUNECKER C., GOLVIN J.-C., *Karnak – Résurrection d'un site,* Paris, Payot, 1984.

VERCOUTTER J., *À la recherche de l'Égypte oubliée,* Découvertes, Gallimard, Paris, 1986.

Verdi – Aïda, L'Avant-Scène Opéra, N° 4, nouvelle édition, avril 1993.

VOLKOFF O., *Comment on visitait la vallée du Nil : les « guides » de l'Égypte,* Le Caire, 1967.

Écrits de Mariette
Œuvre journalistique
(d'après J. CASSAR, *Auguste Mariette, journaliste boulonnais*)

1841 – *Histoire anecdotique,* La Boulonnaise, 7 avril 1841 (la jeunesse de Boieldieu).
– *L'Exposition de 1841,* La Boulonnaise, 22 septembre 1841 (compte rendu critique).
– *Situation du théâtre à Boulogne,* L'Annotateur, 28 octobre 1841 (critique).
– *La rue Tant-Perd-tant-paie,* La Boulonnaise, 4/25 novembre 1841 (chronique boulonnaise).
– *Aventures du Corsaire Le Voltigeur, du port de Saint-Malo, 1799,* La Boulonnaise, 6 ou 16 décembre 1841 (histoire de la course).
– *Une évasion du beffroi, 1784,* La Boulonnaise, 23 décembre 1841 (chronique boulonnaise).

1842 – *Le génie de la peinture,* L'Annotateur, 24 février 1842 (un tableau de Giotto [signé A.M.]).

– *Histoire d'un trépassé,* L'Annotateur, 17/24 mars 1842 (œuvre d'imagination [signé E.M.]).
– *Physiologie du matelotin,* L'Annotateur, 24 mars 1842 (le matelotin boulonnais).
– *Corsaires boulonnais : Le Wimereux,* L'Annotateur, 7 juillet 1842 (les corsaires boulonnais, le capitaine Pollet).
– *Physiologie du sergent de ville,* L'Annotateur, 28 juillet 1842.
– *Le Duc d'Orléans,* L'Annotateur, 4 août 1842 (article nécrologique).
– *La Bergerie royale de Montcavrel,* L'Annotateur, 8 septembre 1842 (étude historique).
– *Properce,* L'Annotateur, 27 octobre 1842 (faits divers).
– *Le Palais de Whitehouse Hill, 1639,* L'Annotateur, 17 novembre 1842 (le duc de Buckingham).

1843 – *Hassan-le-Noir,* L'Annotateur, 29 décembre 1842 – 2, 12, 19 et 26 janvier 1843.
– *Un secret,* L'Annotateur, 13 avril 1843 (œuvre d'imagination).
– *Pauvre Marquise !* L'Annotateur, 11 mai 1843 (œuvre d'imagination).
– *Exposition de 1843,* L'Annotateur, juillet-septembre 1843 (compte rendu critique).
– *Corsaires boulonnais : La Seconde Course du Rusé,* Almanach de Boulogne, 1843 (la course).
– *La rue du Mont-à-Cardon,* L'Annotateur, 21 décembre 1843-11 janvier 1844 (faits divers [signé E.M.]).

1844 – *Vie du Capitaine Jacques Broquant,* L'Annotateur, 25 janvier 1844 (un corsaire boulonnais).
– *Bibliologie départementale,* L'Annotateur, 25 avril 1844 (critique).
– *Quelques pages de l'histoire d'un homme célèbre,* L'Annotateur, 9 mai 1844 (critique).
– *Notice sur les rues de Boulogne,* Almanach de Boulogne, 1844 (histoire locale [non signé : A.M. selon Deseille]).
– *Charles II,* L'Annotateur, 28 novembre-10 décembre 1844 (histoire).

1845 – *Chronique de politique intérieure,* L'Annotateur, janvier à décembre 1845 (chaque jeudi).
– *Exposition de 1845,* L'Annotateur, août-septembre 1845 (compte rendu critique).

1846 – *Chronique de politique intérieure*, L'Annotateur, janvier-août 1846 (chaque jeudi).
– *Notice sur les rues de Boulogne*, Almanach de Boulogne, 1846 (histoire locale [non signé : A.M. selon Deseille. Seule la notice sur la rue Thurot est signée]).
– *Une leçon de phrénologie*, L'Annotateur, 23 avril 1846 (compte rendu).
– *Le domino jaune*, L'Annotateur, 9 ou 23 juillet 1846 (conte).

1847 – *Un conte bleu*, L'Annotateur, 9 ou 23 juillet 1846 (conte).
– *Quelques mots sur la Galerie égyptienne du Musée de Boulogne*, L'Annotateur, 18 mars 1847 (description commentée).

Œuvres égyptologiques

N.B. : les italiques désignent des revues. *CRAIBL : Comptes rendus de l'Académie des Inscriptions et Belles-Lettres.*

1849 – Sur le côté gauche de la Salle des ancêtres de Thoutmès III, et en particulier sur les deux dernières lignes de cette partie du monument (manuscrit et inédit, 70 pages).
– Bibliographie copte (manuscrit et inédit).
– Note sur un fragment du Papyrus royal de Turin et la VIe dynastie de Manéthon, *Revue Archéologique*, 1re série, t. VI, pp. 305-315.

1855 – Renseignements sur les 64 Apis trouvés dans les souterrains du Sérapéum de Memphis, *Bulletin archéologique de l'Athénæum français*, année 1855, pp. 45, 53, 66, 85 et 93, année 1856, pp. 58 et 74.

1856 – Fragment de sarcophage phénicien conservé au Musée de Berlin, *Bulletin archéologique de l'Athénæum français*, 1856, p. 49.
– Mémoire sur une représentation gravée en tête de quelques proscynèmes du Sérapéum, Paris.
– Choix de monuments et de dessins découverts ou exécutés pendant les déblaiements du Sérapéum de Memphis, Paris.

1857 – Le Sérapéum de Memphis découvert et décrit par A. Mariette, Paris (30 p. de texte, 36 pl.). L'éditeur Gide ayant fait faillite, la suite n'a jamais paru.

1858 – Nouvelles découvertes en Égypte. Lettre de M. Mariette à M. de Rougé, *CRAIBL*, 1ʳᵉ série, t. II, pp. 115-121.

1859 – Communication sur le Trésor de la reine Aah-Hotep, récemment découvert, *Bulletin de l'Institut Égyptien*, 1859, pp. 33-36.
– Notice sur l'état actuel et les résultats des travaux entrepris par les ordres de Son Altesse le Vice-Roi pour la recherche des monuments de l'antique Égypte, *CRAIBL*, 1ʳᵉ série, t. III, pp. 153-165.

1860 – Lettre à M. le vicomte de Rougé, sur les résultats des fouilles entreprises par ordre du Vice-Roi d'Égypte, *Revue Archéologique*, 2ᵉ série, t. II, pp. 17-35.
– Extrait d'une lettre de M. Mariette à M. Jomard, sur les fouilles de Thèbes, d'Abydos, de Saqqarah, sur le musée de Boulaq, etc., *Revue Archéologique*, 2ᵉ série, t. II, pp. 206-207.

1861 – Lettre à M. le vicomte de Rougé, sur les fouilles de Tanis, *Revue Archéologique*, 2ᵉ série, t. III, p. 95, et aussi *CRAIBL*, 1ʳᵉ série, t. V, pp. 18-22.
– Extrait d'une lettre à M. Alfred Maury, sur les monuments des Hyksos trouvés à Tanis, *Revue Archéologique*, 2ᵉ série, t. III, pp. 337-340.
– Sur le blé de momie, *Bulletin de l'Institut Égyptien*, 1861, pp. 84-86.

1862 – Deuxième lettre à M. le vicomte de Rougé, sur les fouilles de Tanis, *Revue Archéologique*, 2ᵉ série, t. V, pp. 297-305, et aussi *CRAIBL*, 1ʳᵉ série, t. VI, pp. 44-48.

1863 – Lettre à M. le vicomte de Rougé, sur une stèle trouvée à Gebel Barkal, *Revue Archéologique*, 2ᵉ série, t. VII, pp. 413-422, et aussi *CRAIBL*, 1ʳᵉ série, t. VII, pp. 119-126.
– Description des fouilles exécutées en Égypte par Aug. Mariette, 1ʳᵉ série des fouilles, 1850-1854 (= Le Sérapéum découvert et décrit..., 1857), Paris.

1864 – La Table de Sakkarah, *Revue Archéologique*, 2ᵉ série, t. X, pp. 169-186.
– Aperçu de l'Histoire d'Égypte depuis les temps les plus reculés jusqu'à la conquête musulmane, Alexandrie (réédité en 1867, 1870, 1872, 1874...).
– Notice des principaux monuments exposés dans les galeries provisoires du musée d'art égyptien de Son Altesse le

Vice-Roi à Boulaq, Alexandrie (réédité en 1868, 1869, 1872, 1874, 1876).
– Les populations du lac Menzaleh et les races qui peuplent l'Égypte, *Bulletin de l'Institut Égyptien,* 1864, pp. 103-106.

1865 – Sur la stèle de l'an 400 découverte à Tanis, *Revue Archéologique,* 2ᵉ série, t. XI, pp. 169-190.
– Fragments de deux lettres adressées d'Égypte à MM. Egger et de Rougé, *CRAIBL,* nouvelle série, 1865, pp. 74-75.
– Quatre pages des archives officielles de l'Éthiopie, *Revue Archéologique,* 2ᵉ série, t. XII, pp. 161-179.

1866 – La nouvelle table d'Abydos, *Revue Archéologique,* 2ᵉ série, t. XIII, pp. 73-99 (voir aussi *CRAIBL,* 1ʳᵉ série, t. VIII (1864), p. 347, et *CRAIBL,* nouvelle série, t. I (1865), p. 11).
– Lettre à M. Brunet de Presles, sur la stèle bilingue de Chalouf, *CRAIBL,* nouvelle série, t. II, pp. 285-290, et aussi *Revue Archéologique,* 2ᵉ série, t. XIV, pp. 433-439.

1867 – Note sur l'utilité des allitérations pour le déchiffrement des hiéroglyphes, *Revue Archéologique,* 2ᵉ série, t. XV, pp. 290-296.
– Description du Parc Égyptien à l'exposition universelle de 1867, Paris.
– Fouilles exécutées en Égypte, en Nubie et au Soudan, d'après les ordres du Vice-Roi, 1ʳᵉ série, Gebel Barkal – Abydos, Paris (retiré de la vente).

1869 – Sur les tombes de l'ancien empire que l'on trouve à Saqqarah, *Revue Archéologique,* 2ᵉ série, t. XIX, pp. 7-22 et 81-89.
– Sur le temple de Dendérah, *CRAIBL,* séance du 27 août 1869.
– Une visite au Musée de Boulaq, ou description des principaux monuments conservés... (en arabe, il a existé une version française).
– Itinéraires des invités aux fêtes d'inauguration du Canal de Suez, Le Caire, et Paris la même année.
– Abydos – Description des fouilles exécutées sur l'emplacement de cette ville, t. I, Ville antique – Temple de Séti, Paris.
– Abydos, t. II, Temple de Séti, supplément – Temple d'Osiris de Ramsès II – Petit temple de l'ouest et nécropole, Paris.

1870 – Scénario d'*Aïda*, imprimé à 10 exemplaires à Alexandrie.

– Compte rendu des nouvelles fouilles, et remarques sur l'âge de la pierre en Égypte, *Bulletin de l'Institut Égyptien*, mai 1870, pp. 52-80.

– Dendérah. Description générale du grand temple de cette ville, t. I et II (planches), Paris.

1871 – Les Papyrus égyptiens du Musée de Boulaq, t. I, Paris.

– Dendérah, t. III (planches), Paris.

– Album du Musée de Boulaq, Le Caire.

1872 – Itinéraire de la Haute-Égypte, comprenant une description des monuments antiques des rives du Nil entre Le Caire et la Première Cataracte, Alexandrie (réédité à Paris, et traduit en anglais par Alphonse Mariette, 1877).

– Monuments divers recueillis en Égypte et en Nubie, début de la parution des fascicules, à Paris.

– Les Papyrus égyptiens du Musée de Boulaq, t. II, Paris.

1873 – Sur une inscription grecque découverte dans les ruines du temple de Ptah à Memphis (observations sur un article de E. Miller), *Mélanges d'Archéologie égyptienne et assyrienne*, t. I, pp. 51-56.

– Les Bashmourites et les Biahmites, *Mélanges d'Archéologie égyptienne et assyrienne*, t. I, pp. 91-93.

– Dendérah, t. IV (planches), Paris.

1874 – Exposé des travaux exécutés à Karnak dans l'hiver de 1873-1874, sur l'ordre du Khédive, et d'une découverte importante qu'ils ont amenée, *Bulletin de l'Institut Égyptien*, 1873-74, pp. 105-113.

– Mémoire sur les listes géographiques du pylône de Thoutmès III, à Karnak, *CRAIBL*, 4e série, t. IV, pp. 21-25, et *Mémoires AIBL*, t. II, pp. 243-260.

1875 – Les listes géographiques des pylônes de Karnak, comprenant la Palestine, l'Éthiopie, le pays de Sômal, Le Caire et Leipzig.

– Karnak. Étude topographique et archéologique, avec un appendice comprenant les principaux textes hiéroglyphiques découverts ou recueillis pendant les fouilles exécutées à Karnak, Le Caire et Leipzig.

– Plan du grand temple de Karnak (1 pl. et 14 pl. de texte).

1876 – Les Papyrus égyptiens du Musée de Boulaq, t. III, Paris.

1877 – Deïr-el-Bahari. Documents topographiques, historiques et ethnographiques recueillis dans ce temple pendant les fouilles, Leipzig.

1878 – Voyage dans la Haute-Égypte. Explication des vues photographiques, d'après les monuments antiques compris entre Le Caire et la Première Cataracte, Le Caire et Paris.
– La Galerie de l'Égypte ancienne à l'exposition rétrospective du Trocadéro. Description sommaire, Paris.

1879 – Lettre à M.E. Desjardins, sur deux stèles d'Abydos et une stèle de Saqqarah, nouvellement découvertes, *CRAIBL,* 4ᵉ série, t. VII, pp. 121-131.
– Mémoire sur les nouvelles fouilles à opérer en Égypte, *CRAIBL,* 4ᵉ série, t. VII, p. 258.
– Questions relatives aux nouvelles fouilles (mémoire lu à l'AIBL le 21 novembre 1879), partiellement publié à Paris.

1880 – Dendérah, t. V (texte).
– Abydos, t. III – Catalogue général des monuments d'Abydos découverts pendant les fouilles de cette ville, Paris.

1882 – Le Sérapéum de Memphis, par Auguste Mariette, publié d'après le manuscrit de l'auteur par G. Maspero, Paris.

1883 – Les mastabas de l'Ancien Empire. Fragment du dernier ouvrage de A. Mariette, publié d'après le manuscrit de l'auteur par G. Maspero, Paris.

1886 – Remarques sur l'âge de la pierre en Égypte, *Recueil de Travaux,* t. VII, pp. 132-140.

1887 – Lettres de Mariette et Daninos sur les découvertes de Meïdoum, *Recueil de Travaux,* t. VIII, pp. 69-73.

1888 – Mémoire sur Tanis, *Recueil de Travaux,* t. IX, pp. 1-20.

INDEX SÉLECTIF
DES NOMS PROPRES

291

INDEX SÉLECTIF DES NOMS
DE LIEUX ET DE MONUMENTS

TABLE DES MATIÈRES

Achevé d'imprimer en octobre 1994
sur presse CAMERON
dans les ateliers de la S.E.P.C.
à Saint-Amand-Montrond (Cher)

N° d'Édition : 455. N° d'Impression : 2469.
Dépôt légal : octobre 1994.

Imprimé en France